Musée d'Orsay

Catalogue sommaire illustré des arts décoratifs

£6-50

Musée d'Orsay

Catalogue sommaire illustré des arts décoratifs

Catalogue établi par

Marc Bascou
Conservateur au musée d'Orsay

Marie-Madeleine Massé
Documentaliste au musée d'Orsay

Philippe Thiébaut
Conservateur au musée d'Orsay

Ministère de la Culture et de la Communication
Editions de la Réunion des musées nationaux
Paris 1988

En couverture :
Grasset et Vever
Apparitions, broche, 1900 (OAO 44) détail.

ISBN 2-7118-2.150-1

© Editions de la Réunion des musées nationaux, Paris 1988
    10, rue de l'Abbaye, 75006 Paris

© SPADEM, Paris 1988
    ADAGP, Paris 1988

Introduction

«A quel endroit et à quel prix le Louvre de l'avenir ira-t-il chercher la continuation de la section spéciale si riche en merveilles de toutes sortes, consacrée aux bronzes, à l'orfèvrerie, aux émaux, ivoires, etc.?»

Ainsi s'interrogeait, avec une rare prémonition, Léonce Bénédite, conservateur du musée du Luxembourg, dans un article consacré au musée des Artistes contemporains paru en mai 1892 dans la Gazette des Beaux-Arts.

La réponse n'est venue que 94 ans plus tard : la section d'arts décoratifs créée au musée d'Orsay apparaît bien, aujourd'hui, comme le prolongement naturel du Département des objets d'art du musée du Louvre, dont les collections s'étendent désormais jusqu'à la fin du règne de Louis-Philippe.

Les visiteurs peuvent ainsi juger du fruit de dix années d'efforts accomplis pour recenser, et tenter de regrouper, les œuvres disponibles appartenant aux collections de l'Etat et apprécier le résultat d'une brillante campagne d'acquisitions menée en vue de l'ouverture du musée d'Orsay.

Les collections d'arts décoratifs, telles qu'elles se présentaient à la date d'inauguration du musée, proviennent de trois sources différentes, d'importance inégale : l'ancien musée du Luxembourg et ses successeurs le musée du Jeu de Paume et le musée national d'Art moderne; les affectations et dépôts dont le tout nouveau musée a bénéficié; les acquisitions des neuf dernières années.

En décembre 1986, le nouvel inventaire d'art décoratif (OAO) ouvert depuis 1978, comptait 1098 numéros, soient 333 objets reversés par le musée national d'Art moderne et 765 acquisitions récentes. Certaines œuvres exposées au musée d'Orsay, mais provenant d'autres établissements, sont inscrites sur un inventaire des dépôts (DO).

Le Musée du Luxembourg, la galerie du Jeu de Paume et le Musée national d'Art moderne

Dépendant de la Direction des beaux-arts bien plus que de l'administration des Musées nationaux, le musée des artistes contemporains, créé en 1818 au Palais du Luxembourg, dut attendre l'année 1892 - malgré une éphémère tentative d'expositions de produits des manufactures nationales, de 1874 à 1882 - pour adjoindre aux séries de peintures, sculptures et arts graphiques, une section d'objets d'art. Ce n'est, en effet, qu'après l'admission des arts décoratifs aux Salons annuels - en 1891 à la Société nationale des Beaux-Arts, en 1895 à la Société des Artistes français -, que l'Etat se mit à effectuer régulièrement des achats d'objets, destinés en partie au musée du Luxembourg. L'absence d'un crédit spécial d'acquisition, et plus encore, l'exiguïté des locaux d'exposition empêchèrent cependant de donner à cette section l'importance souhaitée et d'y inclure les arts du mobilier.

Bien qu'accrue de dons d'artistes contemporains (céramiques de Cazin et Delbet, camées de Galbrunner et Tonnellier, verreries de Tiffany...) et de quelques rares dons d'amateurs - dons Hayem (1899), Tarn (1907?), Stern (1914) -, la collection n'offrait qu'un choix très restreint : nombre d'artistes étaient absents, tels Guimard, Majorelle, Gaillard, De Feure, Colonna, Selmersheim, pour ne citer que des créateurs français. Hormis quelques verreries de Tiffany, aucune place n'était faite aux artisans et décorateurs étrangers.

Le long purgatoire que connut l'Art Nouveau, dès le début des années 1920, arrêta net tout accroissement de cette jeune section et conduisit rapidement à un premier démembrement de collections restées à l'état embryonnaire.

Dès 1910, sans doute par manque de place, la cheminée de Dalpayrat fut envoyée en dépôt à Besançon. D'autres dépôts furent effectués par la suite, surtout à partir de 1931, en province (Marseille, Montpellier, Nantes) et à Paris, au musée des Arts décoratifs.

Seuls objets importants datant de la fin du siècle dernier, entrés dans les collections nationales au tournant de la guerre, 14 poteries et bois sculptés de Gauguin - dons David-Weill et Schmit (1938), Vollard (1943) - trouvèrent leur place au musée de l'Impressionnisme, installé au Jeu de Paume en 1947.

Héritier de l'ancien musée du Luxembourg, le musée national d'Art moderne, qui ouvrit la même année au Palais de Tokyo, ne comportait plus de section d'art décoratif.

Après l'envoi massif d'un grand nombre de céramiques aux musées de Sèvres et Limoges (dépôt régularisé en 1976), il n'y subsistait plus que 333 objets datant principalement des années 1890 à 1914, qui furent reversés au musée d'Orsay. A ce reliquat de collection sont venus s'ajouter 32 objets et 2 meubles déposés par le musée d'art Moderne - il s'agit d'œuvres d'artistes nés après 1870 - et 19 objets rentrés de dépôts en province, la plupart venant aussi de l'ancien fonds du Luxembourg, notamment l'*Histoire de l'eau* de Cros, revenue de Narbonne.

Les affectations et dépôts consentis au Musée d'Orsay

La création du musée d'Orsay offrait une occasion unique de rassembler, grâce à l'intérêt bienveillant qu'elle a suscité chez nos collègues, certaines œuvres dispersées dans divers musées ou administrations, où elles étaient souvent peu accessibles au public : le Mobilier national et le Ministère des affaires étrangères, les musées-châteaux de Fontainebleau, Compiègne et Malmaison, les musées du Louvre et de Cluny, les musées de Sèvres et de Limoges, le musée de Mulhouse, l'Union centrale des Arts décoratifs, le musée Christofle, la bibliothèque Thiers et la bibliothèque du Saulchoir ont ainsi accepté de se dessaisir d'œuvres leur appartenant. Plus d'une centaine de pièces ont pu être réunies, sans compter certains prêts de longue durée venant principalement du Conservatoire national des Arts et Métiers et du musée Christofle. Le présent catalogue ne recense toutefois que les affectations ou dépôts régularisés jusqu'en décembre 1986.

Ces négociations ont surtout porté sur des créations des années 1850-1880 : ébénisteries de Diehl - dont le grand médaillier orné de bronze de Frémiet, si judicieusement préempté par le Louvre en 1973! -, Roudillon (Mobilier national), Fourdinois (musée des Arts décoratifs); bois sculptés de Guérêt frères (Mobilier national, Malmaison); bronzes d'ameublement de Barye (ministère des Affaires étrangères), Crozatier (Fontainebleau), Barbedienne (musée des Arts décoratifs); orfèvrerie de Christofle (Cluny), émaux de Popelin (Louvre, bibliothèque Thiers), de Gobert et Philip (Sèvres); porcelaines de Sèvres (Mobilier national, Sèvres, bibliothèque Thiers), verreries de Brocard (Limoges, musée des Arts décoratifs) et Rousseau (Mobilier national); papiers peints de Desfossé et Delicourt (musée des Arts décoratifs); tapisserie de Beauvais (Louvre).

Pour la période Art Nouveau, l'apport le plus important, d'un intérêt exceptionnel, est la grande boiserie créée par Jean Dampt pour la comtesse de Béarn vers 1900-1906, ressortie des réserves du musée des Arts décoratifs, de même que plusieurs vitraux de Carot, Coulier, Healy et Millet.

Neuf années d'acquisitions : décembre 1977 - décembre 1986

Pour répondre au programme muséographique choisi, cherchant à faire valoir les correspondances qui s'établissent, dès le début du Second Empire, entre les Beaux-Arts - architecture, peinture, sculpture - et les arts industriels, et à réunir les meilleurs exemples de ces multiples collaborations artistiques, une active politique d'acquisition a été conduite, dès la mise en place de la préfiguration du musée d'Orsay en 1977, sous la direction d'Hélène Adhémar, puis de Michel Laclotte.

Les collections se sont enrichies de plus de 760 œuvres, dont il est vrai, deux ensembles numériquement importants, mais d'intérêt plus documentaire : une centaine de moules d'orfèvrerie et modèles en plâtre de Carlo Bugatti, et les 135 objets provenant du fonds Eiffel.

Les enrichissements les plus spectaculaires ont porté sur les créations des ensembliers - architectes, décorateurs, sculpteurs ou artisans - qui se sont faits les protagonistes d'un art nouveau à travers toute l'Europe à partir des années 1890. Premier exemple d'une heureuse suite d'achats, une rare boiserie complète d'Alexandre Charpentier était préemptée en vente publique dès décembre 1977.

Au fil des années, d'autres ensembles mobiliers remarquables sont venus combler les lacunes les plus criantes de nos collections : œuvres de Guimard (1979), Horta et Majorelle (1980), Gallé et Vallin (1982), Gallé, Carabin et Adolf Loos (1983), Serrurier-Bovy (1984), Mackintosh et Frank Lloyd Wright (1985), Otto Wagner, Hoffmann et Van de Velde (1986). D'autres achats plus ponctuels, de meubles ou d'objets, complètent ce panorama de l'Art Nouveau et témoignent de sa diffusion rapide en France : faïences et verreries de Gallé, vitraux de Gruber, grès de Carriès et Hoentschel, argenterie de Follot... et à l'étranger : vase d'Otto Eckmann, sièges de Carlo Bugatti, cabinet de Gimson, tentures de Voysey, orfèvreries de Hoffmann, verreries de Kolo Moser...

De la période antérieure, des années 1850 à 1880, date une série de chefs-d'œuvre présentés aux Expositions universelles par les grandes manufactures d'art, ou par des artisans qui refusaient toute mécanisation. Citons seulement le somptueux mobilier de toilette de la Duchesse de Parme, chef-d'œuvre de la maison Froment-Meurice, achevé en 1851 et envoyé à Londres, au Crystal Palace. Un petit groupe d'œuvres anglaises - boiseries peintes, meubles, tentures, céramique, argenterie - rappellent le rôle joué par Pugin, William Morris et leurs disciples pour promouvoir une esthétique mieux adaptée à la vie moderne.

Au sein de ces acquisitions, les donations - près de 190 œuvres - occupent une place de choix : Amis d'Orsay, héritiers de commanditaires, collectionneurs, antiquaires, galeries d'art ont puissamment contribué à l'accroissement rapide des collections. Trois donations prestigieuses ont fait entrer successivement un exceptionnel vitrail de Tiffany d'après Toulouse-Lautrec (don Henry Dauberville et ses enfants Béatrice et Guy-Patrice, 1979), une riche série de 50 fontes artistiques de Guimard (don de Mme de Menil, 1981) et un rare mobilier blanc de Mackintosh (don Michel David-Weill, 1985). Enfin, un hommage particulier doit être rendu aux descendants d'artistes qui ont accepté de se séparer d'œuvres gardées dans leur famille : donations Auscher, Boule, Bourgogne, Dufresne de Saint-Léon, Guilleminault, Haguenauer et Humblot, Hirtz, Lomon-Hawkins, Ruprich-Robert et Sainsaulieu.

Avertissement

Le catalogue donne l'état des collections à la fin de l'année 1986.

Les objets sont catalogués par nom d'auteur suivant l'ordre alphabétique, sans distinction de nationalité ni de pratique; la production de chaque auteur est présentée chronologiquement.

Les anonymes viennent en fin de catalogue et sont classés par pays.

Lorsque les œuvres sont le fruit d'une collaboration, c'est le nom du concepteur qui apparaît en tête; suivent celui de l'éditeur, puis éventuellement celui du fabricant, si éditeur et fabricant ne sont pas la même personne ou la même manufacture. Collaborateurs, éditeurs et fabricants sont cependant intégrés dans le classement alphabétique où leur mention est suivie d'un renvoi au nom de l'auteur tenu pour le responsable de la création.

Le titre retenu est celui sous lequel l'objet a été présenté ou publié lors de sa création; il est la plupart du temps le fait de l'artiste; dans les cas où les archives et publications de l'époque n'ont pas permis d'avancer avec certitude un titre, celui-ci est simplement le nom du type d'objet auquel se rattache la pièce cataloguée.

Lorsque l'œuvre n'est pas datée, la datation proposée s'appuie sur la première exposition où l'œuvre a figuré, soit sur sa première mention bibliographique ou sa première reproduction. Dans bien des cas, il ne s'agit pas de pièces «uniques», c'est alors la date de création du modèle qui est indiquée.

La bibliographie ancienne se limite à la première mention de l'œuvre, mention qui est souvent un élément de datation; la bibliographie récente est tout aussi sélective; n'ont été retenues que les monographies (d'un artiste ou d'un mouvement) fondées sur une documentation originale ou les articles précisément consacrés à l'œuvre cataloguée. Il en est de même pour les expositions : ne sont indiquées que les premières expositions où l'œuvre a figuré, les expositions universelles, et les expositions récentes faisant le point sur la question.

Des renvois sont faits aux deux catalogues du musée d'Orsay déjà parus, le *Catalogue sommaire illustré des sculptures* et le *Catalogue sommaire illustré des dessins d'architecture et d'art décoratif*. Afin de ne pas alourdir les notices du catalogue, une annexe apporte quelques renseignements historiques sur les fabricants, manufactures et éditeurs.

L'index a pour but essentiel d'aider à rechercher la provenance des œuvres et les expositions où elles ont figuré.

Numéros d'inventaire

L'ouverture d'un nouvel inventaire OAO (Objets d'Art Orsay) a été décidée en 1978 pour accueillir le reversement du musée national d'Art moderne et les acquisitions du musée d'Orsay, le Département des objets d'art du musée du Louvre ayant préféré ne pas prendre en charge l'art de la deuxième moitié du XIXᵉ siècle, compte tenu du nombre très restreint d'œuvres destinées au musée d'Orsay figurant sur son inventaire.

Cependant les quelques œuvres acquises avant 1978 et appartenant au Département des objets d'art du musée du Louvre ont conservé leur numéro d'inventaire OA (Objets d'Art).

En 1979 a été ouvert un inventaire DO (dépôts reçus par le musée d'Orsay), chaque numéro se composant du millésime de l'année de réception du dépôt, suivie d'un numéro d'ordre qui recommence au nᵒ 1 chaque année, et toutes les techniques y étant confondues.

Abréviations

H. : hauteur	b. : bas
L. : longueur	d. : droite
l. : largeur	g. : gauche
D. : diamètre	m. : milieu
P. : profondeur	repr. : reproduit
Ep. : épaisseur	p. : page
S. : signé	pl. : planche
D. : daté	Les dimensions sont données
h. : haut	en mètres.

Remerciements

Nous souhaitons en premier lieu exprimer notre reconnaissance à Mme Hélène Adhémar, à M. Michel Laclotte et à M. Jean Jenger qui, par leur action, ont permis qu'au musée d'Orsay les arts décoratifs de la seconde moitié du XIXe siècle retrouvent, après une longue période d'oubli et de dénigrement, une place digne de celle qu'ils avaient tenue dans les préoccupations artistiques de l'époque.

Nous remercions vivement les chefs d'établissement et institutions qui ont consenti des dépôts et affectations venant compléter avec bonheur les collections existantes :

M. François Mathey et Mlle Yvonne Brunhammer, Paris, musée des Arts décoratifs,
M. Jean Coural, Paris, Mobilier national,
M. Daniel Alcouffe, Département des Objets d'art, musée du Louvre,
M. Jean-Pierre Samoyault, musée du château de Fontainebleau,
M. Gérard Hubert, musée du château de Rueil-Malmaison,
M. Jean-Marie Moulin, musée du château de Compiègne,
M. Alain Erlande-Brandenbourg, musée de Cluny,
Mme Antoinette Faÿ-Hallé, musée de Céramique, Sèvres,
M. François Fossier, bibliothèque Thiers,
M. Henri Bouilhet, musée Bouilhet-Christofle, Saint-Denis.

ainsi que le Ministère des Affaires étrangères et la Manufacture nationale de Sèvres.

La restauration des œuvres a été confiée aux ateliers de restauration des musées nationaux, notamment à Mlle Corbelleto, MM. Aguilar, Aubert, Courtemanche, Dutertre, Éliard, Gombert, Penot et Pisselet, et aux artisans et entreprises suivantes : Société Aldec, Maison André, Georges-Louis Barthe, Isabelle Bedat, Béatrice Beillard, Didier Beisnanou, Marc Berthon, Maison Bobin-Madroux, Louis Cousté, Claude

11

Durand, Ébénisterie d'art des Cloÿs, Fancelli et Cie, Fonderies et Ateliers de Tréveray, Michel Germond, MM. Gilbon et Coroller, Marie-Rose Greca, Pascale Klein, Guy Le Chevallier, M. Lemerle, Léo Piard-Hourdequin et Cie, André Leprat, Maison Mathieu, Société Metafer, Jean-Marie Misiaszek, Jean Peyrusseigt, Erich Pinheiro, Jacques Rivet, Société Thénière et fils, Christian Thirot.

La mise en place des œuvres a été assurée par l'équipe des installateurs du musée d'Orsay que dirige Antoine Tasso et par les maisons André Chenue et fils, Chenue Croix de Lorraine, Dennery, Fancelli et Cie, G.A. Potteau, I.A.T.

Les prises de vue ont été réalisées par le Service photographique de la Réunion des Musées nationaux (Daniel Arnaudet, Gérard Blot, Michèle Bellot, Christian Jean, Jean Scormans) et le Laboratoire photographique du musée d'Orsay (Jean-Paul Pinon, Jim Purcell, Jean-Jacques Sauciat, Patrice Schmidt).

Le catalogue a été dactylographié par Françoise Fur, Nadine Larché, Patricia L'Hôte, Nelly Moulin, Michelle Rongus, Élisabeth Salvan.

Nous remercions également les responsables de la coordination de ces différentes opérations : Ève Alonso, Béatrice de Boisséson, Jean Coudane, Manou Dufour, Françoise Guilloteau, Frédérique Kartouby, Antoinette Le Normand-Romain, Nathalie Michel, Sylvie Patin, Germaine Pélegrin, Edmond Tanner.

Nous voudrions enfin que tous ceux qui nous ont aidés, au cours de la rédaction du catalogue, d'un conseil ou d'un renseignement, trouvent ici l'expression de notre gratitude : Hervé Aaron, Frère Michel Albaric, D.M. Archer, Catherine Arminjon, Paul et Stefan Asenbaum, Christian Baulez, Mme de Bernardi, Anita Besson, Roger Billcliffe, Nicole Blondel, Chantal Bouchon, M. Boudol, Antoine Broccardo, Véronique de Brugnac, Émile Cazimajou, Jean-Pierre Chevalier, Karel Citroën, Mme Jean Coural, Suzanne Daigueperce, Mlle Denis, Anne Distel, M. Doumerc, Jean Dupont, Richard Edgcumbe, Pierre Fabius, Fabienne Falluel, Wolfgang Fischer, M. Fourot, Henri Froment-Meurice, Patrick J. George, Nora Gillow, Jean-Michel Guéneau, Robert Hagneaux, David Hanks, Jacqueline et Bernard Jacqué, Annie Jacques, Simon Jervis, Mme Jousselin, Jacques Kugel, France Lablache-Combet, Anne Lajoix, Denise Ledoux-Lebard, Geneviève Le Duc, Amaury Lefébure, Thierry Lefrançois, Annie Lotte, Mme Xavier Maignial, Françoise Maison, Georges Maldan, Terrence L. Marvel, Frère Maur, Christian Nebehay, Mme Nicod, Monique Nonne, Odile Nouvel, Cavan O'Brien, Andrew Mc Intosh Patrick, Jean-Michel Pochet, Évelyne Possémé, Bernard Poteau, Tamara Préaud, Margot Raîssac, Tamara Rappé, Nicole de Réniès, Pamela Robertson, Jean-Paul Sage, Colombe Samoyault-Verlet, Élisabeth Schmuttermeier, John Scott, Peyton Skipwith, Jacques Tard, Mme Vieillard-Troiekouroff, Clive Wainwright, B. Ward, Lynne Walker, Véronique Wiesinger, Michael Whiteway, Christian Witt-Dörring.

Froment-Meurice
Miroir de la toilette de la duchesse de Parme
OAO 531

Fontenay
Brûle-parfum
OAP 264

Carrier-Belleuse
Coupe
OAO 337

Duvinage
Cabinet
OAO 716

Bracquemond et Rousseau
Plat à poisson
OAO 902

17

Webb et Morris
Buffet
OAO 449

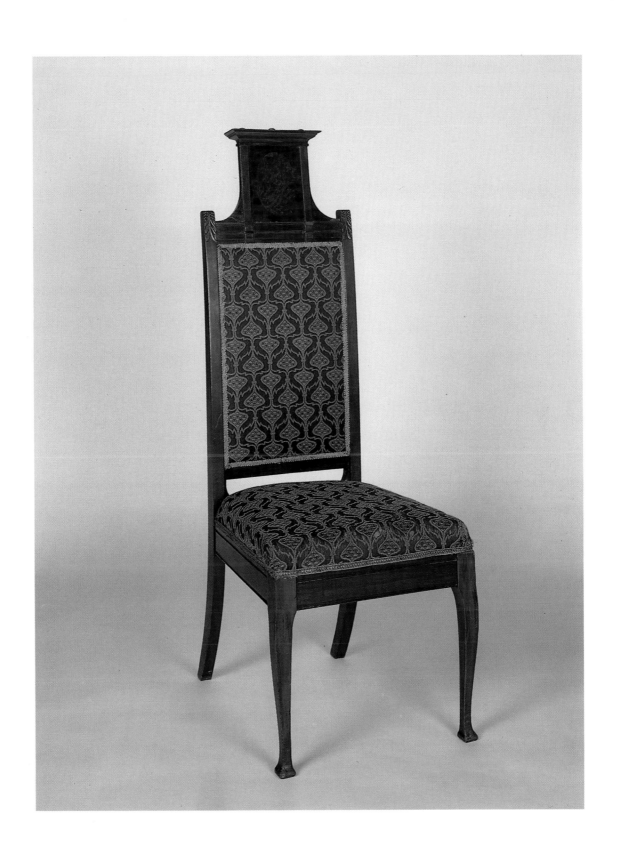

Mackmurdo
Chaise
OAO 577

Gallé
La Soldanelle des Alpes
OAO 298

Majorelle
Bureau Orchidées
OAO 502

Tiffany
Vase
OAO 313

Tourrette
Vase
OAO 207

François
Sapho à Leucade
OA 3234

24

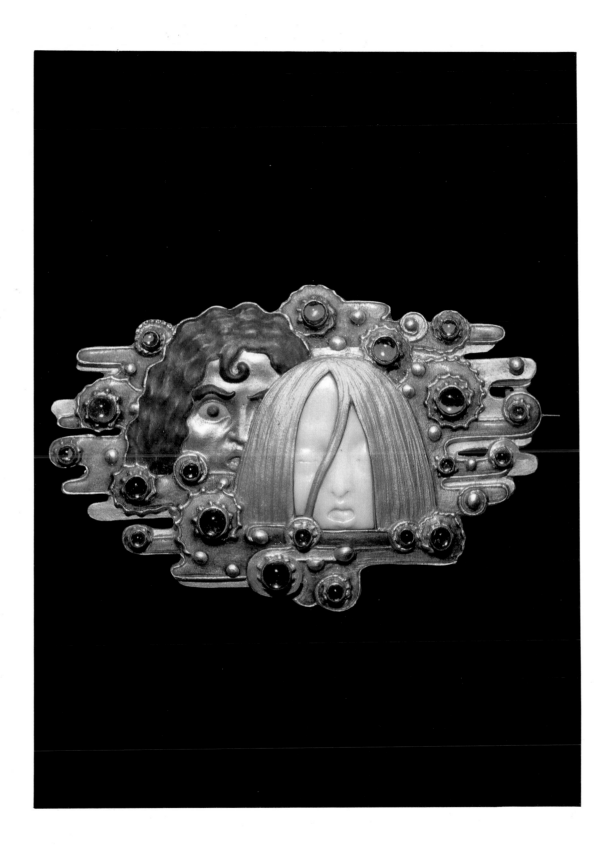

Grasset et Vever
Apparitions
OAO 44

Mackintosh
Secrétaire
OAO 1008

Moser
Encrier et plateau
OAO 1044

Lalique
Boîtes à poudre
28   OAO 1141-1142

Catalogue illustré

Rédacteurs des notices

Marc Bascou

Apoil, Aubé, Aucoc, Avisseau, Barbedienne, Barye, Benham, Carrier-Belleuse, Christofle, Compagnie des Indes, Corroyer, Cremer, Crozatier, Delicourt, Desfossé, Diehl, Dresser, Dromard, Dufresne, Duvinage, Ercuis, Falize, Fannière, Fontenay, Fourdinois, Freeth Roper, Froment-Meurice, Frullini, Galbrunner, Galland, Gimson, Godwin, Guéret, Gueyton, Hoffmann, Hubert, Hunsinger, Jeckyll, Lepec, Levillain, Lièvre, Loos, Mackintosh, Mackmurdo, Monbro, Moser, Morris, Niedecken, Popelin, Pugin, Reiber, Roudillon, Rudolphi, Ruprich-Robert, Sandoz, Sauvrezy, Sévin, Sèvres, Sika, Sullivan, Tiffany, Trethan, Wagner, Webb, Wièse, Wright.

Marie-Madeleine Massé

Allouard, Bauer, Beauvais, Bocquet, Bugatti, Cardeilhac, Caron, Charpentier, David, Desbois, Dubois, Dubret, Durrio, Feuillâtre, Fischel, Forthuny, François, Gaillard, Garnier, Gaulard, Gorguet, Grandhomme, Grasset, Geyger, Habert-Dys, Hairon, Hamm, Heller, Hildebrand, Hirtz, Husson, Jouhaud, Karageorgevitch, Kohn, Lafleur, Lalique, Lambert, Larche, Lechevrel, Le Couteux, Lecreux, Lemaire, Levillain, Meyer, Monod-Herzen, Mundus, O'Kin, Ory-Robin, Pillet, Point, Ranson, Rault, Roche, Rollince, Roty, Thesmar, Thonet, Tonnellier, Tourrette, Vaudet, Vernon, Zuolaga.

Philippe Thiébaut

André, Auscher, Ballin, Bastard, Bernadou, Bernard, Bigot, Bing, Bonvallet, Bourdais, Bracquemond, Brateau, Brocard, Carabin, Caranza, Carrière, Carriès, Cavaillé, Cayette, Cazin, Chaplet, Charpentier, Copenhague, Coulier, Cros, Dalpayrat, Dammouse, Dampt, Deck, Decorchemont, Delaherche, Delbet, Desmant, Doat, Dunand, Eckmann, Follot, Gallé, Gardet, Gauguin, Georges, Grittel, Gruber, Guimard, Hamm, Hawkins, Healy, Hoentschel, Horta, Itasse, Jallot, Koepping, Laboureur, Lalique, Lee, Léveillé, Loetz, Maillaud, Majorelle, Martin-Sabon, Massier, Mère, Michel, Moreau-Nélaton, Morgan, Mucha, Naudot, Oudinot, Pankok, Pannier, Pâris, Renoir, Ringel, Rookwood, Rousseau, Sainsaulieu, Sauvage, Serrurier-Bovy, Sèvres, Simmen, Tiffany L.-C., Vallin, Vallombreuse, Van de Velde.

Achard
Voir **Maison Fourdinois**

Allar
Voir **Maison Fourdinois**
Voir aussi Catalogue sommaire des sculptures

Allouard Henri-Émile
Paris 1844 - Paris 1929

OAO 52
«La Pêche», vase décoratif
1897
Figure en onyx, marbre, ivoire peint, corail, or, rapportée sur un vase japonais en bronze patiné.
H. 0,678; l. 0,355; P. 0,330.
S. sous le pied de la figure :
H. Allouard

HIST. : Acquis au Salon de la Société des Artistes français de 1897 pour le musée du Luxembourg; reversement du musée national d'Art moderne au musée d'Orsay, 1978.

EXP. : 1897, Paris, Salon de la Société des Artistes français, nᵒ 3544.

BIBL. : Fourcaud, 1897, p. 170; *L'Art pour tous*, nᵒ 920, 15 octobre 1898, p. 3777, fig. 8879-8882.

André Émile
Architecte
Nancy 1880-Nancy 1941

Vallin Eugène
Menuisier-ébéniste
Herbévillers (Vosges) 1856-Nancy 1922

Gruber Jacques
Maître-verrier
Sundhausen (Haut-Rhin) 1870-Paris 1930

OAO 893
Porte à deux battants
1901
Acajou, verres «américains» chenillés, verres opalescents, bronzes dorés ciselés.
H. 1,980; L. 1,820; Ep. 0,065.

HIST. : Provient d'un salon d'essayage des Magasins François Vaxelaire et Cie, 13, rue Raugraff à Nancy, construits en 1901 (seules deux travées subsistent). Acquis en vente publique, Paris, Drouot, 19 octobre 1983, salle 1, nᵒ 81, repr. (sous l'attribution «École de Nancy»).

BIBL. : Nicolas, 1902, p. 163-168, repr. p. 167.

Apoil Suzanne-Estelle,
née Béranger
Sèvres 1825-? après 1893

OA 10847
«L'Enlèvement de Déjanire», d'après «Déjanire enlevée par le centaure Nessus» de Guido Reni (Musée du Louvre, Inv. 537)
1858
Émail peint sur cuivre, cuivre doré.
H. 0,250; l. 0,220; Ep. 0,015.
S.D.b.m. : *1858./ESTELLE/Apoil*
Inscription h.m. : *GUIDO (RENI)/ L'ENLEVEMENT/DE/DEJANIRE*

HIST. : Acquis au Salon de 1859; musée du Louvre; affecté au musée d'Orsay, 1982.

EXP. : 1859, Paris, Salon, nᵒ 67.

Appert
Voir **Rousseau**

Archelais
Voir **Manufacture Nationale de Sèvres**

Attarge
Voir **Sévin**

Aubé Jean-Paul
Sculpteur
Longwy 1837 - Capbreton (Landes) 1916

Thiébaut frères
Fondeur, Paris

Berquin-Varangoz
Lapidaire

OAO 458
«Souvenir des fêtes des 6-7-8 Octobre 1896», surtout de table
1899
Argent fondu et ciselé, cristal de roche.
H. 0,640; L. 0,950; P. 0,420.
S.D.b.d., sous la trompe de l'éléphant :
P. AUBÉ/1899
Marque b.g. devant les pattes du cheval et b. d. devant les pattes de l'éléphant : *Thiébaut Frères/Fondeurs/ Fumière et Gavignot Sʳ.*
Marque h.m. à la poupe du vaisseau : *Thiebaut frères Fondeurs/Fumière et Gavignot Sʳˢ/Paris.*
Marque b.d. gravée dans le cristal :
BERQUIN; marque b.d. gravée sur une plaquette :
Berquin-Varangoz/Lapidaire
Inscription b.m. gravée dans le cristal et dorée : *6-7-8 OCT. 1896.*

Poinçon : titre, argent, Paris (3 fois : à côté de l'indien, à côté du dromadaire, en haut du gouvernail).

HIST. : Commande de l'État, 1897; attribué au musée du Luxembourg, 1900; déposé au musée des Arts décoratifs de 1917 à 1979.

EXP. : 1897, Paris, Salon de la Société nationale des Beaux-Arts, n° 150 (modèle exposé); 1900, Paris, Exposition universelle, groupe II, classe 9, n° 13.

BIBL. : *La Chronique des Arts et de la Curiosité,* 14 avril 1900, p. 137.

Aubé
Voir aussi Catalogue sommaire des sculptures

Aucoc Louis
Orfèvre actif à Paris de 1856 à 1887

OAO 1043$^{1-22}$
Service à café
Vers 1862-1867?
Argent gravé à l'eau-forte, partiellement doré, ivoire.
Cafetière : H. 0,260; L. 0,153; D. 0,110.
Sucrier : H. 0,160; L. 0,213; D. 0,156.
Pot à lait : H. 0,164; L. 0,093; D. 0,075.
6 tasses : H. 0,087; L. 0,098; D. 0,070.
6 soucoupes : H. 0,011; D. 0,125.
6 cuillers : L. 0,122; l. 0,025; P. 0,012.
Pince à sucre : L. 0,140; l. 0,037; P. 0,022.
Poinçons : 1er titre et petite garantie (menus ouvrages), argent, Paris; maître, Louis Aucoc (sauf sur le pot à lait).
Marque : *AUCOC AINE* (sauf sur les cuillers, la pince à sucre et le pot à lait).
Monogramme *A.D.* ou *D.A.* sur chaque pièce.

HIST. : Galerie Suger, Paris; acquis en 1986.

Auscher Paul
Architecte
Marseille 1866 - Paris 1932

Kern Jean
Peintre
Balach (canton de Zurich) 1874-?

OAO 654
Armoire à glace
1911
Frêne, peinture à l'huile au pochoir.
Menuiserie exécutée par les Établissements Doré, Le Havre.
H. 2,500; l. 1,840; P. 0,270.

HIST. : Faisait partie du mobilier de la chambre à coucher de la fille de Paul Auscher dans l'hôtel particulier construit en 1911 par l'architecte à Paris, 5 rue de Talleyrand; don de M. René Auscher, fils de l'architecte, 1982.

BIBL. : Lacambre-Thiébaut, 1983, n° 375 p. 90, repr. p. 91.

OAO 659
Corbeille à papier
1911
Chêne, peinture à l'huile.
H. 0,245; l. 0,200; P. 0,200.

HIST. : Provient de l'hôtel particulier construit en 1911 par Paul Auscher à Paris, 5 rue de Talleyrand; don de M. René Auscher, fils de l'architecte, 1982.

BIBL. : Lacambre-Thiébaut, 1983, n° 376 p. 90, repr. p. 91.

Avisseau Charles-Jean
Tours 1796 - Tours 1861

Guillaume de Rochebrune Octave
Fontenay-le-Comte (Vendée) 1824 - Fontenay-le-Comte 1900

OAO 87[1-2]
Coupe et bassin
1855
Faïence fine à décor polychrome modelé et rapporté.
Coupe : H. 0,345; D. 0,265.
Bassin : H. 0,080; D. 0,515.
S.D.b. de la coupe, en creux, sur deux médaillons : *AV* (lettres entrelacées) *1855;* S. en creux au centre du bassin : *AV* (lettres entrelacées); S.D. et inscrit en creux sous le pied de la coupe : *Avisseau Exécuté d'après un dessin de Mr de Rochebrune/Exposition Universelle 1855/AV* (lettres entrelacées). Cartouches en haut de la coupe : *FR* (lettres entrelacées) d'un côté, et de l'autre deux écus ovales aux armes des familles Guillaume de Rochebrune (écartelé : aux 1 et 4 d'azur à un chevron d'or accompagné en chef de deux étoiles d'argent et en pointe d'une étoile de même; aux 2 et 3 contre-écartelé d'azur à 3 fasces d'or et de gueule à 3 chevrons d'or) et Grelier du Fougeroux (d'argent à 3 roses de gueule en chef et 1 fleur de lys d'or sur azur en pointe).

HIST. : Coll. Plantin, Paris; acquis en 1983.

EXP. : 1855, Paris, Exposition universelle, groupe V, classe 18.

BIBL. : Lacambre-Thiébaut, 1983, n° 377 p. 90, repr. p. 91.

Bachelet
Voir **Ruprich-Robert**

Backhausen & Söhne
Voir **Bauer**

E. Bakalowits & Söhne
Voir **Moser**

Ballin Mogens
Copenhague 1871 - Copenhague 1914

OAO 989
Encrier à deux godets
Vers 1905.
Étain repoussé.
H. 0,095; L. 0,332; P. 0,212.
Marque en creux sous la pièce : *MB 1919 Danmark.*

HIST. : Don de M. Samuel Josefowitz, 1984.

OAO 990
Tampon-buvard
Vers 1905.
Étain repoussé, chêne.
H. 0,062; L. 0,152; P. 0,071.
Marque en creux sous le côté de la prise : *MB*

HIST. : Don de M. Samuel Josefowitz, 1984.

OAO 994
Baromètre
Vers 1905.
Étain repoussé.
D. 0,235.
Mécanisme fabriqué par la maison Levring & Larsen, Copenhague.
Marque en creux au revers sur une plaque de cuivre : *MB 2219 Danmark.*

HIST. : Don de M. Samuel Josefowitz, 1985.

F. Barbedienne
Bronzes d'art, Paris
Maison dirigée par Ferdinand
Barbedienne
Saint-Martin-de-Fresnay (Calvados)
1810 - Paris 1892

OAO 963
Coupe
Vers 1875.
Bronze et cuivre galvanique (?) patinés
et partiellement dorés.
H. 0,205; L. 0,251; D. 0,170.
Marque de fondeur gravée au bord du
pied : *F. BARBEDIENNE*

HIST. : Patrick Serraire, Paris; Galerie
Catan, Paris; acquis en 1984.

BIBL. : *Bronzes d'art. F. Barbedienne*,
Paris, 1875, p. 15.

Barbedienne
Voir également **Levillain,
Lièvre, Sévin,
Manufacture de Sèvres**

Barnard, Bishop and Barnards
Voir **Jeckyll**

Barye Antoine-Louis
Paris 1796 - Paris 1875

Couët Charles
Horloger, Paris

D O 1980-22
«Apollon conduisant le char du
soleil», pendule
1858
Bronze à patine rouge et verte, marbre
rouge, cadran émaillé.
H. 0,850; L. 0,940; P. 0,360.
S.m.g. sur le cadran : *Ch^{les} Couët*

HIST. : Provient d'une garniture de
cheminée, qui comportait une paire de
candélabres assortis, commandée par
Isaac Pereire pour le Château
d'Armainvilliers, 1858; dépôt du
Ministère des Affaires étrangères,
1980.

EXP. : 1889, Paris, École nationale des
Beaux-Arts, *Les œuvres de Barye*,
n° 353.

BIBL. : P. Mantz, «Artistes
contemporains. M. Barye», *Gazette des
Beaux-Arts,* février 1867, p. 124; «Les
œuvres décoratives de Barye», *Revue
des Arts décoratifs,* t. IX, 1888-1889, p.
371; R. Ballu, *L'œuvre de Barye*, Paris,
1890, p. 122-123; *L'Art en France sous
le Second Empire*, Paris, Grand Palais,
1979, n° 69, p. 149-150.

Barye

Voir aussi Catalogue sommaire des sculptures

Bastard Georges

Andeville (Oise) 1881 - Paris 1939

DO 1977-3
«Épis d'orge», éventail brisé
1911
Corne et nacre sculptées, ruban.
H. 0,214; l. 0,387 (déplié).
S. en creux au revers du contre-
panache : *G. Bastard*

HIST. : Acquis au Salon des Boursiers de
voyage de 1912 pour le musée du
Luxembourg; entré au musée du
Luxembourg en 1913; dépôt du musée
national d'Art moderne au musée
d'Orsay, 1977.

EXP. : 1911, Paris, Salon de la Société
des Artistes français, vitrine n° 5008.

BIBL. : Bidou, 1911, p. 177, repr. p. 180.

DO 1977-5
Coupe-papier
1912
Nacre sculptée.
L. 0,340; Ep. 0,038.
S. en creux au revers : *G. Bastard*

HIST. : Acquis au Salon de la Société des
Artistes français de 1912 pour le musée
du Luxembourg; entré au musée du
Luxembourg en 1913; dépôt du musée
national d'Art moderne au musée
d'Orsay, 1977.

EXP. : 1912, Paris, Salon de la Société
des Artistes français, vitrine n° 5135.

DO 1977-6
«Les Paons», éventail brisé
1913
Nacre sculptée, ruban.
H. 0,185; l. 0,350 (déplié).
S. en creux au revers du contre-
panache : *G. Bastard*

HIST. : Acquis au Salon de la Société des
Artistes français de 1913 pour le musée
du Luxembourg; dépôt du musée
national d'Art moderne au musée
d'Orsay, 1977.

EXP. : 1913, Paris, Salon de la Société
des Artistes français, vitrine n° 5182.

BIBL. : Sedeyn, 1913, p. 198.

DO 1977-4
Coupe
1913
Corne et nacre sculptée.
H. 0,037; D. 0,108.
S. en creux sous la pièce : *G. Bastard*

HIST. : Acquis au Salon de l'Éclectique
de 1913 pour le musée du
Luxembourg; entré au musée du
Luxembourg en 1916; dépôt du musée
national d'Art moderne au musée
d'Orsay, 1977.

EXP. : 1913, Paris, Salon de l'Éclectique,
vitrine n° 1 bis.

DO 1977-2
Boîte
1914
Ivoire tourné et nacre sculptée.
H. 0,050; D. 0,081.
S. en creux sur le couvercle : *G.
Bastard*

HIST. : Acquis au Salon de la Société des
Artistes décorateurs de 1914 pour le
musée du Luxembourg; entré au
musée du Luxembourg en 1916; dépôt
du musée national d'Art moderne au
musée d'Orsay, 1977.

EXP. : 1914, Paris, Salon de la Société
des Artistes décorateurs, vitrine n° 10.

Bauer Léopold
Architecte.
Jägerndorf 1872 - Vienne 1938

Firme Joh. Backhausen & Söhne
Fabricant, Vienne

OAO 575
Tapis
Vers 1905.
Laine, coton.
L. 4,030; l. 2,630.

HIST. : Acquis dans le commerce d'art
viennois, 1981.

BIBL. : Lacambre-Thiébaut, 1983, n° 378
p. 90, repr. p. 91.

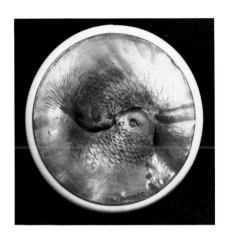

Manufacture nationale de tapisseries de Beauvais

Chabal-Dussurgey
(Pierre-Adrien Chabal, dit)
Peintre
Charlieu (Loire) 1819 - Nice 1902

Godefroy
Peintre

Vérité, Lefèvre, Rohaut Henry, Langlois
Artistes tapissiers

OA 6602
«Vase avec fleurs et fruits»,
tapisserie
Commencée avant 1870 et terminée en 1873.
Laine et soie polychromes, coton, tapisserie de basse-lisse.
D'après le tableau attribué à Jean-Baptiste Monnoyer (dit aussi Baptiste Monnoyer le vieux), «Vases d'or, fleurs, fruits, etc.,» Inv. 6763 (Dépôt du musée du Louvre au Mobilier National, 1953).
Modèle de la bordure par Chabal-Dussurgey et Godefroy.
Tissage du panneau : Vérité et Lefèvre, de la bordure : Rohaut et Langlois.
H. 1,540; l. 1,960.
Marques tissées angle b. g. : Couronne impériale /Manuf^{re}. Imp^{le}./Beauvais (une partie des marques cachée sous la bordure rapportée, l'autre partie visible à droite maquillée de peinture noire).
Au revers, étiquette : *Maisons-Laffitte* et une étiquette mobile : *Maison Laffite* (sic).

HIST. : Attribué au musée du Luxembourg, 1874; affecté au musée du Louvre, 1879; mis en dépôt au musée de Maisons-Laffitte de 1912 à 1914 et de 1919 à 1939, au château de Chambord de 1939 à 1947, au musée du Louvre de 1947 à 1948, au château de Maisons-Laffitte de 1948 à 1967; affecté au musée d'Orsay, 1982.

EXP. : 1878, Paris, Exposition Universelle, groupe III, classe 21.

BIBL. : Darcel, *Le Temps*, 19 août 1878; Gerspach, 1881, p. 44 et 45; *The Art Journal, 1878. Illustrated catalogue of the Paris International Exhibition*, repr. p. 89.

Manufacture nationale de tapisseries de Beauvais

Fallou
Artiste tapissier

OA 6606 (ancien 2471)
«Nature-morte», tapisserie
Commencée avant 1870 et terminée en 1876.
Laine et soie polychromes, coton, tapisserie de basse-lisse.
H. 1,210; l. 1,420.
D'après Michel-Ange des Batailles (Cerquozzi Michelangelo, dit) (Rome 1602 - Rome 1660).
Marques tissées angle b.d. : Couronne impériale [Beauvais] (traces après détissage)/*Manuf.ʳᵉ Imp.ˡᵉ/de/ Beauvais;* étiquette mobile : *Maison Laffite* (sic).
Cadre de bois peint et doré inscrit : *D'APRÈS M.A. DES BATAILLES, TAPISSERIE DE BEAUVAIS, 1876.*

HIST. : Attribué au musée du Louvre, 1878; mis en dépôt au musée de Maisons-Laffitte de 1912 à 1914 et de 1919 à 1939, au château de Valençay de 1939 à 1947, au château de Maisons-Laffitte de 1948 à 1967; affecté au musée d'Orsay, 1982.

EXP. : 1878, Paris, Exposition Universelle, groupe III, classe 21.

BIBL. : Gerspach, 1881, p. 44; Guérinet, 1908, repr.

Benham & Froud
Londres

Benson William Arthur Smith?
Dessinateur industriel et éditeur
Londres 1854-? 1924

OAO 1039
Bouilloire de table sur support, avec réchaud à alcool
Vers 1890-1900?
Cuivre, laiton, canne, bois tourné.
H. 0,375; L. 0,225; D. 0,205.
Marque de fabricant sur le fond de la bouilloire et sur le cercle extérieur du support.

HIST. : Don de la Fine Art Society, Londres, 1985.

EXP. : 1985, Londres, The Fine Art Society, *Spring'85*, nº 43, repr.

Benson
Voir **Benham & Froud**

Berger
Voir **Hoffmann**

Manufacture royale de porcelaine de Berlin
Voir **Eckmann**

Bernadou Gabriel
Rayssac (Tarn) 1879 - mort au Front en 1914

OAO 77
«Papillon sur un calice de rinanthe», vase
1913
Grès émaillé.
H. 0,226; l. 0,195; P. 0,102.
S.D. en creux sous la pièce : *Bernadou/1913;* en creux sous la pièce : *14*

HIST. : Entré au musée du Luxembourg en 1914; reversement du musée national d'Art moderne au musée d'Orsay, 1978.

BIBL. : Trévise, 1920, p. 18, repr. p. 20.

Bernard
Voir **Dufresne de Saint-Léon**

Berquin-Varangoz
Voir **Aubé**

Besnard Paul-Albert
Peintre
Paris 1849 - Paris 1934

Carot Henri
Maître-verrier
Paris 1850 - Paris 1919

DO 1981-1
«Cygnes sur le Lac d'Annecy», vitrail
1890
Verres gravés à l'acide et peints.
H. 2,500; l. 2,000.
S.D.b.g. : *A. Besnard 1890 - H. Carot*

HIST. : Provient du vestibule de l'hôtel particulier du peintre Henry Lerolle (1848-1929) à Paris, 20 Avenue Duquesne; donné en 1938 au musée des Arts décoratifs par les fils du peintre, Jacques et Guillaume Lerolle; entré au musée des Arts décoratifs en 1940; dépôt du musée des Arts décoratifs au musée d'Orsay, 1981.

BIBL. : Bouyer, 1911, p. 128-129, repr. p. 130.

Bieuville
Voir **Manufacture nationale de Sèvres**

Bigot Alexandre
Mer (Loir-et-Cher) 1862 - Paris 1927

OAO 570
Vase
1892
Grès émaillé.
H. 0,130; D. 0,100.
S.D. en creux sous la pièce : *A Bigot/ 1892*

HIST. : Acquis vers 1930 par Marcel Guilleminault (1882-1966), architecte; don sous réserve d'usufruit de Mlle Simone Guilleminault, 1981.

BIBL. : Lacambre-Thiébaut, 1983, n° 380 p. 90, repr. p. 91.

OAO 79
Vase
1894
Grès émaillé.
H. 0,243; D. ouverture 0,075.
S.D. en creux sous la pièce : *A Bigot/av 94*

HIST. : Acquis de l'artiste pour le musée du Luxembourg en 1895; entré au musée du Luxembourg en 1896; reversement du musée national d'Art moderne au musée d'Orsay, 1978.

OAO 80
Coupe
1894
Grès émaillé.
H. 0,071; D. 0,105.
S.D. en creux sous la pièce : *A. Bigot/ Sept. 94*

HIST. : Acquis de l'artiste pour le musée du Luxembourg en 1895; entré au musée du Luxembourg en 1896; reversement du musée national d'Art moderne au musée d'Orsay, 1978.

OAO 82
Coupe
1894
Grès émaillé.
H. 0,080; D. ouverture 0,122.
S.D. en creux sous la pièce : *A Bigot/ Oct 94*

HIST. : Acquis de l'artiste pour le musée du Luxembourg en 1895; entré au musée du Luxembourg en 1896; reversement du musée national d'Art moderne au musée d'Orsay, 1978.

EXP. : 1974, Dusseldorf, n° 2 p. 12, repr.

OAO 81
Vase
1894
Grès émaillé.
H. 0,163; D. ouverture 0,058.
S.D. en creux sous la pièce : *A Bigot/94*

HIST. : Acquis de l'artiste pour le musée
du Luxembourg en 1895; entré au
musée du Luxembourg en 1896;
reversement du musée national d'Art
moderne au musée d'Orsay, 1978.

BIBL. : Repr. dans *The Studio*, 1894, 3,
p. 181.

OAO 569
Poire
1895
Grès émaillé.
H. 0,160; D. 0,145.
S.D. en creux sous la pièce : *A Bigot/
Févr 95*

HIST. : Acquis vers 1930 par Marcel
Guilleminault (1882-1966), architecte;
don sous réserve d'usufruit de
Mlle Simone Guilleminault, 1981.

BIBL. : Lacambre-Thiébaut, 1983, n° 379
p. 90, repr. p. 91.

OAO 78
Vase
Vers 1896.
Grès émaillé.
H. 0,192; D. 0,156.
S. en creux sous la pièce : *A Bigot.*

HIST. : Acquis au Salon de la Société
nationale des Beaux-Arts de 1896 pour
le musée du Luxembourg;
reversement du musée national d'Art
moderne au musée d'Orsay, 1978.

EXP. : 1896, Paris, Salon de la Société
nationale des Beaux-Arts, vitrine
n° 159.

OAO 1027
Carreau de revêtement mural
Modèle créé vers 1900.
Grès émaillé, cristallisations.
H. 0,075; l. 0,075; Ep. 0,007.

HIST. : Provient de l'agence de Marcel
Guilleminault (1882-1966), architecte;
don de Mlle Simone Guilleminault,
1985.

BIBL. : *Les grès de Bigot*, Paris, 1902,
fig. 3 p. 2.

Bigot
Voir également à **Charpentier,
Guimard, Sauvage**

Société des Chéneaux et Tuyaux en Fonte Bigot-Renaux
Voir **Guimard**

Manufacture de Bing et Grøndahl

OAO 101
Vase
Vers 1900.
Porcelaine, décor polychrome de grand
feu sous couverte.
H. 0,245; D. 0,112.
Marque imprimée en vert sous la
pièce : *B & G/ Kobenhavn/Made in
Denmark;* marque peinte en bleu : *B &
G/14/3813/7;* monogramme peint en
bleu : *E. H.*

HIST. : Entré au musée du Luxembourg
avant 1931; reversement du musée
national d'Art moderne au musée
d'Orsay, 1978.

Bisceglia
Voir **Renoir**

Bocquet François-Gilbert
Carouge (canton de Genève) 1874 -
Carouge 1955

DO 1977-7
Coupe
Vers 1904.
Argent forgé, repoussé et ciselé.
H. 0,135; D. 0,302.
Signature gravée au revers près du
bord : *F G Bocquet* (les initiales
formant monogramme).

HIST. : Acquis au Salon de la Société
nationale des Beaux-Arts de 1904 pour
le musée du Luxembourg; dépôt du
musée national d'Art moderne au
Musée d'Orsay, 1977.

EXP. : 1904, Paris, Salon de la Société
nationale des Beaux-Arts, n° 2 de la
vitrine n° 2446.

BIBL. : Sedeyn, 1904, p. 221, repr. p. 227.

Böck
Voir **Moser, Sika, Trethan**

Bonvallet Lucien
Paris 1861 - Paris 1919

OAO 53
«Pistil du lys», vase
Vers 1905.
Cuivre repoussé et argent ciselé.
H. 0,395; D. base 0,068.
S. en creux sous la pièce : *Lucien/
Bonvallet*

HIST. : Acquis au Salon de la Société
nationale des Beaux-Arts de 1905 pour
le musée du Luxembourg; entré au
musée du Luxembourg en 1907;
reversement du musée national d'Art
moderne au musée d'Orsay, 1978.

EXP. : 1905, Paris, Salon de la Société
nationale des Beaux-Arts, n° 4 de la
vitrine n° 2232.

Bouilhet
Voir **Christofle & Cie**

Bourdais Jules
Architecte
Brest 1835 - ? 1915

OAO 900
**Maquette de Phare monumentale
pour Paris**
1885
Bois, métal, carton peint.
H. 0,590; l. 0,245; P. 0,190.

HIST. : Agence de Jules Bourdais; don de
Mmes Haguenauer et Humblot,
descendantes de l'architecte, 1983.

BIBL. : *Le Génie civil*, t. 6, 7 février 1885,
p. 239-240.

Bourdais Jules
Architecte
Brest 1835 - ? 1915

Davioud Gabriel
Architecte
Paris 1824 - Paris 1881

OAO 899
**Éléments de maquette de la façade
principale du Palais du Trocadéro**
1877-1878
Plâtre.
H. 0,140; l. 0,620; P. 0,300.
H. 0,120; l. 0,510; P. 0,120.

HIST. : Agence de Jules Bourdais; don de
Mmes Haguenauer et Humblot,
descendantes de Jules Bourdais, 1983.

Bourdais
Voir aussi Catalogue sommaire des
dessins d'architecture et d'art décoratif

Bracher & Sydenham
Voir **Dresser**

Bracquemond Félix
Peintre et graveur
Paris 1833 - Paris 1914

Rousseau Eugène
Marchand et éditeur
Paris 1827 - Paris 1890

Manufacture de Creil et Montereau
(raison sociale Lebeuf, Milliet et Cie)
Fabricant.

OAO 904
Surtout (Service «Rousseau»)
Modèle créé en 1866, édité de 1866 à 1875.
Faïence fine, décor imprimé et peint sous couverte.
H. 0,150; L. 0,622; l. 0,422.
Marque imprimée en noir au revers de chaque coquille d'angle et de la coupe centrale : *Creil/L.M. & Cie/Montereau/Modèle/E. Rousseau/à/Paris*

HIST : Acquis dans le commerce d'art parisien, 1983.

BIBL : Béraldi, 1885, n° 530-554.

OAO 903
Soupière (Service «Rousseau»)
Modèle créé en 1866, édité de 1866 à 1875.
Faïence fine, décor imprimé et peint sous couverte.
H. 0,280; L. 0,400; l. 0,250.
Marque imprimée en noir sous la pièce : *Creil/L.M. & Cie/Montereau/Modèle/E. Rousseau/à/Paris.*

HIST : Acquis dans le commerce d'art parisien, 1983.

BIBL : Béraldi, 1885, n° 530-554.

OAO 902
Plat à poisson avec égouttoir (Service «Rousseau»)
Modèle créé en 1866, édité de 1866 à 1875.
Faïence fine, décor imprimé et peint sous couverte.
Plat : H. 0,043; L. 0,694; l. 0,270.
Égouttoir : H. 0,020; L. 0,595; l. 0,170.
Marque imprimée en noir au revers de chaque élément : *Creil/L.M. et Cie/Montereau/Modèle/E. Rousseau/à/Paris*

HIST : Acquis dans le commerce d'art parisien, 1983.

BIBL : Béraldi, 1885, n° 530-554.

OAO 666-677
Assiettes plates (Service «Rousseau»)
Modèle créé en 1866, édité de 1866 à 1875.
Faïence fine, décor imprimé et peint sous couverte.
D. 0,245.
Marque imprimée en noir au revers de chaque assiette : *Creil/L.M. et Cie/Montereau/Modèle/E. Rousseau/à/Paris;* marque en creux : *1 10*

HIST : Acquis en vente publique, Paris, Drouot, 12 mars 1982, salle 4, n° 153.

BIBL : Béraldi, 1885, n° 530-554; Lacambre-Thiébaut, 1983, n° 382 p. 90.

OAO 1088-1090
Assiettes plates (Service «Rousseau»)
Modèle créé en 1866, édité de 1866 à 1875.
Faïence fine, décor imprimé et peint sous couverte.
D. 0,245.
Marque imprimée en noir au revers de chaque assiette : *Creil/L.M. et Cie/Montereau/Modèle/E. Rousseau/à/Paris;* marque en creux sous chaque assiette : *0 1*

HIST. : Provient d'un service ayant appartenu à Adrien Ribot, avocat à la Cour impériale de Paris de 1864 à 1870; acquis en 1986.

BIBL. : Béraldi, 1885, n° 530-554.

OAO 1091-1092
Assiettes montées (Service «Rousseau»)
Modèle créé en 1866, édité de 1866 à 1875.
Faïence fine, décor imprimé et peint sous couverte.
H. 0,106; D. 0,235 (OAO 1091).
H. 0,078; D. 0,220 (OAO 1092).
Marque imprimée en noir sous chaque pièce : *Creil/L.M. et Cie/Montereau/Modèle/E. Rousseau/à/Paris*

HIST. : Faisaient partie d'un service ayant appartenu à Adrien Ribot, avocat à la Cour impériale de 1864 à 1870; acquis en 1986.

BIBL. : Béraldi, 1885, n° 530-554.

OAO 1093
Coupe à fruits (Service «Rousseau»)
Modèle créé en 1866, édité de 1866 à 1875
Faïence fine, décor imprimé et peint sous couverte.
H. 0,130; l. 0,265.
Marque imprimée en noir sous la pièce : *Creil/L.M. et Cie/Montereau/Modèle/E. Rousseau/à/Paris*

OAO 674

OAO 1088

OAO 1092

HIST. : Faisait partie d'un service ayant appartenu à Adrien Ribot, avocat à la Cour impériale de 1864 à 1870; acquis en 1986.

BIBL. : Béraldi, 1885, n° 530-554.

OAO 1094
Coupe à fruits (Service « Rousseau »)
Modèle créé en 1866, édité de 1866 à 1875
Faïence fine, décor imprimé et peint sous couverte.
H. 0,130; l. 0,265.
Marque imprimée en noir sous la pièce : *Creil/L.M. et Cie/Montereau/Modèle/E. Rousseau/à/Paris*

HIST. : Faisait partie d'un service ayant appartenu à Adrien Ribot, avocat à la Cour impériale de 1864 à 1870; don de la famille d'André Ribot, ministre plénipotentiaire de France, 1986.

BIBL. : Béraldi, 1885, n° 530-554.

Bracquemond Félix
Peintre et graveur
Paris 1833 - Paris 1914

Léveillé Ernest
Marchand et éditeur
Paris 1848 - Vaucresson 1913

Manufacture de Creil et Montereau
Fabricant

OAO 678-700
Assiettes plates (Service « Rousseau »)
Modèle créé en 1866, édité de 1899 à 1902.
Faïence fine, décor imprimé et peint sous couverte.
D. 0,245.
Marque imprimée en noir au revers de chaque assiette : *E. Léveillé/140 Fg St Honoré/Paris;* marque en creux : *1 H*

HIST : Acquis en vente publique, Paris, Drouot, 12 mars 1982, salle 4, n° 153.

BIBL : Béraldi, 1885, n° 530-554; Lacambre-Thiébaut, 1983, n° 383 p. 90.

OAO 701-705
Assiettes creuses (Service « Rousseau »)
Modèle créé en 1866, édité de 1899 à 1902.
Faïence fine, décor imprimé et peint sous couverte.
D. 0,245.
Marque imprimée en noir au revers de chaque assiette : *E. Léveillé/140 Fg St Honoré/Paris;* marque en creux : *1 h 8*

HIST : Acquis en vente publique, Paris, Drouot, 12 mars 1982, salle 4, n° 153.

BIBL : Béraldi, 1885, n° 530-554; Lacambre-Thiébaut, 1983, n° 384 p. 92.

OAO 697

OAO 701

Bracquemond Félix
Peintre et graveur
Paris 1833 34- Paris 1914

Haviland et Cie,
Éditeur et fabricant
Limoges

OAO 518
Assiette plate (Service «Fleurs et rubans»)
Modèle créé en 1879, édité entre 1884 et 1889.
Porcelaine dure, décor gravé, imprimé et peint sous couverte.
D. 0,240.
Monogrammé en noir à la naissance du bouquet : *B*; marques imprimées en noir au revers : *H & C L et Haviland & C Limoges* dans une bouée noire.

HIST. : Acquis en vente publique, Paris, Drouot, 17 décembre 1980, salle 9, n° 148.

BIBL. : Béraldi, 1885, n^s 674-720; Lacambre-Thiébaut, 1983, n° 381 p. 90, repr. p. 91.

Brandely
Voir **Diehl**

Brateau Jules-Paul
Bourges 1844-Fécamp 1923

OAO 208 et 209
«Les Arts», aiguière et plateau
Modèle créé en 1887-1889.
Étain fondu et ciselé.
Aiguière : H. 0,340; l. 0,130.
Plateau : H. 0,024; D. 0,430.
Marques à la base de l'anse de l'aiguière et sur le socle de la figure de la Sculpture du plateau : *JULES BRATEAU;* poinçons de fabricant, Jules Brateau, à la base de l'anse de l'aiguière et au revers du plateau.
Sur l'épaule de l'aiguière, noms d'écrivains, philosophes et hommes de science inscrits dans des banderoles :
ESCHYLE. RACINE. CORNEILLE. A. CHENIER. LE TASSE. EURIPIDE. DANTE. HOMERE. VIRGILE. SCHILLER. MALHERBE. DE MUSSET. LAMARTINE. GOETHE. HORACE. HUGO. CONFUCIUS. LYCURGUE. PLATON. SOCRATE. DIOGÈNE. SENÈQUE. ARISTIDE LE JUSTE. CLEOBULE. PITTACUS. THALEN. CHILON. MYSON. SOLON. SALOMON. ARCHIMÈDE. GALILÉE. HIPPOCRATE. GALLIEN. PYTHAGORE. MONGOLFIER. BACON. BUFFON. PAPIN. COPERNIC. LAVOISIER. DESCARTES. ARAGO. FULTON.
Au centre du plateau, noms de peintres, sculpteurs et musiciens inscrits dans des banderoles :
PRAXITELE. PHIDIAS. P. LESCOT.

SANGALLO. P. DE MONTEREAU. APOLLODORE. ICTINOS. POUSSIN. REMBRANDT. RUBENS. TITIEN. RAPHAEL. ROSSINI. BEETHOVEN. MOZART. JEAN S. BACH. PALESTRINA. PUGET. JAN GOUJON. MICHEL ANGE.
Bas-relief du plateau séparés par quatre cartels portant les inscriptions : *MUSIQUE. SCULPTURE. ARCHITECTURE. PEINTURE.*

HIST. : Acquis pour le musée du Luxembourg à l'Exposition des Arts de la Femme, 1892; reversement du musée national d'Art moderne au musée d'Orsay, 1978.

EXP. : 1892, Paris, Palais de l'Industrie, *Exposition des Arts de la Femme*, groupe III, n° 186.

BIBL. : A. Bouilhet, «Exposition des Arts de la Femme. La Femme et l'orfèvrerie», *Revue des Arts décoratifs*, janvier 1893, p. 213; Molinier, 1897, p. 98, repr. p. 81 et 82.

DO 1986-79
Gobelet «Lierre»
Modèle créé en 1887.
Étain fondu, ciselé et poli.
H. 0,112; D. ouverture 0,072.
Marque sous la pièce : *JULES BRATEAU;* poinçon de fabricant, Jules Brateau, sur le fond de la pièce.
Devise espagnole : *Lo puede Lo que quiere* (On peut ce qu'on veut).

HIST. : Dépôt du musée Bouilhet-Christofle de Saint-Denis au musée d'Orsay, 1986.

DO 1986-80
Plateau «Trèfle»
Modèle créé en 1887.
Étain fondu, ciselé et poli.
H. 0,007; D. 0,193.
Marque au centre de la pièce : *JULES BRATEAU;* poinçon de fabricant, Jules Brateau, au revers de la pièce.

HIST. : Dépôt du musée Bouilhet-Christofle de Saint-Denis au musée d'Orsay, 1986.

BIBL. : Modèle repr. dans Molinier, 1897, p. 97.

DO 1986-81
Gobelet «Gui»
Modèle créé en 1894.
Étain fondu, ciselé et poli.
H. 0,114; D. ouverture 0,070.
Marque sur la pièce : *JULES BRATEAU;*
poinçon de fabricant, Jules Brateau,
sur le fond de la pièce.
Devise : *AU GUI L'AN NOUVEAU*

HIST. : Dépôt du musée Bouilhet-
Christofle de Saint-Denis au musée
d'Orsay, 1986.

EXP. : Modèle présenté au Salon de la
Société nationale des Beaux-Arts de
1897, n° 183.

BIBL. : Modèle repr. dans Molinier, 1897,
p. 98.

DO 1986-82
Plateau «Vescia des haies»
Modèle créé en 1895.
Étain fondu, ciselé et poli.
H. 0,010; D. 0,212.
Marque sur le bord de la pièce : *JULES
BRATEAU;* poinçon de fabricant, Jules
Brateau, au revers de la pièce.

HIST. : Dépôt du musée Bouilhet-
Christofle de Saint-Denis au musée
d'Orsay, 1986.

EXP. : Modèle présenté au Salon de la
Société nationale des Beaux-Arts de
1899, n° 4 de la vitrine n° 187, et à
l'Exposition universelle de Paris, 1900,
groupe XV, classe 94.

BIBL. : Modèle repr. dans la *Revue des
Arts décoratifs,* t. 19, 1899, pl. hors-
texte entre p. 328 et 329.

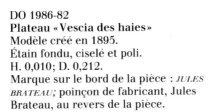

Brocard Philippe-Joseph
Connu de 1865 à 1896

OAO 1041
Vase
1867
Verre teinté, décor émaillé et peint.
H. 0,415; l. 0,205.
S.D. en rouge sur le corps de la pièce :
Brocard à PARIS 1867

HIST. : Acquis dans le commerce d'art
parisien, 1986.

DO 1981-2
Panneau de vitrail
Vers 1887.
Verre émaillé.
H. 0,685; L. 0,685.

HIST. : Acquis en 1888 par le musée des Arts décoratifs; dépôt du musée des Arts décoratifs au musée d'Orsay, 1981.

EXP. : 1887, Paris, Union centrale des Arts décoratifs. 9ᵉ Exposition, groupe IV, classe 16.

DO 1981-3
Panneau de vitrail
Vers 1887.
Verre émaillé.
H. 0,685; L. 0,670.

HIST : Acquis en 1888 par le musée des Arts décoratifs; dépôt du musée des Arts décoratifs au musée d'Orsay, 1981.

EXP : 1887, Paris, Union centrale des Arts décoratifs. 9ᵉ Exposition, groupe IV, classe 16.

OA 3329
Bouteille
Vers 1892.
Verre enfumé, décor émaillé et doré.
H. 0,200; D. base 0,052.

HIST : Acquis en 1892 à l'Exposition des Arts de la Femme pour le musée du Luxembourg.

EXP : 1892, Paris, Palais de l'Industrie, *Exposition des Arts de la Femme,* groupe III.

BIBL : Bénédite, 1898, nᵒ 821, p. 169.

Bugatti Carlo
Milan 1856 - Dorlisheim 1940

OAO 343 - 344
Paire de chaises
Vers 1903-1904.
Acajou à filets de bois clair, parchemin peint.
H. 1,140; l. 0,453; P. 0,500 chaque.
S. au revers de chaque dossier : *Bugatti*

HIST. : Faisait vraisemblablement partie d'un mobilier de salle à manger comportant une douzaine de chaises, une table et une desserte; resté dans la famille de l'artiste; acquis en vente publique (anc. coll. Ettore Bugatti), Paris, Hôtel du 73, 16 mai 1979, nᵒ 243, repr.

EXP. : 1983, Hambourg, nᵒ C 57-58, repr. p. 99.

OAO 345 à 444
100 modèles et moules de pièces d'orfèvrerie, bronzes d'ameublement, meubles et instruments de musique.
Certaines pièces d'orfèvrerie furent éditées par A.A. Hébrard.

HIST. : Atelier de l'artiste; resté dans la famille de l'artiste; acquis en vente publique (anc. coll. Ettore Bugatti) Paris, Hôtel du 73, 16 mai 1979, nᵒ 249, repr. des nˢ OAO 345 à 347 et OAO 351 à 354.

OAO 345
Modèle d'arrosoir ovoïde
Entre 1904 et 1907.
Plâtre moulé sur armature métallique.
H. 0,240; L. 0,358; P. 0,142.
Ce modèle fut édité en argent par Hébrard (exp. : 1907, Paris, Galerie A.A. Hébrard, *Exposition d'orfèvrerie,* repr. p. 13; bibl. : Rossi-Sacchetti, 1911, p. 301-308, repr. p. 307).

EXP. : 1983, Hambourg, nᵒ C 93, repr. p. 124.

OAO 346
Modèle de broc à rafraîchissements zoomorphe
Après 1904.
Plâtre moulé.
H. 0,204; L. 0,161; P. 0,140.

OAO 347
Modèle de vase
Après 1904.
Plâtre moulé sur armature métallique.
H. 0,400; base carrée 0,140.

OAO 348
Modèle d'une saucière
Entre 1904 et 1909.
Plâtre moulé sur armature métallique.
H. 0,176 ; L. 0,292 ; P. 0,132.
Ce modèle fut édité en argent par
Hébrard (exp. : 1909, Paris, Salon
d'Automne, Section d'art moderne
italien, n° 85 du catalogue de la
section ; bibl. : Vaillat, 1909, repr. p.
87).

OAO 349
Modèle d'une cafetière
Entre 1904 et 1911.
Plâtre moulé sur armature métallique.
H. 0,105 ; L. 0,160 ; l. 0,097.
Faisait partie d'un service à thé et à
café qui fut édité en argent par
Hébrard.

EXP. : 1911, Paris, Salon de la Société
des Artistes Décorateurs, p. 39.

BIBL. : Saunier, 1911, p. 87, repr. p. 98.

OAO 351
Modèle de seau à glace
Après 1904.
Plâtre moulé.
H. 0,194 ; D. du socle 0,250

OAO 352
Modèle d'un vase d'orfèvrerie
Après 1904.
Plâtre moulé.
H. 0,258 ; D. 0,310.
Ce modèle fut édité en argent et
vermeil par A.A. Hébrard (exp. : 1983,
Hambourg, n° C 85, repr. coul. p. 16).

EXP. : 1983, Hambourg, n° C 92, repr. p.
123.

OAO 353
Esquisse modelée de meuble
Après 1904.
Plâtre.
H. 0,492; L. 0,320; P. 0,166.

EXP. : 1983, Hambourg, n° C 90, repr. p.
121.

OAO 354
**Esquisse modelée d'un buffet de salle
à manger**
Après 1904.
Plâtre.
H. 0,382; L. 0,335; P. 0,132.

EXP. : 1983, Hambourg, n° C 91, repr. p.
122.

BIBL. : Rossi-Sacchetti, 1911, p. 301-308,
repr. p. 306.

OAO 358
**Modèle d'applique de meuble avec
charnière**
Plâtre moulé.
H. 0,033; L. 0,258; l. 0,164.
Inscrit au revers, h. g., au crayon noir :
A. Pilazzola (ou Palazzola?) *Misterra*
(ou Mulara?) peu lisible.

EXP. : 1983, Hambourg, n° C 94, repr. p.
125.

OAO 359
Modèle de poignée de meuble
Plâtre moulé sur armature métallique;
badigeon de gomme-laque (?) sur la
face.
H. 0,043; L. 0,190; l. 0,157.
Au revers au crayon : 2

OAO 361
Modèle d'applique de meuble
Plâtre moulé sur armature métallique.
H. 0,045; L. 0,193; l. 0,153.

OAO 363 et 364
**Paire de modèles de sabot zoomorphe
pour pied de table**
Avant 1911.
Plâtre moulé, patine beige rosé; crayon
noir.
OAO 363 : H. 0,162; L. 0,206; l. 0,088.
OAO 364 : H. 0,155; L. 0,199; l. 0,088.

OAO 366[C]
Modèle d'applique de meuble
Plâtre moulé, patiné ocre sur la face.
H. 0,033; L. 0,173; l. 0,056.

OAO 369
**Modèle d'un bronze d'ameublement
zoomorphe**
Plâtre moulé et peint.
H. 0,207; L. 0,321; P. 0,273.

OAO 411[A-B]
**Moule à bon-creux à pièces, chape en
deux parties**
Entre 1904 et 1907.
Plâtre moulé et découpé, badigeon de
gomme - laque (?) dans l'empreinte;
sur le n° 411[A], ficelles et morceaux de
bois pour attacher les pièces.
H. 0,282; L. 0,430; l. 0,133.
Ce moule correspond au modèle
d'arrosoir ovoïde OAO 345.

Bugatti
Voir aussi Catalogue sommaire des
dessins d'architecture et d'art décoratif

Cameré
Voir **Froment-Meurice**

Carabin François-Rupert
Sculpteur
Saverne 1862 - Strasbourg 1932

Servat Albert
Ferronnier

OAO 872
Bibliothèque
1890
Noyer, fer forgé.
H. 2,900 ; l. 2,150 ; P. 0,830.
S.D.h.g. sur le parchemin déroulé : *R.
Carabin/1890*

HIST : Commandé à Carabin par Henry
Montandon ; coll. Mme Edmond
Desnoyers de Biéville, fille du
commanditaire ; coll. Henri Desnoyers
de Biéville, petit-fils du
commanditaire ; vente, Paris, Drouot,
8 décembre 1969, salle 14, n° 127,
repr. ; coll. Alain Blondel-Yves Plantin ;
acquis en 1983.

EXP : 24-26 mars 1890, Paris, Atelier de
Carabin ; 1891, Paris, Salon de la
Société nationale des Beaux-Arts, n° 5 ;
1974, Paris, Galerie du Luxembourg,
L'œuvre de Rupert Carabin, n° 1 p. 20,
repr.

BIBL : Arsène Alexandre, «Le Chêne et
le Navet», *Le Paris,* 29 mars 1890 ;
Gustave Geffroy, «A propos d'une
bibliothèque du sculpteur Carabin»,
Revue des Arts décoratifs, juillet-août
1890, p. 42-49.

Carabin
Voir aussi Catalogue sommaire des
sculptures

Caranza Amédée de
Istamboul ? - ?

OAO 1028
Vase
Après 1902.
Verre, lustre métallique.
H. 0,246 ; D. base : 0,091.
S. en lustre sur la pièce : *A. de Caranza*
Étiquette ancienne sous la pièce
portant le numéro manuscrit *579.*

HIST. : Don de M. Jacques-Paul Dauriac,
1985.

Maison Cardeilhac
Firme créée en 1804, Paris

OAO 38 à 41
Quatre boutons
Vers 1905.
Argent fondu et ciselé.
H. 0,008; D. 0,038.
Poinçons : OAO 38 : revers : petite
garantie, argent, Paris.
OAO 39 : face : garantie, argent;
revers : fabricant, argent, Cardeilhac,
et marque : *CARDEILHAC*
OAO 40 : face : garantie, argent;
revers : numéro gravé à la pointe : *C
439*
OAO 41 : face : garantie, argent;
revers : fabricant, argent, Cardeilhac,
et marque : *CARDEILHAC*

HIST. : Musée du Luxembourg;
reversement du musée national d'Art
moderne au musée d'Orsay, 1978.

Cardeilhac
Voir également à **Dammouse**

Caron Alexandre-Auguste
Paris 1857 - Paris? 1932

OAO 236
«Le Signe», figurine
Vers 1912.
Ivoire; socle en fluorine et bronze doré.
H. 0,253; D. 0,075.
Signature gravée près du pied gauche :
A Caron (les initiales formant
monogramme).

HIST. : Acquis au Salon de la Société des
Artistes français de 1912 pour le musée
du Luxembourg; entré au musée du
Luxembourg en 1913; reversement du
musée national d'Art moderne au
musée d'Orsay, 1978.

EXP. : 1912, Paris, Salon de la Société
des Artistes français, n° 4180.

Carot
Voir **Besnard**

Carrier-Belleuse
Albert-Ernest
Sculpteur
Anisy-le-Château 1824 - Sèvres 1887

Doat Taxile
Céramiste
Albi 1851 -? 1938

Marioton Claudius
Ciseleur
Paris 1844 - Paris 1919

OAO 337
Coupe
1886
Porphyre rouge, argent fondu et ciselé,
porcelaine à pâte d'application,

obsidienne (?), laiton.
H. 0,440; L. 0,288; D. 0,276.
Signatures et date gravées au bas du
socle, d'un côté : *1886/A. CARRIER
BELLEUSE;* d'un autre côté : *C.
MARIOTON. CISEL* (lettre *C* accolée de
chaque côté de l'initiale *M*); Poinçons
au bas du socle : 1er titre, argent, Paris.
Monogramme en pâte d'application,
b.d. sur les plaques de porcelaine : *TD*
(lettres liées).

HIST. : Coll. Hachette, Paris; vente Paris,
Hotel Drouot, 23 février 1972, n° 29,
repr.; vente Ader, Picard et Tajan,
Monte Carlo, 16 décembre 1978,
n° 302, repr.; acquis en vente publique,
Paris, Palais d'Orsay, 28 mars 1979,
n° 23, repr.

EXP. : 1929, Paris, Musée des arts
décoratifs, *L'orfèvrerie civile française
de la Révolution à nos jours.*

Carrier-Belleuse
Voir aussi Catalogue sommaire des
sculptures

Carrière Ernest
Strasbourg 1858 - Sèvres 1908

OAO 83
Vase
Vers 1904.
Grès émaillé.
H. 0,220; D. ouverture : 0,130.
S. en noir sous la pièce : *Ernest
Carrière*; étiquette ancienne avec
numéro manuscrit : *67*; étiquette
ancienne avec numéro manuscrit : *31*

HIST. : Acquis de l'artiste pour le musée
du Luxembourg en 1904; reversement
du musée national d'Art moderne au
musée d'Orsay, 1978.

EXP. : 1974, Dusseldorf, n° 9 p. 16, repr.

Carriès Jean
Lyon 1855 - Paris 1894

OAO 84
Cache-pot
Vers 1891-1892.
Grès émaillé, rehauts d'or.
H. 0,160; D. ouverture 0,168.
S. en creux sous la pièce : *Jean/
Carriès/26*

HIST. : Acquis au Salon de la Société
nationale des Beaux-Arts de 1892 pour
le musée du Luxembourg;
reversement du musée national d'Art
moderne au musée d'Orsay, 1978.

EXP. : 1892, Paris, Salon de la Société
nationale des Beaux-Arts, vitrine n° 20.

BIBL. : Marx, 1892, repr. col. 1495.

OAO 523
«Le Grenouillard», groupe
Vers 1891.
Grès émaillé.
H. 0,315; L. 0,360; P. 0,380.

HIST. : Acquis en vente publique, Paris,
Drouot, 17 décembre 1980, salle 9,
n° 152, repr.

BIBL. : Ph. Thiébaut, «A propos d'un
groupe céramique de Carriès : Le
Grenouillard», *La Revue du Louvre et
des Musées de France, 1982*, n° 2,
p. 121-128.

OAO 1011
«Bébé au bonnet et à la bavette»,
buste
1893
Grès émaillé.
H. 0,262; L. 0,202; P. 0,200.
S.D. en creux sur la face droite du
piédouche : *Jean/Carriès/à
Montrivaux/93*; en creux sur le revers
arrière de la bavette : *Carriès*

HIST. : Acquis dans le commerce d'art
parisien, 1985.

Carriès
Voir aussi Catalogue sommaire des
sculptures

Cartier
Voir **Guéret frères**

Cavaillé-Coll Emmanuel
Architecte
Paris 1862 - Paris 1922

Rouillard Marcel-Marie
Peintre décorateur
Quimper 1860 - Hammam Miscoutine
(Algérie) 1907

Maison
William Guérin et Cie
Fabricant
Limoges

OAO 85
Coupe monumentale
Modèle créé en 1881.
Porcelaine dure, décor de grand feu
sous couverte.
Vasque : H. 0,380; D. 0,980.
Pied : H. 0,550; D. 0,605.

HIST. : Entré au musée du Luxembourg
en 1892; reversement du musée
national d'Art moderne au musée
d'Orsay, 1978.

EXP. : 1889, Paris, Exposition
Universelle, groupe III, classe 20.

BIBL. : *Revue des Arts décoratifs*, t. 2,
1881-1882, repr. hors-texte entre p. 354
et 355.

Cayette Jules
Nancy 1882 - Nancy 1953

Société des produits céramiques de Rambervillers
Fabricant.
Rambervillers (Vosges)

OAO 876
«Les Sauterelles», jardinière
Modèle créé en 1907.
Grès émaillé.
H. 0,192; L. 0,410; l. 0,232.
Marque au tampon noir sous la pièce :
Céramique/Rambervillers; marque en
creux dans un octogone, Cayette (?).

HIST. : Don de M. Avigdor Arikha, 1983.

BIBL. : Modèle repr. hors-texte dans E.
Nicolas, «L'École de Nancy», *Revue
Lorraine Illustrée,* janvier-mars 1908.

Cazin Jean-Charles
Samer (Pas-de-Calais) 1841 - Le
Lavandou 1901

OAO 87
Plat
1873
Grès gravé et émaillé.
H. 0,077; D. 0,336.
S.D. en creux au revers de la pièce :
Cazin/1873

HIST. : Don de l'artiste au musée de
Luxembourg, 1895; reversement du
musée national d'Art moderne au
musée d'Orsay, 1978.

EXP. : 1895, Paris, Salon de la Société
nationale des Beaux-arts, n° 4 de la
vitrine n° 182.

BIBL. : *L'Art pour tous,* n° 863, 31 mai
1896, repr. p. 3551.

OAO 86
Vase
Entre 1872 et 1875.
Grès gravé et émaillé.
H. 0,141; D. 0,131.

HIST. : Don de l'artiste au musée du
Luxembourg, 1895; reversement du
musée national d'Art moderne au
musée d'Orsay, 1978.

EXP. : 1895, Paris, Salon de la Société
nationale des Beaux-Arts, n° 11 de la
vitrine n° 182.

OAO 88
Plat
Entre 1872 et 1875.
Grès gravé et émaillé.
H. 0,030; D. 0,215.
S. en creux dans un cartel vertical sur
le bord droit : *Cazin*

HIST. : Don de l'artiste au musée du
Luxembourg, 1895; reversement du
musée national d'Art moderne au
musée d'Orsay, 1978.

BIBL. : *L'Art pour tous,* n° 907, 31 mars
1898, repr. p. 3727.

OAO 89
Vase
Entre 1872 et 1875.
Grès gravé et émaillé.
H. 0,200; l. 0,173.
S. en creux dans un cartel vertical près
de l'anse gauche : *Cazin*

HIST. : Don de l'artiste au musée du
Luxembourg, 1895; reversement du
musée national d'Art moderne au
musée d'Orsay, 1978.

BIBL. : *L'Art pour tous,* n° 1000,
15 février 1902, repr. p. 4099.

OAO 90
Vase
Entre 1872 et 1875.
Grès gravé et émaillé.
H. 0,215; l. 0,212.
S. en creux dans un cartel vertical sous
l'anse de droite : *Cazin*

HIST. : Don de l'artiste au musée du
Luxembourg, 1895; reversement du
musée national d'Art moderne au
Musée d'Orsay, 1978.

BIBL. : Eugène Grasset, «La décoration
céramique», *Art et Décoration,* 1912,
t. II, p. 95, repr.

OAO 91
Vase
Entre 1872 et 1875.
Grès gravé et émaillé.
H. 0,288; D. 0,176.
S. en creux dans un cartel vertical à
gauche de l'anse de gauche : *Cazin*

HIST. : Don de l'artiste au musée du
Luxembourg, 1895; reversement du
musée national d'Art moderne du
musée d'Orsay, 1978.

EXP. : 1895, Paris, Salon de la Société
nationale des Beaux-Arts, n° 2 de la
vitrine n° 182.

Cazin
Voir aussi Catalogue sommaire des sculptures

Cazin Michel
Paris 1869-Dunkerque 1917

OAO 92
Cache-pot
1900
Grès émaillé.
H. 0,330; D. 0,405.
S.D. en creux près de l'ouverture :
Michel Cazin 1900

HIST. : Don de l'artiste au musée du Luxembourg, 1900; renversement du musée national d'Art moderne au musée d'Orsay, 1978.

EXP. : 1900, Paris, Exposition Universelle, groupe III, classe 72.

BIBL. : Borrman, repr. p. 62.

Chabal-Dussurgey
Voir **Manufacture nationale de tapisseries de Beauvais**

Champigneulle
Voir **Mucha**

Chaplet Ernest
Sèvres 1835 - Choisy-le-Roi 1909

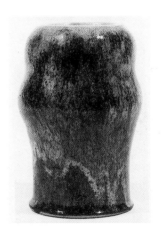

OAO 95
Vase
1893
Porcelaine dure, décor flambé de grand feu.
H. 0,143; D. ouverture 0,057.
Marque au rosaire avec la lettre *E* et date *1893* peintes en noir sous la pièce.

HIST. : Legs Ernest Chaplet, 1910; attribué au musée du Luxembourg; reversement du musée national d'Art moderne au musée d'Orsay, 1978.

EXP. : 1910, Paris, n° 305 (ou 306) p. 23.

OAO 93
Vase
Vers 1899.
Porcelaine dure, décor flambé de grand feu.
H. 0,349; D. ouverture 0,075.
Marque au rosaire avec la lettre *E* peinte en vert sous la pièce.

HIST. : Legs Ernest Chaplet, 1910; attribué au musée du Luxembourg; reversement du musée national d'Art moderne au musée d'Orsay, 1978.

EXP. : 1910, Paris, n° 299 p. 23.

OAO 96
Vase
Vers 1900.
Porcelaine dure, décor flambé de grand
feu.
H. 0,450; D. ouverture 0,199.
Marque au rosaire peinte en bleu sous
la pièce.

HIST. : Acquis à l'Exposition Universelle
de 1900 pour le musée du
Luxembourg; reversement du musée
national d'Art moderne au musée
d'Orsay, 1978.

EXP. : 1900, Paris, Exposition
Universelle, groupe III, classe 72.

OAO 97
Vase
Vers 1900.
Porcelaine dure, décor flambé de grand
feu.
H. 0,194; D. ouverture 0,092.
Marque au rosaire en creux sous la
pièce; étiquette ancienne : *N 30 250 F*

HIST. : Acquis à l'Exposition universelle
de 1900 pour le musée du
Luxembourg; reversement du musée
national d'Art moderne au musée
d'Orsay, 1978.

EXP. : 1900, Paris, Exposition
Universelle, groupe III, classe 72.

BIBL. : *L'Art pour tous*, n° 993,
31 octobre 1901, repr. p. 4072.

OAO 94
Vase
Entre 1890 et 1909.
Porcelaine dure, décor flambé de grand
feu.
H. 0,365; D. 0,120.
Marque au rosaire avec la lettre *E*
peinte en vert sous la pièce.

HIST. : Legs Ernest Chaplet, 1910;
attribué au musée du Luxembourg;
reversement du musée national d'Art
moderne au musée d'Orsay, 1978.

EXP. : 1910, Paris, n° 297 p. 23.

OAO 98
Cendrier
Entre 1890 et 1909.
Porcelaine dure, décor flambé de grand
feu.
H. 0,059; D. 0,121.
Marque au rosaire en creux sous la
pièce.

HIST. : Legs Ernest Chaplet, 1910;
attribué au musée du Luxembourg;
reversement du musée national d'Art
moderne au musée d'Orsay, 1978.

OAO 99
Cendrier
Entre 1890 et 1909.
Porcelaine dure, décor flambé de grand
feu.
H. 0,018; D. 0,071.
Marque au rosaire en creux sous la
pièce.

HIST. : Legs Ernest Chaplet, 1910;
attribué au musée du Luxembourg;
reversement du musée national d'Art
moderne au musée d'Orsay, 1978.

EXP. : 1910, Paris, n° 329 (ou 330 ou
331) p. 24.

Chaplet Ernest
Céramiste
Sèvres 1835 - Choisy-le-Roi 1909

Dammouse Albert-Louis
Céramiste
Paris 1848 - Sèvres 1926

OAO 100
Pichet
Vers 1882-1885.
Grès, décor moulé et gravé.
H. 0,170; l. 0,115.
En creux sous la pièce lettre *T* et
numéro *87*

HIST. : Legs Chaplet, 1910; attribué au
musée du Luxembourg; reversement
du Musée national d'Art moderne au
Musée d'Orsay 1978.

EXP. : 1910, Paris, n° 332 p. 24.

OAO 1032
Cache-pot
Vers 1885-1886.
Grès émaillé, rehauts d'or.
H. 0,238; D. ouverture 0,225.
Marque au rosaire en creux sous la
pièce et numéro en creux *86*

HIST. : Acquis dans le commerce d'art
parisien, 1986.

Chaplet Ernest
Céramiste
Sèvres 1835 - Choisy-le-Roi 1909

Hexamer Frédéric
Peintre
Paris 1847 - ?

OAO 971
Pichet
Vers 1882-1885.
Grès, décor gravé et peint, rehauts
d'or.
H. 0,304; l. 0,120.
Marqué en creux sous la pièce : *H & C*
dans un rosaire; numéro de forme en
creux : *63*; marque d'atelier en creux :
JB2/2

HIST. : Acquis dans le commerce d'art
parisien, 1984.

Chaplet
Voir également à
Ringel d'Illzach

Charpentier Alexandre-Louis-Marie
Paris 1856 - Neuilly-sur-Seine 1909

OAO 210
Pot à tisane
1892
Étain fondu et ciselé; canne tressée.
H. 0,230; L. 0,225; l. 0,162.
S.D. sur la panse : *A. Charpentier/1892;*
monogrammé sur le col : *C Alm*

HIST. : Acquis au Salon de la Société
nationale des Beaux-Arts de 1893 pour
le musée du Luxembourg;
reversement du musée national d'Art
moderne au musée d'Orsay, 1978.

EXP. : 1892, Paris, Salon de *La Plume;*
1893, Paris, Salon de la Société
nationale des Beaux-Arts, n° 277.

BIBL. : Saunier, 1892, p. 508-510;
Geffroy, 1894, p. 381-382; *L'Art pour
tous*, n° 867, 31 juillet 1896, p. 3565,
fig. 8239.

OAO 54
«Faune», patte de plateau
1893
Bronze.
L. 0,095; l. 0,068; Ep. 0,008.
S. à droite de la chevelure : *A.C.*

HIST. : Don de l'artiste au musée du
Luxembourg, 1895; reversement du
musée national d'Art moderne au
musée d'Orsay, 1978.

EXP. : 1893, Paris, Salon de la Société
nationale des Beaux-Arts, n° 279.

BIBL. : Luxembourg, supplément, 1896,
n° 1005.

OAO 55
«Bacchante», patte de plateau
1893
Bronze.
L. 0,096; l. 0,068; Ep. 0,007.
S. au dessus du bras : *A.C.*

HIST. : Don de l'artiste au musée du
Luxembourg, 1895; reversement du
musée national d'Art moderne au
musée d'Orsay, 1978.

EXP. : 1893, Paris, Salon de la société
nationale des Beaux-Arts, n° 279.

BIBL. : *L'Art pour tous*, n° 872, octobre
1896, p. 3587, fig. 8314; Luxembourg,
supplément, 1896, n° 106.

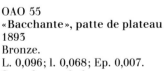

OAO 56
«Le violoncelle», plaque de propreté
Modèle créé en 1895.
Bronze patiné.
H. 0,300; l. 0,065; Ep. 0,010.
Monogrammé b.d. : *Alm C*

HIST. : Musée du Luxembourg;
reversement du musée national d'Art
moderne au musée d'Orsay, 1978.

EXP. : Modèle présenté au Salon de la
Société nationale des Beaux-Arts de
1896, n° 192, et à l'Exposition
Universelle de Paris, 1900, groupe XII,
classe 65.

BIBL. : Modèle repr. dans Ch. Saunier,
«Les artistes créateurs - Alexandre
Charpentier», *Revue des Arts
décoratifs*, décembre 1895, pl. hors-
texte entre p. 554 et 555.

OAO 1146
«Le triangle», bouton de crémone
Modèle créé en 1896.
Bronze patiné.
H. 0,070; l. 0,040; Ep. 0,005.

HIST. : Musée du Luxembourg;
reversement du musée national d'Art
moderne au musée d'Orsay, 1978.

EXP. : Modèle présenté à la *Première
exposition* de la Galerie des Artistes
modernes, Paris, 1896-1897, n° 11, et à
l'Exposition Universelle de Paris, 1900,
groupe XII, classe 65.

BIBL. : Modèle repr. dans Champier,
1902, pl. hors-texte entre p. 68 et 69.

OAO 59
«La peinture», plaque de serrure
Modèle créé en 1896.
Bronze patiné.
H. 0,080; l. 0,149; Ep. 0,009.
S.b.d. : *A. Charpentier*

HIST. : Musée du Luxembourg;
reversement du musée national d'Art
Moderne au musée d'Orsay, 1978.

EXP. : Modèle présenté à la *Première
exposition* de la Galerie des Artistes
modernes, Paris, 1896-1897, n° 10, et à
l'Exposition Universelle de Paris, 1900,
groupe XII, classe 65.

BIBL. : Modèle repr. dans Champier,
1902, pl. hors-texte entre p. 68 et 69.

OAO 57
«Les dominos», plaque de serrure
Modèle créé en 1897.
Bronze patiné.
H. 0,077; l. 0,147; Ep. 0,008.
Monogrammé h.d. : *Alm C*

HIST. : Musée du Luxembourg;
reversement du musée national d'Art
moderne au musée d'Orsay, 1978.

EXP. : Modèle présenté au Salon de la
Société nationale des Beaux-Arts de
1897, n° 9 du cadre n° 206, et à
l'Exposition Universelle de Paris, 1900,
groupe XII, classe 65.

BIBL. : Modèle repr. dans Soulier, 1897,
p. 117 et Champier, 1902, pl. hors-
texte entre p. 68 et 69.

OAO 60
«La sculpture», plaque de serrure
Modèle créé en 1896.
Bronze patiné.
H. 0,081; l. 0,149; Ep. 0,008.

HIST. : Musée du Luxembourg;
reversement du musée national d'Art
moderne au musée d'Orsay, 1978.

EXP. : Modèle présenté à la *Première
exposition* de la Galerie des Artistes
modernes, 1896-1897, n° 10, et à
l'Exposition Universelle de Paris, 1900,
groupe XII, classe 65.

BIBL. : Modèle repr. dans Champier,
1902, pl. hors-texte entre p. 68 et 69.

OAO 58
«Les échecs», plaque de serrure
Modèle créé en 1897.
Bronze patiné.
H. 0,082; l. 0,151; Ep. 0,007.
Monogrammé h.g. : *Alm C*

HIST. : Musée du Luxembourg;
reversement du musée national d'Art
moderne au musée d'Orsay, 1978.

EXP. : Modèle présenté au Salon de la
Société nationale des Beaux-Arts de
1897, n° 8 du cadre n° 206, et à
l'Exposition Universelle de Paris, 1900,
groupe XII, classe 65.

BIBL. : Modèle repr. dans Soulier, 1897,
p. 116 et Champier, 1902, pl. hors-
texte entre p. 68 et 69.

Charpentier Alexandre-Louis-Marie
Sculpteur
Paris 1856 - Neuilly-sur-Seine 1909

Maison H.E. et L. Fontaine
Fondeur
Paris

OAO 61
«La musique», plaque de serrure
Modèle créé en 1893.
Bronze patiné.
H. 0,080; L. 0,150; Ep. 0,008.
S.b.d. : *Alexandre Charpentier;* marque
sur la tranche : *H.E. & L. FONTAINE
Paris.*

HIST. : Don de l'artiste au musée du
Luxembourg, 1895; reversement du
musée national d'Art moderne au
musée d'Orsay, 1978.

EXP. : Modèle présenté au Salon de la
Société nationale des Beaux-Arts de
1893, n° 2 de la vitrine n° 284, et à
l'Exposition Universelle de Paris, 1900,
groupe XII, classe 65.

BIBL. : *L'Art pour tous,* n° 872, octobre
1896, p. 3587, fig. 8312.

OAO 62
«Le chant», plaque de serrure
Modèle créé en 1893.
Bronze patiné.
H. 0,080; L. 0,150; Ep. 0,005.
S.b.d. : *Alexandre Charpentier;* marque
sur la tranche : *H.E. & L. FONTAINE
Paris*

HIST. : Don de l'artiste au musée du
Luxembourg, 1895; reversement du
musée national d'Art moderne au
musée d'Orsay, 1978.

EXP. : Modèle présenté au Salon de la
Société nationale des Beaux-Arts de
1893, n° 1 de la vitrine n° 284, et à
l'Exposition Universelle de Paris, 1900,
groupe XII, classe 65.

BIBL. : *L'Art pour tous,* n° 872, octobre
1896, p. 3587, fig. 8313.

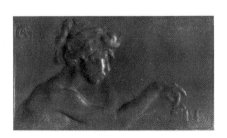

Charpentier
Voir aussi Catalogue sommaire des
sculptures

Charpentier Alexandre
Sculpteur
Paris 1856 - Neuilly-sur-Seine 1909

Bigot Alexandre
Céramiste
Mer (Loir-et-Cher) 1862 - Paris 1927

Maison H.E. et L. Fontaine
Fondeur
Paris

OAP 240
Boiserie de salle à manger
1900-1901
Acajou, chêne et peuplier, bronze doré,
grès émaillé.
Dimensions de la pièce : H. 3,460 ;
L. 10,550 ; l. 6,210.

HIST. : Commandé par Adrien Bénard
(1846-1912), banquier, pour sa
propriété de Champrosay ; acquis en
vente publique, Paris, Drouot,
6 décembre 1977, salle 11, n° 88, repr. ;
affecté au musée d'Orsay, 1982.

BIBL. : « L'Art appliqué. Salle à manger
par Alexandre Charpentier »,
L'Illustration, n° 3059, 12 octobre 1901,
p. 235 ; M. Bascou, « Une boiserie Art
Nouveau d'Alexandre Charpentier », *La
Revue du Louvre et des Musées de
France*, 1979, n° 3, p. 219-228.

Christofle & Cie
Orfèvres, Paris.
Manufacture dirigée par Paul
Christofle (1838-1907) et Henri
Bouilhet (1830-1910).

Moreau Mathurin
Sculpteur
Dijon 1821 - Paris 1912.

Madroux Auguste
Ornemaniste
?-1870.

OAO 862
« L'Éducation d'Achille », vase
d'ornement
Vers 1867.
Argent partiellement doré.
H. 0,750 ; L. 0,265 ; P. 0,130.
Marque de fabricant sous la base :
*PAUL CHRISTOFLE ET HENRI BOUILHET
ORF.*
Poinçonné plusieurs fois : titre, argent,
Paris ; maître, argent, Christofle.
Armes de Napoléon III rapportées, au
revers de la panse.

HIST. : Offert par Napoléon III au Cercle
des Patineurs pour servir de prix au
concours international de tir aux
pigeons organisé par le Cercle en 1867 ;
gagné par Frank Heathcote, Président
du Hurlingham Club de Londres ;
coll. Swonnell, Londres ; coll. Citroen,
Amsterdam ; acquis en vente publique

à Londres, Christie's, le 3 novembre
1982, n° 19, repr.

EXP. : 1867, Paris, Exposition
universelle, groupe III, classe 21 ; 1979,
Paris, n° 80, repr.

BIBL. : J. Mesnard, *Les Merveilles de
l'Exposition Universelle de 1867*, Paris,
1867, vol. I, p. 98 ; F. Ducuing,
*l'Exposition Universelle de 1867
illustrée*, Paris, 1868, vol. II, p. 228 et
443, repr. p. 229 et 445 ; Lacambre-
Thiébaut, 1983, n° 388 p. 92, repr.
p. 93.

Christofle & Cie
Orfèvres, Paris.

Manufacture dirigée par Paul
Christofle (1838-1907) et Henri
Bouilhet (1830-1910).

DO 1985-3 à 30
Fac-similé du trésor d'Hildesheim
Vers 1870.
Cuivre galvanique argenté et
partiellement doré.
Inscrit au revers (sauf les n° DO
1985-23, 24 et 29) :
*TRÉSOR D'HILDESHEIM/FAC-SIMILE
GALVANIQUE/CHRISTOFLE & CIE/OFFERT
PAR M.M. P. CHRISTOFLE ET H. BOUILHET*

HIST. : Don P. Christofle et H. Bouilhet
au Musée de Cluny, 1871 ; dépôt à
l'École des Beaux-Arts, 1895 ; dépôt au
Musée d'Orsay, 1985.

BIBL. : « The International Exhibition
1871 », *The Art-Journal*, Londres, 1871,
p. 67, repr. ; *Peter Behrens und
Nürnberg*, Nuremberg, Germanisches
Nationalmuseum, 1980, n° 84 p. 77,
repr.

DO 1985-3
Cratère
H. 0,386 ; L. 0,420 ; D. 0,382.

DO 1985-4
Vase
H. 0,355 ; D. 0,180.

DO 1985-5
«Minerve», patère.
H. 0,079; L. 0,318; D. 0,253.

DO 1985-6
«Hercule enfant», patère
H. 0,060; D. 0,212.
Numéro de fabrication au revers :
669713

DO 1985-7
«Cybèle», patère
H. 0,042; D. 0,190.
Numéro de fabrication au revers :
690166

DO 1985-8
Coupe à boire
H. 0,143; L. 0,158; D. 0,105.

DO 1985-9
Coupe à boire
H. 0,119; L. 0,190; D. 0,149.

DO 1985-10
Coupe à boire
H. 0,155; L. 0,215; D. 0,147.

DO 1985-11
Coupe à boire
H. 0,088; L. 0,191; D. 0,129.

DO 1985-17
Plat à œufs
H. 0,055; D. 0,268.
Numéro au revers : *13*

DO 1985-12
Coupe à boire
H. 0,102; D. 0,160.

DO 1985-13
Coupe à boire
H. 0,09; L. 0,175; D. 0,150.

DO 1985-18
Casserole
H. 0,106; L. 0,252; D. 0,136.
Numéro de fabrication au revers :
669779

DO 1985-14
Coupe tripode
H. 0,057; D. 0,127.
Numéro de fabrication sous l'un des
pieds : *686362*

DO 1985-15
Salière (?)
H. 0,056; D. 0,111.

DO 1985-19
Casserole
H. 0,089; L. 0,282; D. 0,150.
Numéro de fabrication au revers :
688253

DO 1985-16
Salière (?)
H. 0,041; D. 0,075.

DO 1985-20
Casserole
H. 0,090; L. 0,284.
Numéro de fabrication au revers :
689272

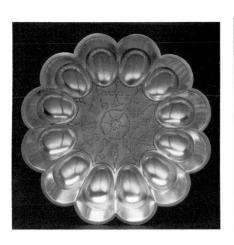

DO 1985-21
Casserole
H. 0,078; L. 0,262; D. 0,138.
Numéro de fabrication au revers :
688390

DO 1985-22
Puisette
H. 0,114; L. 0,093; D. 0,086.
Numéro au revers : *7*

DO 1985-23
Griffe de trépied
H. 0,150; l. 0,035; P. 0,014.

DO 1985-24
Anse de vase
H. 0,144; l. 0,061; P. 0,051.

DO 1985-25
Plateau rond
H. 0,017; D. 0,296.

DO 1985-26
Plateau long
H. 0,017; L. 0,275; l. 0,141.
Numéro sur un petit côté : *8*

DO 1985-27
Plateau long
H. 0,016; L. 0,250; l. 0,144.
Numéro de fabrication au revers :
669676

DO 1985-28
Trépied
H. 0,092; L. 0,228; l. 0,198.

DO 1985-29
Support, tête de Bacchus
H. 0,701; l. 0,042; P. 0,039.

OAO 991
Plateau
Vers 1884-1885.
Métal argenté.
H. 0,019; L. 0,192; l. 0,138.
Marque et numéro de fabrication au
bord sur un long côté :
CHRISTOFLE/1265493

HIST. : Galerie B & B, Paris; acquis en
1985.

OAO 1096
Plateau
Vers 1885.
Métal argenté, partiellement doré.
H. 0,012; L. 0,240; l. 0,175.
Marque et numéro de fabrication, sur
le bord extérieur d'un petit côté :
CHRISTOFLE/1405655

HIST. : Galerie B. & B., Paris; acquis en
1986.

OAO 1014[1]
Théière
Métal argenté.
H. 0,127; L. 0,222; l. 0,110.
Poinçons et marques, au revers :
fabricant, métal argenté,
Christofle; n° 2 (deux
fois); *CHRISTOFLE/3229*. Numéros à
l'intérieur du couvercle : *9/29*
Inscrit d'un côté : *HOTEL/PALAIS
D'ORSAY*

HIST. : Provenant de l'hôtel du Palais
d'Orsay; don de Madame Tchang-
Benoit, 1985.

OAO 1014[2]
Cuiller à café
Métal argenté.
H. 0,017; L. 0,140; l. 0,031.
Poinçons et marque à l'intérieur du
cuilleron : fabricant, métal argenté,
Christofle; *CHRISTOFLE* (marque
difficilement lisible).
Inscrit sur le manche : *PO*

HIST. : Provenant de l'hôtel du Palais
d'Orsay; don de Madame Tchang-
Benoit, 1985.

Christofle & Cie
Voir aussi **Reiber**

Compagnie des Indes

DO 1983-86
Meuble d'applique à trois corps : bibliothèque (?)
Vers 1858.
Ébène, citronnier.
H. 1,480; L. 0,520; Pr. 0,390.

HIST. : Don de la Compagnie des Indes à la Bibliothèque du Louvre, 1858; dépôt du Mobilier national, 1983.

Manufacture Royale de Copenhague

OAO 102
Vase
Vers 1895-1900.
Porcelaine tendre à couverte cristallisée.
H. 0,498; D. base 0,109.
Marque circulaire avec couronne imprimée en vert sous la pièce : *Royal/ Copenhagen;* en bleu trois lignes ondulées et *K F 800*

HIST. : Entré au musée du Luxembourg avant 1931; reversement du musée national d'Art moderne au musée d'Orsay, 1978.

Corroyer Édouard-Jules
Architecte
Amiens 1835 - Paris 1904

Poussielgue-Rusand
Manufacture d'orfèvrerie et de bronzes pour les églises, Paris, dirigée de 1849 à 1889 par Placide Poussielgue-Rusand (1829-1889).

OAO 997
Ostensoir
Modèle créé avant 1865.
Argent doré, émail, lapis, malachite, turquoises, améthystes, grenats et citrines.
H. 0,700; l. 0,320; P. 0,223.
Marque de fabricant insculpée sous la base : *P. POUSSIELGUE RUSAND/15 RUE CASSETTE/PARIS*
Poinçonné plusieurs fois : titre, argent, Paris; maître, argent, Poussielgue-Rusand fils.
Dans son écrin d'origine.

HIST. : Passé en vente à Londres; Galerie Perovetz, Londres; acquis en 1985.

BIBL. : *Manufacture d'orfèvrerie et de bronzes pour les églises P. Poussielgue-Rusand,* Paris, 1865, n° 395, repr.; H. Bouilhet, *L'orfèvrerie française aux XVIIᵉ et XIXᵉ siècles,* Paris, 1912, t. III, p. 218, repr. p. 217.

Couët
Voir **Barye**

Coulier Henry
Connu à Paris de 1885 à 1907

DO 1981-4
« La Nuit », vitrail
Vers 1893.
Verres doublés gravés à l'acide et
peints.
H. 1,900; L. 0,900.
S.b.g. : *Henry/Coulier*

HIST. : Don de Georges Berger
(1834-1910) et Édouard Corroyer
(1835-1904) au musée des Arts
décoratifs, 1895; dépôt du musée des
Arts décoratifs au musée d'Orsay,
1981.

EXP. : 1893, Salon de la Société des
Artistes français, n° 1978; 1907, Salon
de la Société des Artistes décorateurs,
n° 16.

BIBL. : Paul Cornu, « L'Exposition des
Artistes Décorateurs au Pavillon de
Marsan », *Art et Décoration*, 1907, t. 22,
p. 205.

OAO 707
Vitrail
1895
Verres doublés gravés à l'acide et
peints, verres incolores.
H. 3,020; L. 2,570.
S.D.b.d. : *Henry Coulier/Paris 1895*
Inscription peinte sur un cabochon au
centre :
*Pantagruel/Chapitre XXV/La bataille/
fut aspre*

HIST. : Mis en place après 1910 dans un
atelier d'artiste à Neuilly-s-Seine, 8
boulevard d'Argenson (aujourd'hui
boulevard Jean Mermoz); don de Mme
Jean Guillelmon, 1982.

BIBL. : Lacambre-Thiébaut, 1983, n° 390
p. 94, repr. p. 95.

Manufacture de Creil et Montereau
Voir **Bracquemond**

Cremer Joseph
Marqueteur, Paris.
Luxembourg 1811 - ?

Maison Lemarchand,
Ébéniste, Paris
Maison dirigée par André Lemoine de
1852 à 1863.

OAO 1040
Table de milieu
Vers 1855?
Noyer sculpté, marqueterie de
sycomore, bois de rose, noyer, buis,
charme et acajou, partiellement
teintés.
H. 0,750; L. 1,270; l. 0,810.
S. au centre du plateau : *J. Cremer*
(signature inversée).
Marque de fabricant imprimée sous le
plateau : *MAISON LEMARCHAND/A
LEMOINE/Rue des Tournelles 1[7] A
PARIS*

HIST. : Acquis en vente publique à
Londres, Sotheby's, 21 mars 1986,
Nineteenth Century Decorative Arts,
n° 539 p. 250, repr. p. 251 et sur la
couverture.

Cros Henry
Narbonne 1840 - Paris 1907

OAO 1026
« Corinthe », masque
1892
Pâte de verre, paillons d'or.
H. 0,284; l. 0,198; Ep. 0,084.
S.D. en bleu au dos : *H. CROS/92*

HIST. : Acquis de l'artiste en 1892 pour
le musée du Luxembourg; déposé au
musée des Arts décoratifs de 1932 à
1959, au musée d'Art et d'Histoire de
Narbonne de 1959 à 1986.

BIBL. : Bénédite, 1896, n° 463 p. 124.

OAO 566
« L'Histoire de l'Eau », fontaine
murale
1893
Bas-relief pâte de verre.
H. 2,300; L. 0,820; P. 0,500.

HIST. : Commandé à Cros par le
Ministère de l'Instruction Publique et
des Beaux-Arts en 1892; entré au
musée du Luxembourg en 1895;
déposé par le musée national d'Art
moderne au musée des Arts décoratifs
en 1932 puis au musée d'Art et
d'Histoire de Narbonne en 1959;
attribué au musée d'Orsay par le Fonds
national d'Art contemporain en 1984.

EXP. : 1894, Paris, Salon de la Société
des Artistes français, n° 2969.

BIBL. : Arsène Alexandre, « Henri Cros »,
L'Art Français, n° 367, 5 mai 1894,
p. 6; *L'Art pour tous*, n° 876,
15 décembre 1896, repr. p. 3601.

Cros
Voir aussi Catalogue sommaire des
sculptures

Crozatier

Bronziers d'art et fondeurs, Paris.
Ateliers dirigés par Charles Crozatier
Le Puy 1795-Paris 1855

DO 1986-78[A-B]
Paire de candélabres
Vers 1854.
Bronze patiné et bronze doré.
H. 1,380; D. 0,600.

HIST. : Livré pour le Salon d'Apollon au
Palais des Tuileries, 1854; rentré au
Mobilier national, 1874; envoyé au
Château de Fontainebleau, 1884;
déposé au Musée d'Orsay, 1986.

EXP. : 1979, Paris, n° 71 p. 151-152, repr.
p. 151.

Dalpayrat Pierre-Adrien
Céramiste
Limoges 1844-Paris 1910

Voisin-Delacroix Alphonse
Sculpteur et céramiste
Besançon 1857-? 1893

DO 1986-83
**Buste de jeune femme en costume de
religieuse**
1893
Grès émaillé.
H. 0,440; l. 0,370; P. 0,170.
S. en creux au dos du soubassement :
Voisin Delacroix et marque à la
grenade, Dalpayrat.

HIST. : Acquis par l'Union centrale des
Arts décoratifs au Salon de la Société
nationale des Beaux-Arts de 1893;
dépôt du musée des Arts décoratifs au
musée d'Orsay, 1986.

EXP. : 1893, Paris, Salon de la Société
nationale des Beaux-Arts, n° 410.

Dalpayrat Pierre-Adrien
Céramiste
Limoges 1844-Paris 1900

Lesbros Adèle
Associée
née à Besançon

OAO 104
Vase
1893
Grès émaillé.
H. 0,240; l. 0,155; P. 0,155.
Marque à la grenade, Dalpayrat, en
creux sous la pièce; étiquette ancienne
portant le numéro manuscrit *121*

HIST. : Acquis en 1893 à la galerie
Georges Petit pour le musée du
Luxembourg; entré au musée du

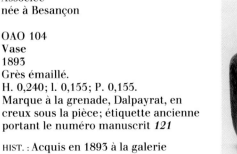

Luxembourg en 1894; reversement du musée national d'Art moderne au musée d'Orsay, 1978.

EXP. : 1893, Paris, Galerie Georges Petit.

BIBL. : Bénédite, 1898, n° 836 p. 171.

OAO 925
Cheminée
1893-1894
Grès émaillé, peuplier noirci.
H. 3,000; l. 2,300; P. 0,500.
Marques à la grenade, Dalpayrat, en creux sur les carreaux.

HIST. : Acquis au Salon de la Société nationale des Beaux-Arts de 1894 pour le musée du Luxembourg; entré au musée du Luxembourg en 1895; déposé au musée des Beaux-Arts de Besançon en 1910, au musée des Arts décoratifs de Paris en 1972, puis transféré au musée d'Orsay en 1980; attribué au musée d'Orsay par le Fonds national d'Art contemporain, 1985.

EXP. : 1894, Paris, Salon de la Société nationale des Beaux-Arts, n° 352.

BIBL. : Fourcaud, 1894, p. 382-383.

OAO 1031
Pichet
Modèle créé en 1894.
Grès émaillé.
H. 0,237; l. 0,190.
Marque à la grenade, Dalpayrat, en creux sous la pièce.

HIST. : Acquis dans le commerce d'art parisien, 1986.

BIBL. : Modèle repr. dans *Revue des Arts décoratifs*, janvier 1895, hors-texte.

OAO 103
Vase
1895
Grès émaillé.
H. 0,269; l. 0,094.
Marque à la grenade, Dalpayrat, en creux sous la pièce; étiquette ancienne portant le numéro manuscrit *165*

HIST. : Acquis de l'artiste en 1895 pour le musée du Luxembourg; reversement du musée national d'Art moderne au musée d'Orsay, 1978.

Dammouse Albert-Louis
Paris 1848 - Sèvres 1926

OAO 105
Cache-pot
1896
Grès émaillé.
H. 0,369; D. ouverture 0,241.
Marque circulaire en creux sous la pièce : *A. Dammouse s*

HIST. : Acquis au Salon de la Société nationale des Beaux-Arts de 1896 pour le musée du Luxembourg; reversement du musée national d'Art moderne au musée d'Orsay, 1978.

EXP. : 1896, Paris, Salon de la Société nationale des Beaux-Arts, vitrine n° 233.

BIBL. : *Revue des Arts décoratifs*, août 1896, repr. hors-texte entre p. 260-261.

OAO 106
Coupe
1912
Porcelaine dure, décor flambé de grand feu.
H. 0,052; D. ouverture 0,087.
S. en bleu sous la pièce : *A.D s*

HIST. : Acquis au Salon de la Société nationale des Beaux-Arts de 1912; entré au musée du Luxembourg en 1913; reversement du musée national d'Art moderne au musée d'Orsay, 1978.

EXP. : 1912, Paris, Salon de la Société nationale des Beaux-Arts, vitrine n° 2515.

OAO 107
Vase
1908
Grès émaillé.
H. 0,312; D. ouverture 0,157.
Marque circulaire en creux sous la pièce : *A. Dammouse s*

HIST. : Acquis au Salon de la Société nationale des Beaux-Arts de 1908 pour le musée du Luxembourg; entré au musée du Luxembourg en 1912; reversement du Musée national d'Art moderne au musée d'Orsay, 1978.

EXP. : 1908, Paris, Salon de la Société nationale des Beaux-Arts, n° 1 de la vitrine n° 2415.

OAO 282
Coupe
Vers 1899-1900.
Pâte de verre.
H. 0,060; D. ouverture 0,114.
Marque circulaire en creux sous la
pièce : *A. Dammouse s*

HIST. : Acquis à l'Exposition Universelle
de 1900 pour le musée du
Luxembourg; reversement du musée
national d'Art moderne au musée
d'Orsay, 1978.

EXP. : 1900, Paris, Exposition
Universelle, groupe III, classe 72.

OAO 283
Coupe
Vers 1899-1900.
Pâte de verre.
H. 0,060; D. ouverture 0,114.
Marque circulaire en creux sous la
pièce : *A. Dammouse s*

HIST. : Acquis à l'Exposition Universelle
de 1900 pour le musée du
Luxembourg; reversement du musée
national d'Art moderne au musée
d'Orsay, 1978.

EXP. : 1900, Paris, Exposition
Universelle, groupe III, classe 72.

OAO 288
Coupe
1907
Pâte de verre.
H. 0,069; D. ouverture 0,118.
Marque circulaire en creux sous la
pièce : *A. Dammouse s*

HIST. : Acquis au Salon de la Société des
Artistes Décorateurs de 1907 pour le
musée du Luxembourg; entré au
musée du Luxembourg en 1912;
reversement du musée national d'Art
moderne au musée d'Orsay, 1978.

EXP. : 1907, Paris, Salon de la Société
des Artistes Décorateurs, vitrine n° 18.

OAO 291
Vase
1909
Pâte de verre.
H. 0,123; D. ouverture 0,115.
Marque circulaire en creux sous la
pièce : *A. Dammouse s*

HIST. : Acquis au Salon de l'Éclectique
de 1910 pour le musée du
Luxembourg; entré au musée du
Luxembourg en 1913; reversement du
musée national d'Art moderne au
musée d'Orsay, 1978.

EXP. : 1910, Paris, Salon de l'Éclectique.

OAO 287
Coupe
1910
Pâte de verre.
H. 0,052; D. ouverture 0,124.
Marque circulaire en creux sous la
pièce : *A. Dammouse s*

HIST. : Acquis au Salon de la Société
nationale des Beaux-Arts de 1910 pour
le musée du Luxembourg; entré au
musée du Luxembourg en 1912;
reversement du musée national d'Art
moderne au Musée d'Orsay, 1978.

EXP. : 1910, Paris, Salon de la Société
nationale des Beaux-Arts, n° 2 de la
vitrine n° 2425.

BIBL. : Rosenthal, 1927, repr. pl. XXX.

OAO 285
Vase
1910
Pâte de verre.
H. 0,130; D. ouverture 0,099.
Marque circulaire en creux sous la
pièce : *A. Dammouse s*

HIST. : Acquis au Salon de l'Éclectique
de 1911 pour le musée du
Luxembourg; entré au musée du
Luxembourg en 1913; reversement du
musée national d'Art moderne au
musée d'Orsay, 1978.

EXP. : 1911, Paris, Salon de l'Éclectique,
vitrine n° 6.

OAO 280
Vase
Vers 1910-1913.
Pâte de verre.
H. 0,116; D. ouverture 0,110.
Marque circulaire en creux sous la
pièce : *A. Dammouse s*

HIST. : Entré au musée du Luxembourg
en 1913; reversement du musée
national d'Art moderne au musée
d'Orsay, 1978.

OAO 289
Vase
Vers 1910-1913.
Pâte de verre.
H. 0,100; D. ouverture 0,053.
Marque circulaire en creux sous la
pièce : *A. Dammouse s*

HIST. : Entré au musée du Luxembourg
avant 1931; reversement du musée
national d'Art moderne au Musée
d'Orsay, 1978.

Dammouse Albert-Louis
Paris 1849 - Sèvres 1926

Maison Cardeilhac
Paris

OAO 286
Coupe avec monture
1905
Coupe en pâte de verre.
H. 0,056; D. ouverture 0,110.
Marque circulaire en creux sous la
pièce : *A. Dammouse s*
Monture en argent.
H. 0,027; l. 0,075.
Marque en creux : *Cardeilhac* et
poinçon de fabricant.

HIST. : Acquis au Salon de la Société
nationale des Beaux-Arts de 1905 pour
le musée du Luxembourg;
reversement du musée national d'Art
moderne au musée d'Orsay, 1978.

EXP. : 1905, Paris, Salon de la Société
nationale des Beaux-Arts, vitrine
n° 2260.

BIBL. : *The Studio*, septembre 1905, repr.
p. 345.

Dammouse
Voir également à **Chaplet**

Dampt Jean
Venarey (Côte d'Or) 1854 - Dijon 1945

DO 1980 - 14 à 19
Éléments du décor de la «Salle du
Chevalier» de l'hôtel de la comtesse
René de Béarn
Exécuté entre 1900 et 1906.

HIST. : Commandé par la comtesse René
de Béarn (1870-1939), née Martine de
Béhague, pour son hôtel 123 rue Saint-
Dominique à Paris (aujourd'hui
ambassade de Roumanie); don de la
commanditaire au musée des Arts
décoratifs, 1927; dépôt du musée des
Arts décoratifs au musée d'Orsay,
1980.

BIBL. : Ch. Moreau-Vauthier, «Une Salle de l'Hôtel de la Comtesse René de Béarn par Jean Dampt», *Art et Décoration*, t. 19, 1906, p. 109-118.

DO 1980 - 14
Boiseries
Chêne, frêne et orme; fer forgé, ivoire.
H. 6,500; L. 7,090; l. 3,500.

DO 1980 - 15
Cheminée
Granit roux du Jura.
H. 2,560; L. 1,840; P. 0,145.

DO 1980 - 16
«Le Chevalier de l'Idéal», bas-relief du trumeau
Marbre gris rosé de Comblanchien.
H. 1,965; L. 2,245; P. 0,145.

DO 1980 - 17 et 18
Paire de chenets
Fer forgé.
H. 1,025; L. 0,230.

DO 1980 - 19
Banquette
Chêne, garniture originale en cuir gaufré.
H. 0,394; L. 1,850; P. 0,740.

Dampt Jean-Auguste
Sculpteur
Venarey (Côte-d'Or) 1854 - Dijon 1945

Émile Muller et Cie
Céramiste-éditeur
Ivry

DO 1986-84
Chat caressant.
Modèle créé en 1896.
Grès émaillé.
H. 0,305; l. 0,155; P. 0,280.
S. en creux sur le devant de la terrasse : *J. DAMPT* et sur le côté droit de la terrasse : *E. MULLER;* marque circulaire sous la pièce : *ÉMILE MULLER IVRY PARIS N* 7

HIST. : Acquis par l'Union centrale des Arts décoratifs au Salon de la Société nationale des Beaux-Arts de 1896; dépôt du musée des Arts décoratifs au musée d'Orsay, 1986.

EXP. : 1896, Paris, Salon de la Société nationale des Beaux-Arts, n° 236.

BIBL. : *Émile Muller et Cie. Catalogue de L'exécution en Grès d'un choix d'œuvres de maîtres de la sculpture contemporaine, 1899*, p. 10, repr. p. 25.

Dampt
Voir aussi Catalogue sommaire des sculptures

Maison Dandois
Voir **Horta**

Daum Frères
Daum Auguste
Bitche 1853 - Nancy 1909
Daum Antonin
Bitche 1864 - Nancy 1930

OAO 292
«Le deuil violet des colchiques», vase
1893
Cristal à plusieurs couches, décor
gravé à l'acide, applications.
H. 0,467; l. 0,250.
S.D. en creux sous la pièce : *Daum/
Nancy/automne 1893* Inscriptions
gravées sur la partie médiane du col :
Le/Deuil/Violet/des Colchiques et sous
la pièce : *«Le deuil violet des
Colchiques»/G. Deschamps*

HIST. : Acquis à la galerie Bing en 1896
pour le musée du Luxembourg;
reversement du musée national d'Art
moderne au musée d'Orsay, 1978.

EXP. : 1894, Nancy, Galerie de la Salle
Poirel, *Exposition d'art décoratif et
industriel lorrain*, n° 190.

BIBL. : *La Lorraine Artiste*, 12 août 1894,
repr. hors-texte.

OAO 964
Coupes russo-lorraines
Modèle créé en 1893 à l'occasion de la
visite des marins russes en France.
Verre, décor gravé à l'acide, émaillé,
givré, peint et doré.
H. 0,105; D. ouverture 0,094.
S. en rouge sous le pied : *Daum/Nancy*
Inscription gravée sur le pied : *plus
penser/que dire.*

HIST. : Acquis dans le commerce d'art
parisien, 1984.

BIBL. : M. Vachon, *Les marins russes en
France,* Paris 1893, repr. p. 182.

Daum
Voir également à **Majorelle**

David Adolphe
Graveur sur pierres fines
Baugé 1828 - Paris 1895

Ingres Jean-Auguste-Dominique
Peintre
Montauban 1780 - Paris 1867

OAO 1140
«Apothéose de Napoléon 1er» camée
1861-1874
Camée sur sardonyx gris cendré à
veines blanches.
Gravé par A. David sur un modèle
dessiné par J.A.D. Ingres en 1861
d'après le plafond qu'il avait exécuté
au Salon d'honneur de l'ancien Hôtel
de Ville de Paris en 1853 (brûlé en
1871)
H. 0,230; l. 0,210; Ep. 0,040.
S.b.g. à la mine de plomb : *ING... PINA.*
(sic) et b.d. : *DAVID. SCULP*
Plâtre donné par l'artiste au musée
d'Angers en 1881.

HIST. : Commande de l'État, 1861; entré
au musée du Luxembourg en 1874;
musée du Louvre de 1886 à 1895;
musée du Luxembourg de 1895 à 1933;
déposé au musée Fabre de Montpellier
de 1933 à 1982.; attribué au musée
d'Orsay par le Fonds national d'Art
contemporain, 1987.

EXP. : 1874, Paris, Salon de la Société
des Artistes Français, n° 3212; 1878,
Paris, Exposition Universelle, groupe I,
classe 3, n° 1182; 1979, Paris, n° 106.

BIBL. : Chabouillet, 1879, plâtre, repr. en
frontispice.

David Adolphe
Baugé 1828-Paris 1895

OAO 217
«Victor Hugo», camée
1887
Camée sur calcédoine à plusieurs
couches (beige et blanc)
D. 0,082; Ep. 0,008.
S.b. : *A. DAVID*
En légende : *V. HUGO. . 1802 1885*

HIST. : Commande de l'État, 1886; entré
au musée du Luxembourg en 1887;
reversement du musée national d'Art
moderne au musée d'Orsay, 1978.

EXP. : 1887, Paris, Salon de la Société
des Artistes Français, n° 4617; 1889,
Paris, Exposition Universelle, groupe I,
classe 3, n° 1787.

Davioud
Voir **Bourdais**

Deck Théodore
Guebwiller 1823 - Paris 1891

OAO 993
Coupe monumentale
Vers 1870.
Faïence, décor en camaïeu bleu de
grand feu sous couverte céladon.
H. 0,590; D. 0,402.
Marque en creux sous la pièce : *TH.
DECK*

HIST. : Acquis dans le commerce d'art
parisien, 1985.

Decorchemont François
Conches 1880 - Conches 1971

DO 1977 - 11
Coupe
1909
Pâte de verre.
H. 0,102; l. 0,138.
Marque en forme de coquille en creux
sous la pièce : *Decorchemont*

HIST. : Acquis au Salon de la Société des
Artistes français de 1909 pour le musée
du Luxembourg; dépôt du musée
national d'Art moderne au musée
d'Orsay, 1977.

EXP. : 1909, Paris, Salon de la Société
des Artistes français, vitrine n° 4991.

BIBL. : P. Gaujon, «Les Salons de 1909»,
Gazette des Beaux-Arts, septembre
1909, p. 259, repr. p. 258.

DO 1977 - 12
Coupe
1909
Pâte de verre.
H. 0,087; l. 0,124.
Marque en forme de coquille en creux
sous la pièce : *Decorchemont*

HIST. : Acquis au Salon de la Société des
Artistes décorateurs de 1910 pour le
musée du Luxembourg; dépôt du
musée national d'Art moderne au
musée d'Orsay, 1977.

EXP. : 1910, Paris, Salon de la Société
des Artistes décorateurs.

BIBL. : J. Rais, «Le 5e Salon des Artistes
Décorateurs», *Art et Industrie*, mai
1910, repr.

DO 1977 - 9
«Esterelle», figurine
Vers 1910-1911.
Pâte de verre.
H. 0,237; l. 0,175; P. 0,193.
Marque en forme de coquille en creux
sur la base au dos de la pièce :
Decorchemont.
Inscription gravée et dorée sur la
base : *Esterelle*

HIST. : Acquis au Salon de la Société des
Artistes français de 1911 pour le musée
du Luxembourg; dépôt du musée
national d'Art moderne au Musée
d'Orsay, 1977.

EXP. : 1911, Paris, Salon de la Société
des Artistes français, vitrine n° 5057.

BIBL. : Bloch-Dermant, 1974, p. 190
repr.

OAO 109
Vase
1892
Grès émaillé.
H. 0,198; D. ouverture 0,064.
Marque circulaire en creux sous la
pièce : *Auguste Delaherche* et numéro
d'ordre *88*

HIST. : Acquis au Salon de la Société
nationale des Beaux-Arts de 1892 pour
le musée du Luxembourg;
reversement du musée national d'Art
moderne au musée d'Orsay, 1978.

EXP. : 1892, Paris, Salon de la Société
nationale des Beaux-Arts, vitrine n° 33.

BIBL. : Bénédite, 1898, n° 839 p. 171.

DO 1977 - 8
Coupe
1912
Pâte de verre.
H. 0,132; D. ouverture 0,125.
Marque en forme de coquille en creux
à la base : *Decorchemont*

HIST. : Acquis au Salon de la Société des
Artistes français de 1912 pour le musée
du Luxembourg; entré au musée du
Luxembourg en 1913; dépôt du musée
national d'Art moderne au musée
d'Orsay, 1977.

EXP. : 1912, Paris, Salon de la Société
des Artistes français, vitrine n° 5192.

OAO 111
Vase
1892
Grès émaillé.
H. 0,377; D. ouverture 0,177.
Marque circulaire en creux sous la
pièce : *Auguste Delaherche* et numéro
d'ordre *5518.*

HIST. : Acquis en 1892 à l'Exposition des
Arts de la Femme pour le musée du
Luxembourg; reversement du musée
national d'Art moderne au musée
d'Orsay, 1977.

EXP. : 1892, Paris, Palais de l'Industrie,
Exposition des Arts de la Femme,
groupe III, n° 70.

BIBL. : *L'Art pour Tous,* n° 871, 1896,
repr. p. 3584.

DO 1977 - 10
Coupe
1913
Pâte de verre.
H. 0,073; D. ouverture 0,169.
Marque en forme de coquille en creux
entre deux côtes : *Decorchemont*

HIST. : Acquis au Salon de la Société des
Artistes décorateurs de 1914 pour le
musée du Luxembourg; dépôt du
musée national d'Art moderne au
musée d'Orsay, 1977.

EXP. : 1914, Paris, Salon de la Société
des Artistes décorateurs, n° 14 de la
vitrine n° 53.

OAO 110
Cache-pot
Après 1904.
Grès émaillé.
H. 0,181; D. ouverture 0,180.
S. en creux sous la pièce : *Aug.
Delaherche*

HIST. : Entré au musée du Luxembourg
avant 1931; reversement du musée
national d'Art moderne au Musée
d'Orsay, 1978.

OAO 519
Plat
Après 1904.
Grès émaillé.
D. 0,210.
S. en creux sous la pièce : *Aug.
Delaherche*

HIST. : Acquis en vente publique à Paris,
Drouot, 17 décembre 1980, salle 9,
n° 167.

BIBL. : Lacambre-Thiébaut, 1983, n° 391
p. 94, repr. p. 95.

OAO 108
Vase
1914-1918
Grès émaillé.
H. 0,309; l. 0,128.
S. en creux sous la pièce : *Aug.
Delaherche*

HIST. : Acquis à l'Exposition de la
Société des Artistes de 1919 pour le
musée du Luxembourg; entré au
musée du Luxembourg en 1937;
reversement du musée national d'Art
moderne au musée d'Orsay, 1978.

EXP. : 1919, Paris, La Société des
Artistes.

Delbet Pierre
La Ferté-Gaucher 1861 - Paris 1957

OAO 114
Plat
1895
Faïence, lustre métallique.
H. 0,036; D. 0,430.
S.D. au revers de la pièce : *PD*
(entrelacés) J. 1895

HIST. : Don de l'artiste au musée du
Luxembourg, 1896; reversement du
musée national d'Art moderne au
musée d'Orsay, 1978.

BIBL. : Luxembourg, supplément, 1898,
n° 1234.

OAO 118
Vase
1896
Faïence, lustre métallique.
H. 0,180; D. 0,126.
S.D. en lustre sous la pièce : *PD*
(entrelacés) *15 mars 1896*

HIST. : Don de l'artiste au musée du
Luxembourg, 1896; reversement du
musée national d'Art moderne au
musée d'Orsay, 1978.

OAO 117
Vase
Vers 1895-1896.
Faïence, lustre métallique.
H. 0,150; D. 0,140.
S. en lustre sous la pièce : *P.D.*

HIST. : Don de l'artiste au musée du
Luxembourg, 1896; reversement du
musée national d'Art moderne au
musée d'Orsay, 1978.

OAO 187
Vase
Vers 1895-1896.
Faïence, lustre métallique.
H. 0,205; D. 0,165.

HIST. : Don de l'artiste au musée du
Luxembourg, 1896; reversement du
musée national d'Art moderne au
musée d'Orsay, 1978.

OAO 293
Vase
1895
Verre, lustre métallique.
H. 0,122; D. 0,077.
S.D. en lustre sous la pièce : *PD*
(entrelacés) *1895*

HIST. : Don de l'artiste au musée du
Luxembourg, 1896; reversement du
musée national d'Art moderne au
musée d'Orsay, 1978.

Delbet
Voir aussi Catalogue sommaire des
sculptures

Delicourt
Manufacture de papiers peints, Paris
dirigée par Étienne Delicourt.
Dury
Peintre

DO 1981-21
«La chasse à l'ours»
1851
Papier peint, imprimé à la planche.
H. 3,580; L. 3,770.
Partie droite de la grande chasse de
Delicourt, montée avec frise, et
pilastres à trophées de chasse.

HIST. : Ancienne collection du musée des
Arts décoratifs; déposé au musée
d'Orsay, 1981.

EXP. : 1851, Londres, Exposition
Universelle, classe XXVI; 1855, Paris,
Exposition Universelle, groupe VII,
classe 24

BIBL. : *Exhibition of the works of
Industry of all Nations. 1851. Reports
by the juries*, Londres, 1852, p. 548.

De Molder
Voir **Horta**

De Morgan William Frend
Londres 1839-?1917

OAO 454
Plat
Vers 1880-1885.
Faïence, lustre de cuivre.
D. 0,410.

HIST. : Acquis dans le commerce d'art
londonien, 1979.

EXP. : 1979, Londres, n° 56.

BIBL. : Ch. Gere et P. Skipwith, «The
Morris Movement», *The Connoisseur*,
mai 1979, repr. p. 39.

OAO 455
Plat
Vers 1885.
Faïence, lustre de cuivre et d'argent.
D. 0,360.

HIST. : Acquis dans le commerce d'art
londonien, 1979.

EXP. : 1979, Londres, n° 59.

OAO 456
Bol à punch
Vers 1885-1890.
Faïence, lustre de cuivre.
H. 0,205; D. 0,337.

HIST. : Acquis dans le commerce d'art
londonien, 1979.

EXP. : 1979, Londres, n° 56.

Morgan
Voir également à **Jeckyll**

Desaignes
Voir **Karageorgevitch**

Desbois Jules
Parçay-les-Pins 1851 - Paris 1935

OAO 254
« La Treille », figurine
Après 1890.
Terre-cuite.
H. 0,195; base carrée 0,690.
S. sur le socle, face arrière : *J.D.* et
Js. Desbois.
Modèle créé entre 1890 et 1893 pour
une anse de pichet édité en étain
(exp. : 1893, Paris, Salon de la Société
nationale des Beaux-Arts, n° 301; bibl. :
Geffroy, 1894, p. 381 et 383, et *Les Arts
du Métal*, n° 9, septembre 1893, repr.
p. 177).

HIST. : Musée du Luxembourg;
reversement du musée national d'Art
moderne au musée d'Orsay, 1978.

OAO 213
« Ève », plat
Entre 1890 et 1892.
Étain fondu.
D. 0,280; H. 0,030.

HIST. : Acquis au Salon de la Société
nationale des Beaux-Arts de 1892 pour
le musée du Luxembourg;
reversement du musée national d'Art
moderne au musée d'Orsay, 1978.

EXP. : 1892, Paris, Salon de la Société
nationale des Beaux-Arts, n° 34.

BIBL. : *L'Art pour tous*, n° 904, février
1898, p. 3714, fig. 8640.

OAO 211
Cruche à cidre
Entre 1890 et 1893.
Étain fondu.
H. 0,211; L. 0,150; l. 0,125.
S. près de la base : *J. Desbois;* sous la
pièce, monogramme *D* entre des bois
de cerfs.

HIST. : Acquis au Salon de la Société
nationale des Beaux-Arts de 1893 pour
le musée du Luxembourg;
reversement du musée national d'Art
moderne au musée d'Orsay, 1978.

EXP. : 1893, Paris, Salon de la Société
nationale des Beaux-Arts, n° 301.

BIBL. : 1893, Paris, Salon de la Société
nationale des Beaux-Arts, catalogue
illustré, repr. p. 208; Geffroy, 1894,
p. 381 et 383.

OAO 212
«Femmes et Centaure», plat
Vers 1892.
Étain fondu.
D. 0,337; H. 0,030.

HIST. : Acquis au Salon de la Société
nationale des Beaux-Arts de 1892 pour
le musée du Luxembourg;
reversement du musée national d'Art
moderne au musée d'Orsay, 1978.

EXP. : 1892, Paris, Salon de la Société
nationale des Beaux-Arts, n° 34.

BIBL. : *L'Art pour tous,* n° 904, février
1898, p. 3714, fig. 8639.

Desbois Jules
Sculpteur
Parçay-les-Pins 1851 - Paris 1935

Hébrard A. A.
Fondeur
Paris

OAO 1
«Les Sirènes», plat
Entre 1907 et 1911.
Argent, fonte à la cire perdue.
H. 0,033; D. 0,408.
S. sur la face, sous une des sirènes :
J. Desbois. Poinçons sur le revers :
garantie, argent; fabricant, Hébrard;
marque *A. A. HÉBRARD/8 RUE ROYALE/
PARIS.* Étiquette ancienne sur le
revers : *2436/Plat argent/M. Deslois*
(sic).
Modèle créé vers 1892-1893; édition en
étain dès 1893 (exp. : 1893, Paris, Salon
de la Société nationale des Beaux-Arts,
n° 301; bibl. : Geffroy, 1894, p. 381 et
383) et en cuivre en 1905 (exp. : 1905,
Berlin, *Exposition d'Art français,*
n° 61).

HIST. : Acquis en 1911 à la galerie
Hébrard pour le musée du

Luxembourg; entré au musée du
Luxembourg en 1913; reversement du
musée national d'Art moderne au
musée d'Orsay, 1978.

EXP. : 1911, Paris, École des Beaux-Arts,
*Exposition des Acquisitions et des
Commandes de l'État livrées en 1911,*
n° 476, p. 19.

Desbois
Voir aussi Catalogue sommaire des
sculptures

Desfossé
Manufacture de papiers peints, Paris,
dirigée par Jules Desfossé (?-1889).

Édouard Muller, dit Rosenmuller
Peintre
?-?1876.

DO 1981-20
«Le Jardin d'Armide»
1854
Papier peint imprimé à la planche.
H. 3,890; L. 3,420.
La statue d'Armide reproduit un
modèle de James Pradier (1790-1852)

HIST. : Don Desfossé et Karth au Musée
des arts décoratifs, 1922; déposé au
Musée d'Orsay, 1981.

EXP. : 1855, Paris, Exposition
universelle, groupe VII, classe 25;
1979, Paris, n° 49 p. 124-125, repr.

BIBL. : *L'Illustration,* t. XXVI, 1855,
p. 261, repr.; J. Desfossé, *Notes pour
MM les Présidents et membres du Jury
international,* Paris, 1855; «Musée du
Papier peint», *Bulletin de la Société
industrielle de Mulhouse,* 1984, n° 2,
p. 179, repr.

Desfossé & Karth
Manufacture de papiers peints, Paris,
dirigée par Jules Desfossé (?-1889) et
Hippolyte Karth

Wagner
Peintre

OAO 870
Décor style néo-grec
Vers 1867.
Papier peint imprimé à la planche.
Motifs de milieu :
1 lé de 2 motifs, L. 5,42; l. 0,565.
1 lé de 2 motifs, L. 5,75; l. 0,565.
1 lé de 1 motif, L. 2,96; l. 0,565.
Motifs intermédiaires :
1 lé de 3 motifs, L. 8,176; l. 0,565.
1 lé de 2 motifs, L. 5,315; l. 0,565.
4 montants à pilastres :
L. 2,755; L. 2,726; l. 0,565.
L. 2,93; L. 2,722; l. 0,565.
Montants (rallonge) :
1 lé L. 3,225; l. 0,565.
Corniche :

1 lé à triple corniche, L. 6,535; l. 0,565.
1 lé d'une corniche, L. 1,447; l. 0,185.
Bordure supérieure :
1 lé à double bordure, L. 2,700; l. 0,565.
2 lés d'une bordure, L. 0,560 et 0,430;
l. 0,276.
Bordure inférieure :
1 lé à double bordure, L. 1,796; l. 0,425.
2 lés d'une bordure, L. 0,560 et 0,385;
l. 0,140.

HIST. : Maison de décoration Germain à
Lyon; acquis en vente publique à
Monte-Carlo, Sotheby Parke Bernet,
14 février 1983, n° 41, repr.

BIBL. : *Exposition universelle de 1867 à
Paris, Rapports des délégations
ouvrières*, Paris, 1869, vol. 2, p. 7 repr.,
(modèle analogue avec des
encadrements autour des trépieds et
des pilastres sans fronton); Lacambre-
Thiébaut, 1983, n° 392 p. 92, repr.
p. 95.

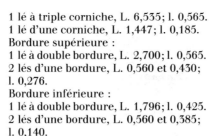

Desmant Louis-Étienne
Choisy-le-Roi 1844 - Subles (Calvados)
1902

OAO 156
Plat
1894
Faïence, lustre de cuivre et d'argent.
D. 0,430.
S.D. en lustre au revers :
Desmant, 1894

HIST. : Acquis de l'artiste en 1895 pour
le musée du Luxembourg;
reversement du Musée national d'Art
moderne au Musée d'Orsay, 1978.

EXP. : 1894, Paris, Salon de la Société
nationale des Beaux-Arts, n° 364.

BIBL. : Bénédite, 1898, n° 1236 p. 221.

OAO 294
Vase
Vers 1894-1895.
Verre, lustre de cuivre et d'argent.
H. 0,343; l. ouverture 0,060.
S. en lustre sous la pièce : *Desmant*

HIST. : Acquis de l'artiste en 1895 pour
le musée du Luxembourg;
reversement du musée national d'Art
moderne au musée d'Orsay, 1978.

BIBL. : Bénédite, 1898, n° 1237 p. 211;
L'Art pour Tous, 1900, n° 965, repr. p.
3959.

OAO 295
Vase
Vers 1894-1895.
Verre, lustre de cuivre.
H. 0,150; D. ouverture 0,060.
S. en rouge sous la pièce : *Desmant*

HIST. : Acquis de l'artiste en 1895 pour
le musée du Luxembourg;
reversement du musée national d'Art
moderne au musée d'Orsay, 1978.

BIBL. : Bénédite, 1898, n° 1239 p. 211;
L'Art pour Tous, 1900, n° 969, repr. p.
3973.

OAO 296
Vase
Vers 1894-1895.
Verre, lustre de cuivre.
H. 0,100; D. ouverture 0,080.
Monogramme à l'or sur le fond
intérieur : *D*

HIST. : Acquis de l'artiste en 1895 pour
le musée du Luxembourg;
reversement du musée national d'Art
moderne au musée d'Orsay, 1978.

BIBL. : Bénédite, 1898, n° 1238 p. 211.

Détaille
Voir **Lièvre**

Diehl Charles Guillaume
Ébéniste, Paris
Steinbach (Hesse) 1811 - ? vers 1885

Brandely Jean
Dessinateur industriel

Fremiet Emmanuel
Sculpteur
Paris 1824-Paris 1910.

OA 10440
Médaillier
1867
Cèdre, marqueterie de noyer, ébène et
ivoire sur bâti de chêne; bronze et
cuivre argentés.
H. 2,380; L. 1,510; P. 0,600.
S.b.m. sous le bord inférieur du bas-
relief central : *BRANDELY DIEHL*
FREMIET; S.b.g. du bas-relief central : *E.*
FREMIET
Inscription gravée sur la charnière de
la porte : *Exposition Universelle/*
1867/Exposition de Vienne/
1873/DIEHL/19, rue Michel-le-Comte/
PARIS

HIST. : Vente Paris, Hôtel Drouot,
22 février 1886, n° 1; coll. Nicolas-
Marie Simon dit Simon-Max, artiste
lyrique, (1848-1923); Coll. Mme René
Martin, sa fille; acquis en vente

publique à Paris, Hôtel Drouot, 9 avril
1973, n° 40, repr.

EXP. : 1867, Paris, Exposition
Universelle, classe 14, section II; 1873,
Vienne, Weltausstellung, groupe VIII;
1979, Paris, n° 55 p. 133, repr. p. 134.

BIBL. : « The Art-Journal illustrated
Catalogue of the International
Exhibition », *The Art-Journal,* vol. VI,
1867, p. 151, repr.; Mesnard, *Les*
Merveilles de l'Exposition universelle de
1867, Paris, 1867, vol. I, p. 178-181,
repr. et vol. II, p. 132; Luchet, *L'art*
industriel à l'Exposition Universelle de
1867, Paris, 1868. p. 105-106.

Diehl Charles Guillaume
Ébéniste, Paris
Steinbach (Hesse) 1811 - ? vers 1885

Brandely Jean
Dessinateur industriel

Guillemin Émile
Sculpteur

OAO 992
Bas d'armoire
1867
Maï-du pommelé, acajou du Honduras,
citronnier de Saint-Domingue,
marqueterie de Sycomore, buis, St-
Martin rouge, sur bâti de chêne;
bronze et cuivre galvanique dorés.
H. 1,520; L. 1,220; P. 0,600.
S.D.b.d. du bas-relief central : *Émile*
Guillemin/1867

HIST. : Vente à Londres, Sotheby's,
2 novembre 1977, n° 182, repr.; Galerie
Arenski, Londres; acquis en 1985.

BIBL. : Mesnard, *Les Merveilles de*
l'Exposition universelle de 1867, Paris,
vol. II, p. 132-135, repr. p. 134.

OAO 336
Buffet
1873
Poirier noirci, citronnier, cyprès;
marqueterie d'amarante, cyprès,
sycomore, noyer, poirier, buis, avodiré
et bois de rose; bâti de chêne et
peuplier; bronze et cuivre galvanique
dorés.
H. 1,530; L. 1,900; P. 0,570.
Inscription gravée sur la serrure du
vantail central : *EXPOSITION/DE*
VIENNE/1873/DIEHL/r. Michel-le-Comte/
19/PARIS

HIST. : Acquis dans le commerce d'art
parisien, 1979.

EXP. : 1873, Vienne, Weltausstellung,
Groupe VIII; 1878, Paris, Exposition
Universelle, groupe III, classe 17; 1980,
Paris, Grand Palais, *Cinq années*
d'enrichissement du patrimoine
national, n° 212 p. 238, repr.

BIBL. : «Illustrated Catalogue of the Paris International Exhibition», *The Art-Journal*, Londres, vol. XVII, 1878, p. 79, repr.

Doat Taxile
Albi 1851 - ? 1938

OA 2689
«Le mât de cocagne», plaque décorative
1883
Porcelaine dure, décor en pâtes d'application.
H. 0,314; l. 0,177; Ep. 0,007.
S.D. en relief b. milieu : *1883 TD;* au revers en creux : *taxile doat/1883*

HIST. : Acquis par l'État au Salon des Artistes français de 1884 et attribué au musée du Luxembourg.

EXP. : 1884, Paris, Salon de la Société des Artistes français, n° 2726[2].

BIBL. : Luxembourg, 1886, n° 358, p. 63.

OAO 157
Plat d'ornement
1900
Grès émaillé, décor en pâtes d'application de porcelaine.
D. 0,260; P. 0,032.
S.D. en creux au revers : *T DOAT/1900/Sèvres*

HIST. : Acquis pour le musée du Luxembourg à l'Exposition Universelle de Paris, 1900; reversement du musée national d'Art moderne au musée d'Orsay, 1978.

EXP. : 1900, Paris, Exposition Universelle, groupe XII, classe 72.

OAO 158
«La mer», presse-papier
1900
Porcelaine dure, décor en pâtes d'application.
H. 0,035; D. 0,096.
S.D. en creux au revers : *T DOAT/1900/Sèvres.*
Inscription en relief à gauche : *LA MER.*

HIST. : Acquis pour le musée du Luxembourg à l'Exposition Universelle de Paris, 1900; reversement du musée national d'Art moderne au musée d'Orsay, 1978.

EXP. : 1900, Paris, Exposition Universelle, groupe XII, classe 72.

BIBL. : *L'Art pour tous,* n° 988, repr. p. 4051; Verneuil, 1904[a], p. 84-85, repr. p. 83.

OAO 159
«Coloquinte», vase
Vers 1900.
Porcelaine dure.
H. 0,175; l. 0,080.
S. en vert sous la base : *T.D.*

HIST. : Acquis pour le musée du
Luxembourg à l'Exposition Universelle
de Paris, 1900; reversement du musée
national d'art moderne au musée
d'Orsay, 1978.

EXP. : 1900, Paris, Exposition
Universelle, groupe XII, classe 72.

BIBL. : *L'Art pour tous*, n° 993, repr.
p. 4072.

OAO 160
«Vénus», panneau décoratif
1902
Porcelaine dure, décor en pâtes
d'application.
H. 0,880; l. 0,374; Ep. 0,037.
S.D.b.d. en relief : *DOAT/1902*
Inscription en relief dans un cartel
sous la figure : *VÉNUS*

HIST. : Acquis pour le musée du
Luxembourg au Salon de la Société
nationale des Beaux-Arts de 1903;
entré en 1904; reversement du musée
national d'art moderne au musée
d'Orsay, 1978.

EXP. : 1903, Paris, Salon de la Société
nationale des Beaux-Arts, n° 73¹.

BIBL. : Verneuil, 1903, p. 189, repr.
p. 182.

OAO 161
«Cérès», panneau décoratif
1902
Porcelaine dure, décor en pâtes
d'application.
H. 0,886; l. 0,379; Ep. 0,037.
Inscription en relief sous la scène :
CE/PES

HIST. : Acquis pour le musée du
Luxembourg au Salon de la Société
nationale des Beaux-Arts de 1903;
entré en 1904; reversement du musée
national d'art moderne au musée
d'Orsay, 1978.

EXP. : 1903, Paris, Salon de la Société
nationale des Beaux-Arts, n° 73¹.

BIBL. : Verneuil, 1903, p. 189.

Doat
Voir aussi **Carrier-Belleuse**

Établissements Doré
Voir **Auscher**

Dotin
Voir **Lepec**

Doye
Voir **Dufresne de Saint-Léon**

Dresser Christopher
Glasgow 1834-Mulhouse 1904

J.W. Hukin & J.T. Heath
Manufacture, Birmingham

Manton Henry John
Orfèvre, Birmingham
Actif à partir de 1860

OAO 1030
Porte-condiments
Vers 1878.
Argent, argent doré, métal argenté,
verre.
H. 0,229; L. 0,177; l. 0,174.
Marques et poinçons de fabricant au
revers du support : *DESIGNED BY/DR C.
DRESSER/H/&/H; aigle (?); 1873.*
Marque de dépôt de brevet au revers
du support : *1/6/6/D/E/Rᴰ* (modèle
déposé le 6 mai 1878).
Poinçons au bord des couvercles des
saupoudreuses et sur la tige de la
cuiller : charge, argent, Grande-
Bretagne; titre, argent, Birmingham;
maître, argent, Henry John Manton;
lettre-date (1878).

HIST. : Don de la Fine Art Society,
Londres, 1985.

BIBL. : *Applied Arts from 1880*, Londres,
Sotheby's, 4 juin 1987, n° 121, repr.
p. 41 (autre exemplaire entièrement
en métal argenté).

Dresser Christopher
Glasgow 1834 - Mulhouse 1904

J.W. Hukin & J.T. Heath
Manufacture, Birmingham

Bracher & Sydenham
Reading

OAO 1003
Soupière
Modèle déposé le 28 juillet 1880.
Métal argenté, ébène (?).
H. 0,210; L. 0,310; D. 0,235.
Marques et poinçons de fabricant sous
la pièce : *DESIGNED BY DR-C. DRESSER/
H/&/H; AIGLE (?); 2123/BRACHER &
SYDENHAM/READING/5* (à l'envers).
Marque sur la gorge : *2*

HIST. : Acquis en vente publique à
Londres, Christie, 18 juillet 1985,
n° 87, repr.

BIBL. : *Victorian and Edwardian
Decorative Art. The Handley-Read
Collection*, Londres, The Royal

Academy of Arts, 1972, D. 161 & 162, repr. p. 81; *Christopher Dresser,* Londres, Camden Arts Center, 1979, n° 19, repr.

Dresser Christopher
Glasgow 1834 - Mulhouse 1904

J.W. Hukin & J.T. Heath
Manufacture, Birmingham

OAO 1029 [1-2]
Sucrier (?) et sa cuiller.
Métal argenté, ébène (?).
Sucrier H. 0,120; L. 0,170; l. 0,095.
Cuiller H. 0,143; l. 0,046; P. 0,028.
Poinçons de fabricant et numéro insculpé au revers : *H/&/H; aigle (?) 2299*
Inscription gravée au revers : *ǫ 8 (?)73*

HIST. : Don de la Fine Art Society, Londres, 1985.

BIBL. : 1981, Cologne, Kunstgewerbemuseum, *Christopher Dresser,* n° 16, repr. p. 71 («saucière» analogue, sans décor et sans cuiller, conservée au Museum für Kunst und Gewerbe, à Hambourg).

OAO 1002
Bougeoir et éteignoir
Métal argenté, ébène (?).
H. 0,113; L. 0,138; l. 0,126.
Poinçons de fabricant et numéros insculpés au revers : *H/&/H; aigle (?); 9658/Rᴰ Nᵒ 228142*
Inscriptions gravées au revers : *1093 3296 ᴛᴇ*

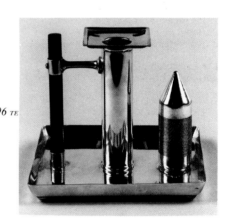

HIST. : Acquis en vente publique à Londres, chez Christie le 18 juillet 1985, n° 67, repr.

BIBL. : 1981, Cologne, Kunstgewerbemuseum, *Christopher Dresser,* n° 30, repr. p. 76 (modèle identique conservé au Württembergisches Landesmuseum à Stuttgart).

Dromard Léon
Connu à Paris de 1874 à 1889

OAO 1034
Meuble à deux corps : petite armoire sur table d'applique
Noyer sculpté et peint en grisaille d'or.
H. 1,715; L. 0,585; P. 0,360.
Marque au fer quatre fois au revers et deux fois sur le dessus : *L. DROMARD/ PARIS*

HIST. : Galerie F. Fontaine, Paris; acquis en 1986.

BIBL. : Vente L. Dromard, Paris, Hôtel Drouot, 11-12 avril 1889, n° 21, repr. (meuble analogue, à décor figurant Jupiter, Bacchus et Ariane).

Druez
Voir **Lecreux**

Duban
Voir **Froment-Meurice**

Duban
Voir aussi Catalogue sommaire des dessins d'architecture et d'art décoratif.

Dubois Henri Alfred Auguste
Rome 1859 - Paris 1943

OAO 42 [1-2]
Modèle de bracelet en deux plaquettes
Vers 1890-1900.
Argent fondu, ajouré, ciselé et doré.
1 : L. 0,090; l. 0,027; Ep. 0,004.
2 : L. 0,092; l. 0,014; Ep. 0,002.
S. plaquette 1, face, médaillon central, b.g. : *H. DUBOIS*
Revers plaquette 1, médaillon, d. : marque *ARGENT* et poinçon de garantie.
Revers plaquette 2, milieu : marque *ARGENT*

HIST. : Musée du Luxembourg; reversement du musée national d'Art moderne au Musée d'Orsay, 1978.

Dubret Henri
Dijon 1872 - Méré 1947

DO 1977-13
Peigne
Vers 1902.
Corne, or ciselé, émail à jour, brillants.
H. 0,092; l. 0,081; Ep. 0,011.
S. sur la monture revers g. : *H. DUBRET*.
Poinçon de garantie sur l'épaisseur de la monture.

HIST. : Acquis en 1905 pour le musée du Luxembourg; entré au musée du Luxembourg en 1906; dépôt du musée national d'Art moderne au musée d'Orsay, 1977.

EXP. : 1902, Paris, Salon de la Société des Artistes français, vitrine n° 3959.

BIBL. : Jacques, 1902, p. 148, repr. p. 154.

Dubret
Voir également à **Forthuny**

Dufresne de Saint-Léon Alexandre Henri
Paris 1820 - Jeurre (Essonne) 1903

Purday ?
Arquebusier
Londres.

Bernard Léopold
Arquebusier-canonnier
Paris.

Doye
Armurier
Paris.

OAO 467
Fusil de chasse
1861-1865
Acier ciselé et gravé; canon en damas brun; noyer.
H. 0,140; L. 1,230; l. 0,055.
Marques de fabricant gravées sur la bande, entre les canons : *PURDAY, st JAMES STREET LONDON, DOYE À PARIS*
Poinçons et marque de fabricant, numéro de fabrication et date, insculpés sous les canons : fabricant, canonnier, *LB;* légion d'honneur (2 fois); *LÉOPOLD BERNARD/CANONNIER/À PARIS ..26. 1861*
Date gravée entre les chiens : *1865*
Marque de fabricant (?) insculpée sous la longuesse : *DOYE*

HIST. : Resté dans la famille de l'artiste : don du comte Dufresne de Saint-Léon, arrière petit-fils de l'artiste, 1979.

Dufresne de Saint-Léon Alexandre Henri
Paris 1820 - Jeurre (Essonne) 1903

Bernard Léopold
Arquebusier-canonnier
Paris.

OAO 856
Fusil de chasse
1862
Acier gravé et partiellement doré; canon en damas brun; noyer de fer.
H. 0,135; L. 1,130; l. 0,050.
S. gravé et doré, entre les chiens : *HENRICUS DUFRESNE;* et ciselé sur le pontet : *A h D*
Poinçons et marque de fabricant, numéro de fabrication et date insculpés sous les canons : fabricant, canonnier, *LB;* légion d'honneur (2 fois); *LÉOPOLD BERNARD/CANONNIER À PARIS/15024.1862*

HIST. : Resté dans la famille de l'artiste : don du comte Dufresne de Saint-Léon, arrière petit-fils de l'artiste, 1982.

BIBL. : Lacambre-Thiébaut, 1983, n° 393 p. 94, repr. p. 95.

Dufresne de Saint-Léon
Alexandre Henri
Paris 1820 - Jeurre (Essonne) 1903

OAO 462 à 468
Armes
HIST. : Restées dans la famille de
l'artiste : don du comte Dufresne de
Saint-Léon, arrière petit-fils de
l'artiste, 1979.

OAO 462
Bouclier
Acier patiné, à décor doré et
partiellement gravé, imitant le
damasquinage.
H. 0,140 ; D. 0,525.

OAO 463
Bouclier
1862
Acier patiné et partiellement doré,
cuivre (?) doré gravé.
H. 0,160 ; D. 0,525.
Inscription en lettres dorées au
pourtour : *NON NOBIS. DOMINE. NON
NOBIS. SED NOMINI. SANCTO TUO. DA
GLORIAM. SIS PRAESUL. ET CUSTODIA*
Écus armoriés rapportés

HIST. : J.B. Waring, *Masterpieces of
Industrial Art and Sculpture at the
International Exhibition. 1862*,
Londres, 1863, vol. I, pl. 14.

OAO 464
Morion
Casque ancien (fin du XVIe siècle ?)
décoré par H Dufresne.
Acier gravé et partiellement doré,
cuivre doré, argent (?) doré.
H. 0,255 ; L. 0,347 ; l. 0,230.
Inscriptions gravées au bas du timbre,
d'un côté : *MULTOS CASTRA JUVANT ;* de
l'autre côté : *PER ARDUA SURGO*
initiale gravée au milieu du timbre, de
chaque côté : *H* couronné.

OAO 465
Épée
Acier partiellement patiné, gravé et
doré, cuivre doré.
H. 0,135 ; L. 1,375 ; l. 0,230.
Inscriptions gravées sur la lame, d'un
côté : *PRO PATRIA LABOR ;* de l'autre
côté : *SPES MEA DEUS*

OAO 466
Épée
Épée turque (?) décorée par Dufresne.
Acier gravé partiellement doré; lame
en damas, à cartouche damasquiné.
H. 0,030; L. 1,000; l. 0,100.

OAO 468
Fusil de chasse
1861
Acier ciselé et gravé, noyer.
H. 0,135; L. 0,682 (manque le double
canon); l. 0,055.
D. gravée entre les chiens : *1861*

OAO 856 à 861
Armes

HIST. : Restées dans la famille de
l'artiste; don du comte Dufresne de
Saint-Léon, arrière petit-fils de
l'artiste, 1982.

BIBL. : Lacambre - Thiébaut, 1983,
nº 393 à 398, p. 94 repr. p. 95.

OAO 857
Poire à poudre
Acier argenté, patiné, partiellement
gravé et doré.
H. 0,031; L. 0,149; l. 0,056.

OAO 858
Poire à poudre
Acier argenté, patiné, partiellement
gravé et doré, argent (?).
H. 0,034; L. 0,182; l. 0,055.

OAO 859
Dague de chasse
Jaspe, acier, partiellement patiné,
gravé et doré, argent.
H. 0,041; L. 0,620; l. 0,103.

OAO 860
Dague de chasse
Argent, acier, partiellement patiné,
gravé, doré.
H. 0,042; L. 0,580; l. 0,105.
S. en haut de la poignée et sous le
quillon gauche : *SL* (lettres liées).

OAO 861
Fourreau
Acier argenté et patiné, à décor
partiellement gravé et doré imitant le
damasquinage.
H. 0,024; L. 0,534; l. 0,036.

Dunand Jean
Lancy (canton de Genève) 1877 - Paris
1942

DO 1981 - 27
Plat
1909
Cuivre argenté repoussé.
D. 0,398.
S. en creux sur le bord intérieur du
marli : *DUNAND*

HIST. : Acquis par l'État au Salon de
l'Éclectique du 1909; attribué et entré
au musée du Luxembourg en 1938;
dépôt du musée national d'Art
moderne au musée d'Orsay, 1981.

EXP. : 1909, Paris, Salon de l'Éclectique.

DO 1981 - 28
Plat
1909
Cuivre argenté repoussé.
D. 0,398.
S. en creux sur le bord intérieur du
marli : *DUNAND*

HIST. : Acquis par l'État au Salon de
l'Éclectique de 1909; attribué et entré
au musée du Luxembourg en 1938;
dépôt du musée national d'Art
moderne au Musée d'Orsay, 1981.

EXP. : 1909, Paris, Salon de l'Éclectique.

DO 1981 - 29
Plat
1914
Nickel oxydé et argenté repoussé.
D. 0,460.
S.D. en creux sur le bord au revers :
JEAN DUNAND 1914

HIST. : Acquis au Salon de la Société
nationale des Beaux-Arts de 1914 pour
le musée du Luxembourg; entré au
musée du Luxembourg en 1916; dépôt
du musée national d'Art moderne au
musée d'Orsay, 1981.

EXP. : 1914, Paris, Salon de la Société
nationale des Beaux-Arts, vitrine
nº 2358 ou 2359.

Durrio Paco (Durrio de Madron Francisco, dit)
Valladolid 1868 - Paris 1940

OAO 445
Bague
Avant 1904.
Argent fondu, cabochon d'améthyste.
H. 0,020; l. 0,026; P. 0,028.
Monogramme *fD* au revers de
l'anneau.

HIST. : Acquis de l'artiste en 1911 pour
le musée du Luxembourg;
reversement du musée national d'Art
moderne au musée d'Orsay, 1978.

EXP. : 1904, Paris, Salon d'Automne,
vitrine n° 1988.

BIBL. : Verneuil, 1904[b], p. 167; Morice,
1904, p. 120; Plessier, 1982, p. 205-206,
repr. p. 206.

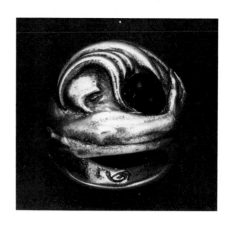

OAO 446
Pendentif
Avant 1904.
Argent fondu, décor face et revers.
H. 0,065; l. 0,062; Ép. 0,010.
Monogramme *fD* sur la face aux
masques h. d.

HIST. : Acquis de l'artiste en 1911 pour
le musée du Luxembourg;
reversement du musée national d'Art
moderne au musée d'Orsay, 1978.

EXP. : 1904, Paris, Salon d'Automne,
vitrine n° 1988.

BIBL. : Morice, 1904, p. 118 à 120;
Plessier, 1982, p. 205-206, repr. p. 205.

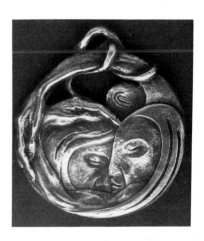

OAO 447
Boucle de ceinture
Avant 1904.
Argent fondu.
H. 0,060; L. 0,098; Ép. 0,008.

HIST. : Acquis de l'artiste en 1911 pour
le musée du Luxembourg;
reversement du musée national d'Art
moderne au musée d'Orsay, 1978.

EXP. : 1904, Paris, Salon d'Automne,
vitrine n° 1988.

BIBL. : Verneuil, 1904[b], p. 167; Morice,
1904, p. 118 à 120, repr. p. 118;
Plessier, 1982, p. 205-206, repr. p. 204.

OAO 448
Broche
Avant 1904.
Argent fondu et pierre verte
(amazonite ?).
H. 0,045; L. 0,121; Ép. 0,014.
Monogramme *fD* au revers, m. b.

HIST. : Acquis de l'artiste en 1911 pour
le musée du Luxembourg;
reversement du musée national d'Art
moderne au musée d'Orsay, 1978.

EXP. : 1904, Paris, Salon d'Automne,
vitrine n° 1988.

BIBL. : Morice, 1904, p. 118-120, repr.
p. 120; Plessier, 1982, p. 205-206-209,
repr. p. 206.

Dury
Voir **Manufacture Delicourt**

Duvinage Veuve Ferdinand
Tabletier Paris.
Ancienne maison Alphonse Giroux
dirigée par la veuve de Ferdinand
Duvinage, 1874 à 1882.

OAO 716
Cabinet
Vers 1878.
Palissandre, marqueterie d'ivoire, et
bois divers (hêtre, noyer, amarante,
poirier, partiellement teintés) à
cloisons métalliques (cuivre, laiton,
étain gravés); bronze patiné, doré et
argenté.
H. 1,304; L. 0,680; P. 0,385.
Marque sur la plaque de serrure, au
revers du vantail droit : *A. GIROUX/PARIS*
Monogramme b.d. du vantail droit : *FD*
(lettres liées) *B^te* (brevet d'invention
délivré à la veuve Ferdinand Duvinage
le 28 août 1877 à Paris).

HIST. : Mount Street Gallery, Londres;
Galerie Didier Aaron, Paris et New
York; acquis en 1982.

EXP. : 1983, Paris, Palais de Tokyo,
*Nouvelles acquisitions du Musée
d'Orsay.*

BIBL. : Lacambre-Thiébaut, 1983, n° 435
p. 104, repr. p. 105.

Eckmann Otto
Hambourg 1865 - Badenweiler 1902
Schulz Otto
Médailleur
Berlin 1848 - Berlin 1911
Königliche Porzellan -
Manufaktur
Berlin

OAO 539
Vase et monture
Modèle créé vers 1897-1899.
Porcelaine dure, décor flambé de grand
feu, monture en bronze patiné.
H. 0,517; l. 0,290; P. 0,160.
S. en creux deux fois sur la monture :
OE (lettres entrelacées).

HIST. : Acquis dans le commerce d'art
munichois, 1981.

BIBL. : M. Osborn, «Eckmann's
kunstgewerbliche Thätigkeit»,
Deutsche Kunst und Dekoration, avril
1900, p. 319, repr.; Lacambre -
Thiébaut, 1983, n° 399 p. 96, repr.
p. 97.

Elmslie
Voir **Sullivan**

Éon
Voir **Guéret**

Ercuis
Fabricant
Paris

OAO 1014^{3-4}
Couverts.
HIST. : Provenant de l'hôtel du Palais
d'Orsay; don de Madame Tchang-
Benoît, 1985.

OAO 1014^3
Couteau de table.
Métal argenté, acier.
H. 0,013; L. 0,207; l. 0,019.
Poinçon sur le manche : fabricant,
métal argenté, Ercuis (?).
Marque sur la lame : *ERCUIS INOX*
Inscrit sur le manche : *PALAIS D'ORSAY*

OAO 1014^4
Cuiller à café
Métal argenté.
H. 0,016; L. 0,143; l. 0,030.
Poinçon et marque à l'intérieur du
cuilleron : fabricant, métal argenté,
Ercuis; *ERCUIS/18*
Inscrit sur le manche : *PALAIS D'ORSAY*

Escalier de Cristal
Voir **Gallé, Lièvre, Pannier, Rousseau**

Evaldres
Voir **Horta**

Falize
Bijoutiers-joailliers
Paris.
Maison dirigée par Alexis Falize
Liège 1811-Moret 1898

Tard Antoine
Émailleur

OAO 901
Médaillon
Vers 1869.
Or, émail cloisonné.
H. 0,053; l. 0,030; P. 0,009.
Poinçon à l'intérieur de la bélière :
Maître, or, Alexis Falize.

HIST. : Galerie M. Bivalski, Paris; acquis
en 1984.

EXP. : 1869, Paris, Union centrale des
Arts décoratifs (album Alexis Falize
aîné, médaillons n° 275 et 284, Paris,
bibliothèque des Arts décoratifs).

BIBL. : 1979, Paris, p. 191-193; H. Tait,
*The Art of the Jeweller. A catalogue of
the Hull Grundy Gift to the British
Museum*, Londres, 1984, vol. I, p.
174-175.

Fallou
Voir **Manufacture nationale
de Tapisseries de Beauvais**

Fannière Frères
Orfèvres
Paris
Maison dirigée par François Auguste
Fannière (1818-1900) et François-
Joseph-Louis Fannière (1820-1897).

OAO 1060 [1-4]
Service à bière
Modèle créé vers 1865.
Argent repoussé et ciselé,
partiellement doré.
Pot : H. 0,230; l. 0,175; D. 0,125.
Plateau : H. 0,018; D. 0,320.
Gobelets : H. 0,137; D. 0,084.
Marque de fabricant au revers du
plateau et sous l'un des gobelets :
FANNIÈRE FRES; Poinçons : petite
garantie, argent, Paris (bord d'un des
gobelets, bord du pot et haut de la
poignée); maître, argent, Fannière (au
revers du plateau, du pot et d'un des
gobelets)

Monogramme ciselé sous le bec verseur du pot : *HT*

HIST. : Coll. Teyssier?, Paris; Galerie Suger, Paris; acquis en 1986.

EXP. : 1900, Paris, Exposition universelle, Musée centennal; 1929, Paris, Musée des Arts décoratifs, *L'Orfèvrerie civile française de la Révolution à nos jours,* n° 599.

BIBL. : H. Bouilhet, *L'Orfèvrerie française aux XVIIIème et XIXème siècles,* Paris, 1908-1912, t. I, repr. p. 21 et t. III, p. 65, repr. p. 67; *L'Art en France sous le Second Empire,* Paris, Grand Palais, 1979, n° 82 p. 173-174, repr.

Félice Marguerite de
Paris 1872 - Paris 1933

OAO 316
Coupe-papier
Vers 1911.
Palissandre, cuir repoussé et ciselé.
L. 0,370; l. 0,045; Ep. 0,010.

HIST. : Acquis par l'État à l' *Exposition des Arts de la Femme* de 1911; attribué et entré au musée du Luxembourg en 1916.

EXP. : 1911, Paris, Exposition des Arts de la Femme.

Fétu
Voir **Pannier**

Feuchère
Voir **Froment-Meurice**

Feuillâtre Eugène
Dunkerque 1870 - Paris 1916

OAO 189
«Cerises», bonbonnière
Vers 1901.
Or ajouré et ciselé, émail cloisonné translucide à jour.
Écrin avec adresse : *E. FEUILLÂTRE/3. Rue Villedo. 3/PARIS.*
H. 0,022; D. 0,048.

HIST. : Acquis au Salon de la Société des Artistes français de 1901 pour le musée du Luxembourg; reversement du musée national d'Art moderne au musée d'Orsay, 1978.

EXP. : 1901, Paris, Salon de la Société des Artistes français, vitrine n° 4623.

BIBL. : Bouyer, 1902, p. 57, repr. p. 58.

OAO 188
Drageoir
1903
Argent fondu, forgé et ciselé, émail cloisonné à jour avec paillons, cristal soufflé.
H. 0,083; D. 0,145.

HIST. : Acquis au Salon de la Société des Artistes français de 1904 pour le musée du Luxembourg; reversement du musée national d'Art moderne au musée d'Orsay, 1978.

EXP. : 1904, Paris, Salon de la Société des Artistes Décorateurs, n° 66, repr. p. 64; 1904, Paris, Salon de la Société des Artistes français, n° 4678.

BIBL. : Verneuil, 1904, p. 52, repr. p. 41; Riotor, 1904, p. 22.

Maison Fischel
Fabricant de meubles en bois tourné. Autriche, firme fondée après 1869.

OAO 947
Chaise
Variante du modèle n° 46 créé par Thonet frères vers 1880-1888.
Hêtre courbé teinté façon merisier et verni, cannage.
H. 0,960; l. 0,455; P. 0,610.
A l'intérieur de la ceinture, étiquette portant la marque de fabrique : *[F] ISCHEL Niemes in Böhmen Niemes en Bohême (Autriche)*

HIST. : Collection Georges Candilis; acquis en 1984.

BIBL. : Thonet frères, catalogue de vente, [1888], n° 46 M. 16; Candilis, 1980, p. 20.

Follot Paul
Artiste décorateur
Paris 1877 - Sainte-Maxime 1941

Maison Christofle
Fabricant et éditeur
Paris

OAO 875[1-5]
Service à thé
Modèle créé en 1903.
Métal argenté.
Plateau : L. 0,615; l. 0,430.
Grande verseuse : H. 0,188; L. 0,300; l. 0,102.
Petite verseuse : H. 0,163; L. 0,285; l. 0,100.
Pot à lait : H. 0,095; L. 0,150; l. 0,078.
Sucrier : H. 0,120; L. 0,140; l. 0,075.
S. en creux sur chaque pièce : *P. Follot* (P et F entrelacés); poinçons de fabricant, Christofle, et de titre, 22, sur chaque pièce.

HIST. : Acquis dans le commerce d'art parisien, 1983.

BIBL. : Ch. Genuys, «L'Exposition de la
Société des Artistes Décorateurs», *Art
et Décoration*, 1904, t. XV, repr. p. 87;
Lacambre - Thiébaut, 1983, n° 400
p. 96, repr. p. 97.

Fontaine
Voir **Charpentier, Guimard**

Fontenay Prosper-Eugène
Paris 1823 - Paris 1887

Richet Eugène
Émailleur

OAP 264
Brûle-parfums
1878
Or, émail translucide et émail peint en
relief, diamants, lapis.
H. 0,210; L. socle : 0,110.
S.D. au revers du socle aux dauphins :
FONTENAY/PARIS 1878 ;
S.D.b.d. du médaillon de l'Amour :
1878/E. RICHET; S. sur les trois autres
médaillons : *er*
Inscriptions émaillées sur le couvercle :
CURSUS VITAE et
sous le socle aux dauphins : *AMOR/*
PUGNA/VOLUP./LABOR

HIST. : Acquis en 1978.

EXP. : 1878, Paris, Exposition
Universelle, groupe IV, classe 39; 1980,
Paris, Grand Palais, *Cinq Années
d'enrichissement du patrimoine
national*, n° 211 p. 237, repr.

BIBL. : L. Falize, «Orfèvrerie et
bijouterie», dans L. Gonse, *Exposition
universelle de 1878. Les Beaux-Arts et
les arts décoratifs*, t. 1, Paris, 1879,
p. 334; M. Bernard, *Exposition
universelle internationale de 1878 à
Paris, Groupe IV, Classe 39. Rapport sur
joaillerie et la bijouterie*, Paris, 1880,
p. 30.

Forthuny Frédéric
Dessinateur
Rouen 1895 - Galatz 1919.

Dubret Henri
Bijoutier-joaillier
Dijon 1872 - Méré 1947.

DO 1977-14
Pendentif
Dessiné avant 1919, exécuté en 1920.
Or amati en surface et ajouré, émaux
polychromes translucides et blanc
opaque, brillants.
Ce bijou a conservé son écrin d'origine.
H. 0,070; L. 0,038; Ep. 0,006.
Signature gravée à la pointe au revers :
Fred Forthuny concipit.
Numéro au revers : *192519.*

HIST. : Acquis pour le musée du
Luxembourg en 1921; entré au musée
du Luxembourg en 1922; dépôt du
musée National d'Art moderne au
musée d'Orsay, 1977.

EXP. : 1920, Paris, Salon d'Automne,
vitrine n° 784.

BIBL. : Bricon, 1920, p. 334.

Fourdinois
Maison d'ameublement, Paris
Dirigée par Henri-Auguste Fourdinois
(1830-1907).

Sédille Paul
Architecte
Paris 1836-Paris 1900.

Allar André-Joseph
Sculpteur
Toulon 1845-Toulon 1926.

Rousselle Hippolyte
Peintre-émailleur

Hurpin
Dessinateur industriel

Achard
Menuisier

Quillard, Primo, Rosa, Gélin
Sculpteurs sur bois.

DO 1980-1
Porte monumentale, dite porte de
galerie pour une collection privée ou
porte de bibliothèque
1878
Chêne et noyer sculptés, marqueterie
d'ébène, buis et amarante; marbre
rouge antique; bronze doré et bronze
vernis; émail peint sur cuivre.
H. 4,800; L. 2,800.
Marqué au fer, plusieurs fois, au bas
des montants : *H. FOURDINOIS*
S.b.d. sur les deux bas-relief : *Allar*
S.D.b.d. sur les médaillons émaillés : *H
Rousselle 1878*
Inscription gravée et dorée sous les
médaillons émaillés : AΘHNH /
AΓOΛΛΩN (sic)

HIST. : Acquis de Fourdinois par l'Union
centrale des Arts décoratifs, 1885;
dépôt au Musée d'Orsay, 1980.

EXP. : 1878, Paris, Exposition
Universelle, groupe III, classe 17.

BIBL. : M. Vachon, «Les industries d'Art
au Champ de Mars. III. Les meubles»,
Gazette des Beaux-Arts, novembre
1878, p. 802; *Croquis d'Architecture,*
1879, 2ème série, 3ème vol., n° I.F.6;
E. Didron, «8ème exposition de l'Union
centrale. Rapport du IIème groupe. Le
bois de construction», *Revue des Arts
décoratifs,* t. 5, 1884-1885, p. 154.

François Henri-Louis
Vert-le-Petit 1841 - Paris 1896

OA 2686
«Vénus sortant de l'onde», camée
1880
Camée sur agate à deux couches;
monture de métal doré.
H. 0,080; l. 0,050; Ep. 0,009.

HIST. : Acquis par l'État au Salon de
1880; entré au musée du Luxembourg
en 1884; affecté par le musée du
Louvre au musée d'Orsay, 1983.

EXP. : 1880, Paris, Salon, n° 6753; 1882,
Vienne, Exposition Universelle, n° 206.

BIBL. : Babelon, 1902, p. 234.

OA 2687
«Andromède», camée
1882
Camée sur onyx à trois couches;
monture de métal doré.
H. 0,100; l. 0,064; Ep. 0,006.
S. à g. : *H FRANÇOIS* (les deux premières
lettres formant monogramme) et D. à
d. *1882.*

HIST. : Acquis par l'État au Salon de la
Société des Artistes français de 1882;
attribué au musée du Luxembourg en
1884; déposé au musée Fabre à
Montpellier de 1933 à 1982; affecté par
le musée du Louvre au musée d'Orsay,
1983.

EXP. : 1882, Paris, Salon de la Société
des Artistes français, n° 4956; 1900,
Paris, Exposition Universelle, groupe I,
classe 3, n° 1845.

BIBL. : Lafenestre, 1882, p. 71; Babelon,
1900, p. 226, repr. p. 225.

OA 3193
«Amour filial», camée
1883
Camée agate à deux couches; monture
de cuivre doré.
H. 0,111; l. 0,082; Ep. 0,015.
S.b.d. : *H FRANÇOIS* (les deux premières
lettres formant monogramme) et D. b.
g. : *1883.* Titre en bas au milieu :
AMOUR FILIAL, à la mine de plomb.

HIST. : Acquis par l'État au Salon de la
Société des Artistes français de 1883;
attribué au musée du Luxembourg en
1885; affecté par le musée du Louvre
au musée d'Orsay, 1983.

EXP. : 1883, Paris, Salon de la Société
des Artistes français, n° 4327; 1883,
Paris, Exposition Nationale des Beaux-
Arts, n° 1148; 1889, Paris, Exposition
Universelle, groupe I, classe 3, n° 1846.

BIBL. : Lafenestre, 1883, p. 65; Babelon,
1900, p. 304; Babelon, 1902, p. 234,
repr. pl. XVIII, fig. 2.

OA 3234
«Sapho sur le rocher de Leucade»,
camée
1887
Camée sardoine à trois couches.
H. 0,074; l. 0,050; Ep. 0,008.
S.D.b.g. : *H 1887/FRANÇOIS* (les deux
premières lettres formant
monogramme).
Maquette (voir OAO 256)

HIST. : Acquis par l'État au Salon de la
Société des Artistes français de 1887;
attribué au musée du Luxembourg en
1890; déposé au musée Fabre de
Montpellier de 1933 à 1982; affecté par
le musée du Louvre au musée d'Orsay,
1983.

EXP. : 1887, Paris, Salon de la Société
des Artistes français, n° 4625; 1889,
Paris, Exposition Universelle, groupe I,
classe 3, n° 1849.

BIBL. : Babelon, 1900, p. 226, repr.
p. 224.

OAO 218
«Le Génie de la Peinture s'inspirant
de la Vérité», camée
1891
Camée sur agate à deux couches
H. 0,110; l. 0,137; Ep. 0,010.
S.b.g. : *H FRANÇOIS* (les deux premières
lettres formant monogramme) et
D.b.d. : *1891.*
Maquette (voir OAO 269)

HIST. : Commandé au Salon de la Société
des Artistes français de 1891 pour le
musée du Luxembourg; entré au
musée du Luxembourg en 1893;
reversement du musée national d'Art
moderne au musée d'Orsay, 1978.

EXP. : 1891, Paris, Salon de la Société
des Artistes français, n° 2978.

BIBL. : Babelon, 1900, pp. 226 et 304;
Babelon, 1902, p. 234, repr. pl. XVIII,
fig. 4.

OAO 1131
«République française», camée
1895
Camée sur sardonyx à deux couches
H. 0,120; l. 0,950; Ep. 0,010.
S.D.b.g. sur le bras : *H FRANÇOIS. 1895.*
(les deux premières lettres formant
monogramme).
Maquettes (voir OAO 253 et OAO 268)

HIST. : Commandé par l'État en 1893;
attribué au musée du Luxembourg en
1895; déposé au musée Fabre de
Montpellier de 1933 à 1983; attribué au
musée d'Orsay par le Fonds national
d'Art contemporain, 1987.

EXP. : 1895, Paris, Salon de la Société
des Artistes français, n° 3600.

OAO 253 et OAO 255 à 269
Maquettes de camées

HIST. : Données en 1896 pour les
archives du musée du Luxembourg par
Madame H. François, veuve de
l'artiste, qui les fit encadrer en 1900;
reversement du musée national d'Art
moderne au musée d'Orsay, 1978.

OAO 265
**«Vénus jouant avec l'Amour»,
maquette de camée**
Avant 1876.
Cire sur ardoise; cadre de bois noirci.
H. 0,272; L. 0,181; Ép. 0,010 (hors
cadre).
S.b.d. : *FRANÇOIS*
Camée sur onyx, épreuve, plâtre :
Salon de la Société des Artistes français
de 1876, n° 3661, n° 2.

OAO 255
**«Céphale et Procris», maquette de
camée**
Avant 1884.
Cire sur verre dépoli et peint au
revers; cadre de bois noirci.
H. 0,285; l. 0,425; Ép. 0,020 (hors
cadre).
Titre en exergue : *CEPHALE ET PROCRIS.*
Camée au Salon de la Société des
Artistes français de 1884, n° 3996, et à
l'Exposition Universelle de Paris, 1889,
groupe I, classe 3, n° 1847.

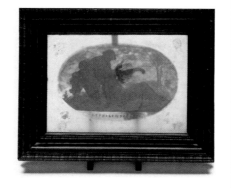

OAO 256
**«Sapho sur le rocher de Leucade»,
maquette de camée**
Avant 1887.
Cire polychrome sur ardoise; cadre de
bois noirci.
H. 0,353; l. 0,255; Ép. 0,024 (hors
cadre).
Camée : Salon de la Société des Artistes
français de 1887, n° 4625 (voir
OA 3234).

OAO 261
**«M. Carnot, président de la
République française», maquette de
camée; au revers, esquisse de camée
(sirène?)**
Avant 1890.
Cire sur ardoise; cadre de bois noirci.
H. 0,296; l. 0,019; Ép. 0,028 (hors
cadre).
Avers : S.b.d. : *H FRANÇOIS* (les deux
premières lettres formant
monogramme); revers : S.b.d. :
FRANÇOIS
Camée cornaline à deux couches :
Salon de la Société des Artistes français
de 1890, n° 4653.

OAO 260
Maquette de camée (sirène?)
Vers 1890.
Cire naturelle et teintée rouge sur
ardoise; cadre de bois noirci et doré.
H. 0,241; l. 0,164; Ép. 0,012 (hors
cadre).
S.b.d. : *H FRANÇOIS* (les deux premières
lettres formant monogramme).

OAO 264
**Esquisse de camée (sirène?); au
revers, six esquisses de camée**
Vers 1890.
Cire brune sur ardoise; cadre de bois
noirci.
H. 0,323; L. 0,226; Ép. 0,022 (hors
cadre).
S.b.d. à l'avers : *H FRANÇOIS* (les deux
premières lettres formant
monogramme).

OAO 269
«Le Génie de la Peinture s'inspirant
de la Vérité», maquette d'un camée,
Avant 1891.
Cire marron sur ardoise; cadre de bois
noirci.
H. 0,195; l. 0,245; Ép. 0,008 (hors
cadre).
Camée au Salon de la Société des
Artistes français de 1891, n° 2978 (voir
OAO 218).

OAO 253
«République française», maquette
d'un camée
Avant 1895.
Cire sur ardoise et bois; cadre de bois
noirci.
H. 0,272; l. 0,191; Ép. 0,016.
S.h.d. à la craie : *COUTAN* (signature
apocryphe).
Inscription en exergue : *RÉPUBLIQ[UE]
[F]RANÇAISE*
Camée sur sardoine exposé au Salon de
la Société des Artistes français de 1895
(voir OAO 1131).

OAO 268
«République française», maquette de
camée
Vers 1893-1895.
Cire sur verre dépoli; cadre de bois
noirci.
H. 0,320; l. 0,230; Ép. 0,018.
Commande de l'État en 1893; camée
sur sardonyx : Salon de la Société des
Artistes français de 1895, n° 3600 (voir
OAO 1133).

OAO 257
«La Force prime le Droit», maquette de camée
Cire sur ardoise; cadre de bois noirci.
H. 0,205; l. 0,305; Ép. 0,008 (hors cadre).

OAO 266
Maquette de camée
Cire marron et noire sur ardoise.
H. 0,151; l. 0,196; Ep. 0,010.

OAO 258
Maquette de camée
Cire sur ardoise; cadre de bois noirci.
H. 0,315; l. 0,216; Ép. 0,016 (hors cadre).
S.b. : *FRANÇOIS*

OAO 267
«Victor Hugo», maquette de camée
Cire sur ardoise encadrée de bois blanc; cadre de bois noirci.
H. 0,310; l. 0,226; Ep. 0,013 (hors cadre).
Titre : *VICTOR HUGO*

OAO 259
Maquette de camée
Cire sur ardoise; cadre de bois noirci.
H. 0,270; l. 0,018; Ép. 0,005 (hors cadre).
S.b.d. : *H FRANÇOIS* (les deux premières lettres formant monogramme).

OAO 263
Maquette de relief
Cire brune sur ardoise; cadre de bois noirci.
H. 0,221; l. 0,141 (hors cadre).
S.b.d. : *FRANÇOIS*

OAO 262
Maquette de camée (Charité)
Cire sur ardoise; cadre de bois noirci.
H. 0,270; l. 0,180; Ép. 0,010 (hors cadre).
S.b. : *H FRANÇOIS* (les deux premières lettres formant monogramme).

Freeth Roper George
Actif à Manchester de 1877 à 1892

Bell & Roper
Architectes

Kendal Milne and Company
Fabricant

OAO 1061
Étagère-armoire à suspendre
Vers 1878.
Acajou, laiton nickelé.
H. 1,490; L. 0,600; P. : 0,240.
Marque au fer de fabricant au bord de
chaque tiroir : *KENDAL.MILNE & Co.*
Marque de fabricant sur la clé : *..CKE/
...EEVE/PATENT/55 GREAT RUSSELL
ST/LONDON/27*

HIST. : Galerie Haslam & Whiteway,
Londres; The Fine Art Society,
Londres; acquis en 1986.

EXP. : 1986, Londres, The Fine Art
Society, *Spring' 86*, n° 91.

BIBL. : «Furniture Designs III», *The
British Architect and Northern
Engineer*, 9 août 1878.

Fremiet
Voir **Diehl**

Fremiet
Voir aussi Catalogue sommaire des
sculptures

Froment-Meurice
Orfèvres-bijoutiers, Paris.
Maison dirigée par François-Désiré
Froment-Meurice (1802-1855).

Duban Jacques-Félix
Architecte
Paris 1797-Bordeaux 1870.

Feuchère Jean-Jacques
Sculpteur
Paris 1807-Paris 1852.

Geoffroy Adolphe-Victor dit Geoffroy-Dechaume
Sculpteur
Paris 1816-Valmandois (Oise) 1892.

Liénard Michel-Joseph-Napoléon
Dessinateur industriel
La Bouille (Seine-Maritime) 1810-?

Sollier, Grisée, Meyer-Heine
Émailleurs

OAO 530 à 535 [1-2]
Table et garniture de toilette
1847-1851

HIST. : Toilette commandée par souscription des dames légitimistes de France à l'occasion du mariage de Louise Marie-Thérèse de Bourbon-Artois (1819-1864), petite-fille de Charles X, avec le prince héréditaire de Lucques, futur duc Charles III de Parme (1823-1854), à Frohsdorf le 10 novembre 1845; livrée à la princesse en 1851, à Parme; resté dans la famille de Bourbon-Parme; galerie J. Kugel; acquis en 1981.

EXP. : 1849, Paris, Exposition nationale des Produits de l'Industrie agricole et manufacturière (l'aiguière, le bassin et le coffret OAO 535² seulement); 1851, Londres, Exposition Universelle, classe XXIII.

BIBL. : R.N. Wornum, « The exhibition as a lesson in taste » in *The Crystal Palace Exhibition, Illustrated Catalogue, The Art-Journal Special Issue*, Londres 1851, p. IX***, repr. p. 130 et 131; Ph. Burty, *F.-D. Froment-Meurice*, Paris, 1883, p. 48-54 (avec repr. gravée d'un des coffrets); Lacambre-Thiébaut, 1983, n° 401 à 407 p. 96 et 98, repr. p. 97.

OAO 530
Table
Terminée en 1851.
Dessus : argent niellé, fer gravé; bâti en chêne.
Piètement : bronze doré et bronze argenté, fer, cuivre doré, bronze argenté émaillé, grenats.
H. 0,800; L. 1,880; l. 1,090.
Inscription niellée, en lettres gothiques autour du plateau : *témoignage de respect et de fidélité à son altesse royale/louise marie thérèse de France à l'occasion de son/mariage avec son altesse royale ferdinand charles de bourbon/infant d'espagne prince héréditaire de lucques*
Doubles armoiries couronnées de France et de Parme, avec les devises *Deus et Dies* et *Montjoye st Denis*, gravées deux fois au centre du plateau.

OAO 531
Miroir
1847
Argent partiellement doré, émail peint sur cuivre, émail translucide sur argent, grenats, fer, verre.
H. 1,300; L. 0,920; P. 0,504.
S.D.b. au revers : *FROMENT-MEURICE OR FE^RES 1847*
Inscription dans un cartel au bas du cadre de la glace, en lettres gothiques en relief : *souvenir de france x novembre mdcccxlv*
Inscription en lettres gothiques en relief sur les bannières : *Deus et Dies* (à gauche) *Montjoye st Denis* (à droite).

Cadre ogival orné de vingt écus émaillés aux armes des anciennes provinces de France, à gauche, de haut en bas : Auvergne, Anjou, Champagne, Bretagne, Bourgogne, Normandie, Orléanais, Berry, Picardie, Lorraine; à droite de haut en bas : Franche-Comté, Languedoc, Dauphiné, Maine, Bourbonnais, Guyenne, Saintonge, Lyonnais, Artois, Poitou.
Au sommet, deux écus émaillés aux armes de France et de Parme (couronne manquante).

OAO 532
Aiguière
1847
Argent partiellement doré, émail peint sur cuivre.
H. 0,413; L. 0,210; D. 0,190.
S.D. en creux sous la base : *FROMENT-MEURICE 1847*
Poinçon au bord du col : titre, argent, Paris.
Doubles armoiries couronnées de France et de Parme en haut de la panse.

OAO 533
Bassin
1847
Argent partiellement doré.
L. 0,474; l. 0,346; P. 0,039.
S. gravée au revers : *froment Meurice*
Monogramme ciselé dans un médaillon au centre : *L. M.T.* (lettres doubles entrelacées).
Poinçon : titre, argent, Paris.

OAO 534 ¹⁻²
Paire de candélabres
Vers 1847.
Argent partiellement doré.
H. 0,660; L. 0,274; l. 0,264.
Poinçon, sur la base : titre, argent, Paris.

OAO 535[1]
Coffret
Vers 1847.
Argent partiellement doré, cuivre doré, émail peint sur cuivre, verre bleu, grenats, émeraudes.
H. 0,426 ; L. 0,358 ; l. 0,275.
S.b. en creux (sous le cartel J^{ne} d'Albret) : *FROMENT-MEURICE A PARIS*
Poinçon, en bas, sous la figure de Jeanne d'Arc : titre, argent, Paris.
Inscriptions en lettres d'or sur des plaquettes horizontales émaillées, sous les dix émaux en grisaille : *s^{te} Geneviève, j^{ne} d'albret jeanne d'arc* (face) *val^{ne} de milan, ch^{ne} de pisan* (côté droit), *j^{ne} de montfort, a^{ne} de beaujeu, cl^{ne} de surville* (revers). *l^{se} de savoie, hen^{te} de france* (côté gauche).
Inscriptions en creux sur les côtés des écus armoiriés ornant les pieds :
Bayard/1524 (pied antérieur gauche) *Gaston de Foix/1512* (pied antérieur droit) *La Trémoille/1525* (pied postérieur droit) *Dunois/1468* (pied postérieur gauche).
Au sommet, doubles armoiries de France et de Parme, d'un côté, et monogramme : *L.M.T.* (doubles lettres entrelacées) de l'autre côté, sous une couronne fermée.

OAO 535[2]
Coffret
Vers 1847.
Argent partiellement doré, cuivre, doré, émail peint sur cuivre, verre bleu, grenats, émeraudes.
H. 0,426 ; L. 0,358 ; l. 0,275.
S.b. en creux (sous le cartel de Blanche de Castille) : *FROMENT-MEURICE/A PARIS*
Poinçon, en bas, sous la figure de Jeanne Hachette : titre, argent, Paris.
Inscriptions en lettre d'or sur des plaquettes horizontales émaillées sous les dix émaux en grisaille : *s^{te} radegonde, jeanne hachette, blanche de castille, anne de bretagne* (face), S^{te} *clotilde* (côté droit), *clémence isaure, marguerite de valois, marie de france* (revers), *s^{te} bathilde, jeanne la boiteuse* (côté gauche).
Inscriptions en creux sur les côtés des écus armoriés ornant les pieds :
Xaintrailles/1461 (pied antérieur gauche) *Lahire/1442* (pied antérieur droit), *Duguesclin/1380* (pied postérieur droit), *Olivier de Clisson/ 1407* (pied postérieur gauche).
Au sommet, doubles armoiries de France et de Parme, d'un côté, et Monogramme *L.M.T.* (doubles lettres entrelacées) de l'autre côté, sous une couronne fermée.

Froment-Meurice
(Attribué à)

OAO 536
Livre de présentation
Vers 1845-1847.
Velours de soie, or, argent doré, émail blanc opaque et émail translucide, améthystes, cornaline.
H. 0,260; L. 0,210; Ép. 0,063.
Inscription gravée en lettres d'or sur la cornaline du fermoir : *Louise*
Au centre du plat supérieur, deux écus fleurdelysés accolés sous une couronne fermée : Artois et France.
Dédicace sur la première page : *A SON ALTESSE ROYALE/LOUISE MARIE THERESE DE FRANCE/MADEMOISELLE/PRINCESSE HEREDITAIRE DE LUCQUES/SŒUR DE HENRI V*
Les pages enluminées donnent la liste des familles légitimistes ayant souscrit pour offrir une toilette d'orfèvrerie à la duchesse de Parme, par provinces et par villes.

HIST. : Remis à la Duchesse de Parme, avec la toilette offerte par les dames légitimistes de France; resté dans la famille de Bourbon-Parme; Galerie J. Kugel; acquis en 1981.

BIBL. : Lacambre - Thiébaut, 1983, n° 408 p. 98, repr. p. 99.

Froment-Meurice
Orfèvres-bijoutiers, Paris
Maison dirigée par Paul-Émile Froment-Meurice (1837-1913).

Cameré Henri
Sculpteur, dessinateur
?-? 1896

OAO 980
Coupe «François Ponsard»,
1867
Argent partiellement doré, émail translucide.
H. 0,305; D. 0,279.
Marque de fabricant sur le trépied, sous le cartel Lucrèce : *FROMENT-MEURICE*
Poinçons au bord du plateau : titre argent, Paris; importation ou vente publique (deux fois).
Inscriptions émaillées sur le plateau, au centre : armes de la ville de Vienne avec la devise *VIENN/CIVITAS/ANCTA*, la date *1867* et l'adresse : **A FRANÇOIS PONSARD* SES CONCITOYENS;* au pourtour, dans six médaillons : *HORACE/ET LYDIE/1850, ULYSSE/1852, L'HONNEUR/ET L'ARGENT/1853, LA BOURSE/1856, CE QUI PLAIT/AUX FEMMES/1860, LE LION/AMOUREUX/1866, GALILEE/1867.* Inscriptions gravées sur le trépied : *CHARLOTTE CORDAY, AGNES DE MERANIE, LUCRECE.*

HIST. : Offert par ses concitoyens, à François Ponsard (1814-1867), poète dramatique; Galerie Suger, Paris; acquis en 1984.

EXP. : 1867, Paris, Exposition Universelle, groupe III, classe 21.

BIBL. : J. Mesnard, *Les Merveilles de l'Exposition Universelle de 1867*, Paris, 1867, T. 1, p. 36-37, repr. p. 35; F. Ducuing, *L'Exposition Universelle de 1867 illustrée*, Paris, 1867, vol. 2, p. 22; H. Bouilhet, *L'orfèvrerie française au XVIIIe et au XIXe siècles*, Paris, 1912, T. III, p. 40, repr. p. 41 et p. 267-268.

Frullini Luigi
Florence 1839 - Florence 1897

OAO 339
Meuble à deux corps : armoire-secrétaire à abattant
Vers 1878.
Noyer sculpté; intérieur en placage de palissandre de Rio, acajou de Cuba pommelé, loupe de thuya et cèdre du Honduras.
H. 2,480; L. 1,370; P. 0,580.

HIST. : Coll. André de Tigny, La Jansonne, Raphèle-les-Arles; acquis en vente publique à Enghien-les-Bains, 22 avril 1979, n° 153, repr.

EXP. : 1878, Paris, Exposition Universelle, groupe III, classe 17.

BIBL. : «Illustrated Catalogue of the Paris International Exhibition », *The Art-Journal*, Londres, vol. XVII, 1878, p. 113, repr. et vol. XVIII, 1879, p. 190.

Fumière et Gavignot
Voir **Aubé**

Gaillard Lucien
Paris 1861 - ? après 1908

OAO 43
Peigne
Vers 1903-1904.
Corne sculptée, opales serties, or (?).
H. 0,208; l. 0,074; Ep. 0,014.
S. en creux sur la face dent extérieure de gauche : *L. GAILLARD*

HIST. : Acquis au Salon de la Société des Artistes français de 1904 pour le musée du Luxembourg; reversement du musée national d'Art moderne au musée d'Orsay, 1978.

EXP. : 1904, Paris, Salon de la Société des Artistes français, vitrine n° 4693.

BIBL. : Riotor, 1904, p. 20-21, repr. p. 17.

OAO 63
Loupe zoomorphe
Vers 1903-1904.
Bronze fondu, patiné brun noir,
partiellement argenté, or (?), verre.
L. 0,213; l. 0,104; Ep. 0,016.
S. en creux au revers du manche :
L. GAILLARD

HIST. : Acquis au Salon de la Société des
Artistes français de 1904 pour le musée
du Luxembourg; reversement du
musée national d'Art moderne au
musée d'Orsay, 1978.

EXP. : 1904, Paris, Salon de la Société
des Artistes français, vitrine n° 4693.

BIBL. : Verneuil, 1904[b], p. 172-173, repr.
p. 168.

Galbrunner Paul-Charles
Paris 1823 - ? 1905

d'après **Iselin Henri-Frédéric**
Sculpteur
Clairegoutte (Haute-Saône) 1825 -
Paris 1905.

OAO 984
«Napoléon III», buste
1866.
Calcédoine orientale, porphyre rouge,
marbre vert antique, bronze doré.
H. 0,397; L. 0,151; P. 0,130.
S.D. gravé sur un des rubans de la
couronne de lauriers : *1866
P Galbrunner*

HIST. : Coll. de l'Empereur; Musée du
Louvre; restitué à l'Impératrice
Eugénie, 1881; donné par l'Impératrice
à Firmin Rainbeaux; succession Félix
Rainbeaux, Hôtel Drouot, 23 octobre
1936, n° 271; succession Mlle F.W.,
Hôtel Drouot, 24-25 mai 1937, n° 155
(?); vente Sotheby's, Monte Carlo,
4 mai 1977, n° 113; acquis en vente
publique, Sotheby's, Monte Carlo,
10 décembre 1984, n° 2051.

EXP. : 1866, Paris, Salon, n° 2785; 1867,
Paris, Exposition Universelle, groupe I,
classe 3, n° 106.

BIBL. : E. About, *Salon de 1866*, Paris,
1867, pp. 311-312; L. Auvray, *Salon de
1866*, Paris, 1866, p. 108; H. Barbet de
Jouy, *Musée du Louvre. Galerie
d'Apollon. Notice des gemmes et joyaux*,
Paris, 1876, E 4.

Galbrunner Paul-Charles
Paris 1823 - ? 1905

OAO 219
«Les offrandes à Minerve», camée
Vers 1869.
Agate, bronze doré.
H. 0,053; L. 0,068; P. 0,010.
S.m.b. : *P. G*[R].

HIST. : Don de l'artiste au musée du
Luxembourg, 1894; reversement du
musée national d'Art moderne au
musée d'Orsay, 1978.

EXP. : 1869, Paris, Salon, n° 3776; 1878,
Paris, Exposition Universelle, groupe I,
classe 3, n° 1238.

BIBL. : Babelon, 1902, p. 232-233, repr.
pl. XXI fig. 3.

Galland L.-Jacques
Paris ? - Paris (?) 1922

OAO 591
Vitrail
Verres crispés colorés; verres chenillés
incolores, opalescents, jaspés;
cabochons vrillés opalescents.
H. 0,271; L. 0,269.
S.b. en lettres d'or : *L. JAC GALLAND 82
Bd de Clichy PARIS*

HIST. : Provenant du cabinet de
l'architecte Gabriel Ruprich-Robert
(1859-1953), 5, rue Vavin à Paris; don
de la famille Ruprich-Robert, 1981.

BIBL. : Lacambre-Thiébaut, 1983, n° 409
p. 98, repr. p. 99.

Gallé Émile
Nancy 1846 - Nancy 1904

OAO 663
**Assiette plate (Service «Herbier» à
filet simple)**
Modèle créé en 1868.
Faïence, décor en camaïeu bleu de
grand feu sur émail stannifère blanc.
D. 0,258.
S. en bleu sous la pièce : *Gallé Nancy*

HIST. : Acquis en vente publique à
Versailles, Hôtel Rameau, 14 mars
1982, n° 136.

EXP. : 1985-86, Paris, n° 7 p. 92-93, repr.
p. 93.

BIBL. : Lacambre-Thiébaut, 1983, n° 417
p. 98, repr. p. 99.

OAO 661 et 662
**Plat rond et assiette plate (Service
«Herbier» à double filet)**
Modèles créés en 1868.
Faïence, décor en camaïeu bleu de
grand feu sur émail stannifère blanc.
Plat. : D. 0,324.
Assiette : D. 0,259.
S. en bleu sous chaque pièce : *Gallé
Nancy*

HIST. : Acquis en vente publique à
Versailles, Hôtel Rameau, 14 mars
1982, n° 136.

BIBL. : Lacambre-Thiébaut, 1983, n° 415
et 416 p. 98, repr. p. 99.

OAO 1112-113
**Assiettes plates (Service «Herbier» à
double filet)**
Modèle créé en 1868.
Faïence, décor en camaïeu bleu de
grand feu sur émail stannifère blanc.
D. 0,260.
S. en bleu sous chaque pièce : *Gallé
Nancy*

HIST. : Famille de l'artiste; don de M. et
Mme Jean Bourgogne, 1987.

OAO 660
**Plat à poisson (Service «Herbier» à
simple filet)**
Modèle créé vers 1877-78 au sein d'une
recherche commencée en 1868.
Faïence, décor en camaïeu bleu de
grand feu sur émail stannifère blanc.
L. 0,650; l. 0,305.
S. en bleu sous la pièce : *E. Gallé
Nancy*

HIST. : Acquis en vente publique à
Versailles, Hôtel Rameau, 14 mars
1982, n° 134.

EXP. : 1985-86, Paris, n° 7 p. 92-93, repr.
p. 92.

BIBL. : Lacambre-Thiébaut, 1983, n° 414
p. 98, repr. p. 99.

OAO 1057
Tasse et soucoupe (Service «Herbier» à bordure cordée)
Modèle créé vers 1877-78 au sein d'une recherche commencée en 1868.
Faïence, décor en camaïeu bleu de grand feu sur émail stannifère bleuté.
Tasse : H. 0,050 ; l. 0,011.
Soucoupe : D. 0,135.
S. en bleu sous la tasse : *E. Gallé/ Nancy*

HIST. : Ancienne collection Daigueperce ; don de Melle Suzanne Daigueperce en souvenir de ses père et grand-père Albert (1873-1966) et Marcelin (1844-1896) Daigueperce, concessionnaires de Gallé, 1986.

OAO 1056[1-6]
Six coquetiers
Modèle créé vers 1877-78.
Faïence, décor en camaïeu bleu de grand feu sur émail stannifère blanc.
H. 0,060 ; D. ouverture 0,042.
S. en bleu sous chaque pièce : *E. Gallé/ Nancy.*

HIST. : Ancienne collection Daigueperce ; don de Melle Suzanne Daigueperce en souvenir de ses père et grand-père Albert (1873-1966) et Marcelin (1844-1896) Daigueperce, concessionnaires de Gallé, 1986.

OAO 1112

OAO 664[1-2]
Paire de tasses et soucoupes (Service «Animaux Héraldiques»)
Modèle créé vers 1877-79.
Faïence, décor en camaïeu jaune et bleu de grand feu sur émail stannifère bleuté.
Tasse : H. 0,053 ; D. 0,110.
Soucoupe : D. 0,135.
S. en bleu sous chaque soucoupe : *E. Gallé/Nancy*

HIST. : Acquis en vente publique à Versailles, Hôtel Rameau, 18 octobre 1981, n° 59.

BIBL. : Lacambre-Thiébaut, 1983, n° 418 p. 100, repr. p. 101.

OAO 526
Plat d'ornement
Vers 1877-79.
Faïence, décor polychrome de petit feu, couverte transparente laissant apparaître dans la partie centrale la terre rose, rehauts d'or ; animal en relief.
H. 0,211 ; L. 0,405.
S. à l'or au revers de la pièce : *E. Gallé/ Nancy*

HIST. : Acquis dans le commerce d'art parisien, 1981.

EXP. : 1985-86, Paris, n° 29 p. 111, repr.

BIBL. : Lacambre-Thiébaut, 1983, n° 410 p. 98, repr. p. 99.

OAO 713
Plat d'ornement
Vers 1878.
Faïence, décor polychrome de petit feu
sur émail stannifère ivoire, rehauts
d'or.
D. 0,580.
S. en bleu au revers de la pièce : *E.
Gallé/Nancy*; étiquette ancienne :
*Maison de l'Escalier de Cristal/
Pannier-Lahoche et Cie/1, rue Auber et
Rue Scribe, 6/(En face le Grand
Opéra.)/1672.*

HIST. : Acquis en vente publique à
Genève, Christie's, 10 mai 1982, n° 250
p. 94, repr. en couverture.

EXP. : 1985-86, Paris, n° 21 p. 106, repr.
en coul.

BIBL. : Lacambre-Thiébaut, 1983, n° 420
p. 100, repr. p. 101.

OAO 1058
Vide-poches zoomorphe
Vers 1879-80.
Faïence, décor polychrome de petit feu
sur émail stannifère blanc.
H. 0,115; L. 0,250; l. 0,095.
Marque en relief sous le bord interne
de l'écusson : *E G*

HIST. : Ancienne collection Daigueperce;
don de Melle Suzanne Daigueperce en
souvenir de ses père et grand-père
Albert (1873-1966) et Marcelin
(1844-1896) Daigueperce,
concessionnaires de Gallé, 1986

OAO 603
Jardinière zoomorphe
Modèle créé en 1881.
Faïence, barbotine, décor polychrome
de grand feu sous couverte
transparente, rehauts d'or.
H. 0,230; L. 0,464; l. 0,105.
Marque au tampon noir sous la pièce :
E. Gallé/E G/déposé; étiquette
ancienne : *E. Gallé/Nancy.*

HIST. : Ancienne collection Madame
Robert Chevalier (1885-1966) née
Geneviève Gallé. Acquise en vente
publique à Versailles, Hôtel Rameau,
18 octobre 1981, n° 55, repr. p. 9.

EXP. : 1985-86, Paris, n° 32 p. 112-113,
repr. p. 113.

BIBL. : Lacambre-Thiébaut, 1983, n° 411
p. 98, repr. p. 99.

OAO 605
Assiette montée (Service «Bananier»)
Modèle créé en 1884.
Faïence, barbotine, décor polychrome
de grand feu sous couverte
transparente, rehauts d'or.
H. 0,113; D. 0,225.

HIST. : Acquis en vente publique à
Versailles, Hôtel Rameau, 14 mars
1982, n° 127.

BIBL. : Lacambre-Thiébaut, 1983, n° 413
p. 98, repr. p. 99.

OAO 665
Vase
Modèle créé en 1881.
Faïence, barbotine, décor polychrome
de grand feu et paillons d'or sous
couverte transparente.
H. 0,345; D. ouverture 0,181.

HIST. : Ancienne collection Madame
Paul Perdrizet (1879-1981) née Lucile
Gallé. Acquis en vente publique à
Versailles, Hôtel Rameau, 14 mars
1982, n° 131.

EXP. : 1985-86, Paris, n° 44 p. 125, repr.

BIBL. : Lacambre-Thiébaut, 1983, n° 419
p. 100, repr. p. 101.

OAO 604
Vase
1889
Faïence, décor gravé et polychrome de
petit feu sur émail mêlé de poudre d'or
et sous couverte transparente.
H. 0,300; l. 0,140.
Marque en creux ornée d'un chardon
sous la pièce :
Émile Gallé/Fayen [ceri]e [de] Nancy;
étiquette ancienne : *Émile Gallé/
Nancy-Paris* portant le numéro
manuscrit *41.*

HIST. : Ancienne collection Madame
Paul Perdrizet (1879-1981) née Lucile
Gallé. Acquis en vente publique à
Versailles, Hôtel Rameau, 18 octobre
1981, n° 57, repr.

OAO 1065
Coupe
Vers 1890-1892.
Faïence, décor polychrome de grand
feu et de petit feu, gravure à l'acide,
rehauts d'or.
H. 0,175; L. 0,270; l. 0,260.
Marque en creux ornée d'un chardon
sous la pièce : *Em. Gallé/Fayencerie
de/Nancy;* deux étiquettes anciennes :
Verreries d'art Émile Gallé Nancy Paris
avec numéro manuscrit *26071* et
POURRAT-DEBAUSSAUX-AMBERT

HIST. : Acquis dans le commerce d'art
parisien, 1986.

OAO 999
Verre d'apparat
Entre 1867 et 1876.
Verre enfumé, décor gravé à la roue, émaillé et doré; émaux polychromes opaques en relief cernés d'or.
H. 0,233; D. ouverture 0,109.
S. en creux sous le pied : *d'après Callot/Gallé Nancy*
Inscription gravée en creux sous le pied : *Pasquarietto Truonno Meo Squarara*

HIST. : Acquis dans le commerce d'art parisien, 1985.

EXP. : 1985-86, Paris, n° 61 p. 151, repr.

OAO 1085 [1-4]
Verres à décor héraldique (modèle «Jambe torse»)
Modèles créés vers 1868-1870.
Verre incolore, décor émaillé et gravé; émaux polychromes opaques en relief cernés d'or.
H. 0,125, 0,119, 0,105; 0,095;
D. ouverture 0,085; 0,085; 0,065; 0,055.

HIST. : Collection Daigueperce; don de Mlle Suzanne Daigueperce en souvenir de ses père et grand-père Albert (1873-1966) et Marcelin (1844-1896) Daigueperce, concessionnaires de Gallé, 1986.

OAO 568
Pique-fleurs
Vers 1878-80.
Verre «clair de lune» craquelé avec applications, décor peint, émaillé et doré; monture en bronze doré.
H. 0,240; l. 0,220; P. 0,140.
S. en noir sous la pièce : *E. Gallé/à/ Nancy*

HIST. : Acquis en vente publique à Genève, Christie's, 11 mai 1981, n° 367 p. 71, repr. en coul.

EXP. : 1985-86, Paris, n° 72 p. 161, repr.

BIBL. : Lacambre-Thiébaut, 1983, n° 426 p. 100, repr. p. 101.

OAO 714
Bol à fumeur
Vers 1878-80.
Verre blanc, décor gravé à la roue, émaillé et doré; émaux opaques en relief.
H. 0,090; l. 0,095; P. 0,080.
S. en blanc sous la pièce : *Émile Gallé/à Nancy*

HIST. : Don de M. et Mme Bernard Danenberg, 1982.

BIBL. : Lacambre-Thiébaut, 1983, n° 427 p. 102, repr. p. 101.

OAO 1086[1-2]
**Flûte à vin blanc et verre à bordeaux
(Service «Larmes»)**
Modèles créés en 1880.
Verre incolore et enfumé, applications.
Flûte : H. 0,165; D. ouverture 0,045.
Verre à bordeaux : H. 0,104;
D. ouverture 0,058.

HIST. : Collection Daigueperce; don de
Mlle Suzanne Daigueperce en souvenir
de ses père et grand-père Albert
(1873-1966) et Marcelin (1844-1896)
Daigueperce, concessionnaires de
Gallé, 1986.

OAO 1100, 1101, 1102
**Coupe à champagne, verre à madère,
verre à eau (Service «Larmes»)**
Modèles créés en 1880.
Verre incolore et enfumé, applications.
Coupe : H. 0,095; D. ouverture 0,110.
Verre à madère : H. 0,090; D.
ouverture 0,047.
Verre à eau : H. 0,152; D. ouverture
0,082.

HIST. : Proviennent d'un service acquis à
Lyon en 1881; don anonyme, 1987.

OAO 1103, 1104
**Carafe et coupe à champagne
(«Service Larmes»)**
Modèles créés en 1880.
Verre incolore et enfumé, applications.
Carafe : H. 0,226; l. 0,162.
Coupe : H. 0,095; D. ouverture 0,110.

HIST. : Famille de l'artiste; don de M. et
Mme Jean Bourgogne, 1987.

OAO 1105
Verre à eau (Service «Larmes»)
1881
Verre incolore et enfumé, applications,
décor gravé à la roue.
H. 0,142; D. ouverture 0,090.
Chiffre et date gravés : *PC* (entrelacés)
28 avril 1881

HIST. : Famille de l'artiste; don de M. et
Mme Jean Bourgogne, 1987.

OAO 1106
**Verre à bourgogne (Service
«Larmes»)**
Modèle créé en 1880.
Verre incolore et enfumé, applications,
décor émaillé et doré; émaux
polychromes en relief cernés d'or.
H. 0,134; D. ouverture 0,089.
Chiffre émaillé : *MO* (entrelacés).

HIST. : Famille de l'artiste; don de M. et
Mme Jean Bourgogne, 1987.

OAO 527
Flacon
Vers 1880-84.
Verre «clair de lune», décor peint,
émaillé et doré; émaux polychromes
opaques en relief cernés d'or.
H. 0,148; l. 0,095.
S. en brun sous la pièce : *Émile Gallé
de Nancy/comp./ E G/déposé*; numéro
en creux :
89

HIST. : Acquis dans le commerce d'art
parisien, 1981.

BIBL. : Lacambre-Thiébaut, 1983, n° 423
p. 100, repr. p. 101.

OAO 891
Coupe
Vers 1880-84.
Verre «clair de lune», décor givré,
émaillé et doré; émaux polychromes
opaques en relief cernés d'or.
H. 0,060; L. 0,250; l. 0,250.
S. en noir sous la pièce : *E. Gallé
à/Nancy*

HIST. : Don de Melle Andrée Vyncke,
1983.

OAO 529
Vase
Vers 1884.
Verre «clair de lune» moucheté, décor
givré, émaillé et doré; émaux
polychromes opaques en relief cernés
d'or.
H. 0,253; D. 0,199.
S. en brun sous la pièce : *E. Gallé/de
Nancy/déposé*

HIST. : Acquis dans le commerce d'art
parisien, 1981.

BIBL. : Lacambre-Thiébaut, 1983, n° 425
p. 100, repr. p. 101.

OAO 528
Vase
Vers 1884.
Verre enfumé, décor émaillé et doré;
émaux polychromes opaques et
translucides en relief cernés d'or.
H. 0,327; D. 0,230.
S. en brun sous la pièce : *Émile
Gallé/de Nancy/X/comp./E G/déposé.*
Inscription en lettres émaillées autour
du col. : *A cœur aimant tout possible*

HIST. : Acquis dans le commerce d'art
parisien, 1981.

EXP. : 1985-86, Paris, n° 83 p. 168-169,
repr.

BIBL. : Lacambre-Thiébaut, 1983, n° 424
p. 100, repr. p. 101.

OAO 1000
«La Limnée des étangs», vase
Modèle créé en 1884.
Verre incolore partiellement martelé,
inclusions, décor gravé et émaillé;
émaux polychromes opaques en relief
cernés d'or.
H. 0,316; D. base 0,124.
S. en creux sous la pièce : *E. Gallé fec^t
Nanceiis 109;* étiquette ancienne
manuscrite : *Prouvé/N 1*

HIST. : Acquis dans le commerce d'art
parisien, 1985.

EXP. : 1985-86, Paris, n° 81 p. 167, repr.

BIBL. : Gallé, 1884, p. 13; *Revue des Arts
décoratifs,* janvier 1885, repr. hors-
texte entre p. 260 et 261.

OAO 303
«Les Veilleuses d'automne», vase
1891
Cristal à plusieurs couches, couche
superficielle partiellement martelée,
décor gravé à la roue.
H. 0,213; D. ouverture 0,080.
S.D. en creux sous la pièce : *en
Sept.^bre/1891/Émile/Gallé/fec.^t* et *E/G*
dans une colchique gravée.
Inscription gravée en creux sur la
pièce : *Les veilleuses/d'automne*

HIST. : Acquis au Salon de la Société
nationale des Beaux-Arts de 1892 pour
le musée du Luxembourg;
reversement du musée national d'Art
moderne au musée d'Orsay, 1978.

EXP. : 1892, Paris, Salon de la Société
nationale des Beaux-Arts, n° 47[6];
1985-86, Paris, n° 103 p. 189, repr. en
coul.

BIBL. : Gallé, 1892, p. 335.

OAO 896
«Puisque voici la saison des pervenches», vase
1891
Cristal améthyste, décor gravé à la roue.
H. 0,124; D. ouverture 0,130.
S.D. en creux sous la pièce dans une pervenche gravée : *E. Gallé/fecit/E/G/ Nancy/1891*
Inscription gravée en relief autour du col : *Puisque voici la saison des pervenches;* en creux sur la panse : *Nous habitons chez les Pervenches/Des chambres de fleurs, à crédit;/Quand la Fougère a, sous les branches/Une idée, elle nous la dit./V. Hugo*

HIST. Acquis dans le commerce d'art parisien, 1983.

OAO 300
«Liseron d'octobre», vase
1891
Cristal à deux couches, inclusions, décor gravé à la roue, base en cristal taillé et gravé.
H. 0,188; D. ouverture 0,098.
Inscription gravée en creux sur la pièce : *Liseron d'Octobre/Vous vous êtes penché sur ma mélancolie/Verlaine*

HIST. : Acquis au Salon de la Société nationale des Beaux-Arts de 1892 pour le musée du Luxembourg; reversement du musée national d'Art moderne au musée d'Orsay, 1978.

EXP. : 1892, Paris, Salon de la Société nationale des Beaux-Arts, n° 47²; 1985-86, Paris n° 104 p. 190, repr. en coul.

BIBL. : Gallé, 1892, p. 334-335.

OAO 298
«La Soldanelle des Alpes», vase
1892
Cristal à deux couches soufflé et modelé à chaud, inclusions de parcelles métalliques (argent et platine), bullages, décor gravé à la roue.
H. 0,112; D. ouverture 0,079.
S. en creux sous la pièce : *Émile Gallé fecit.*
Inscription gravée en creux sur la pièce : *La/Soldanelle des Alpes*

HIST. : Acquis au Salon de la Société nationale des Beaux-Arts de 1892 pour le musée du Luxembourg; reversement du musée national d'Art moderne au musée d'Orsay, 1978.

EXP. : 1892, Paris, Salon de la Société nationale des Beaux-Arts, n° 473; 1985-86, Paris, n° 105 p. 191-92, repr. p. 191.

OAO 302
«Par une telle nuit», coupe
1894
Cristal à trois couches, inclusions de parcelles métalliques (or et platine), décor gravé à la roue, gravure partiellement dorée.
H. 0,133; D. ouverture 0,135.
S. en creux au bas de la pièce : *Émile Gallé/Vitrar./fac. Nancy*
Inscription gravée en creux sur le pied : *Par une telle nuit... Berlioz*

HIST. : Acquis au Salon de la Société nationale des Beaux-Arts de 1895 pour le musée du Luxembourg; reversement du musée national d'Art moderne au musée d'Orsay, 1978.

EXP. : 1894, Nancy, Galeries de la Salle Poirel, *Exposition d'art décoratif lorrain;* 1895, Paris, Salon de la Société nationale des Beaux-Arts, vitrine n° 244; 1985-86, Paris, n° 110, p. 198-99, repr. en coul.

BIBL. : Ch. Ténib, «Le nouvel art décoratif et l'école lorraine», *La Plume*, 1er novembre 1895, p. 486.

OAO 299
«Le Baumier», vase
1895
Cristal à plusieurs couches, couche superficielle martelée, inclusions de parcelles métalliques (or), décor gravé à la roue.
H. 0,467; l. 0,135.
S.D. en creux sur la pièce : *Émile Gallé/1895*
Inscription gravée en creux dans la partie supérieure : De Montibus Umbrae/C'est l'instant solennel et c'est l'heure éternelle/Où la nature émue et grave et maternelle/Robert de Montesquiou.

HIST. : Acquis au Salon de la Société nationale des Beaux-Arts de 1895 pour le musée du Luxembourg; reversement du musée national d'Art moderne au musée d'Orsay, 1978.

EXP. : 1895, Paris, Salon de la Société nationale des Beaux-Arts, vitrine n° 244; 1985-86, Paris, n° 111 p. 199-200, repr. en coul.

BIBL. : E. Gallé, «Le Baumier. Le Coudrier. Épave», *La Plume*, 1er novembre 1895, p. 490-91.

OAO 297
Coupe
1898
Cristal marbré et patiné.
H. 0,072; D. ouverture 0,138.
S. en creux sous la pièce : *Gallé*

HIST. : Acquis au Salon de la Société
nationale des Beaux-Arts de 1898 pour
le musée du Luxembourg;
reversement du musée national d'Art
moderne au musée d'Orsay, 1978.

EXP. : 1898, Paris, Salon de la Société
nationale des Beaux-Arts, vitrine
n° 316.

BIBL. : *L'Art pour Tous*, 1900, n° 965,
repr. p. 3959.

OAO 301
Vase
1900
Cristal à deux couches, couche
superficielle partiellement martelée,
inclusions de parcelles métalliques (or
et platine), marqueterie de verres
gravés, perles de verre collées.
H. 0,496; D. ouverture 0,108.
S.D. en creux à la base de la pièce :
*Pour ma Vitrine des granges à l'Expos.
1900/Gallé.*
Inscription gravée en relief autour de
l'ouverture : *Car nous réc[olt]erons en
la saison;* en creux un peu plus bas : *Si
nous travaillons sans relâche. St Paul
aux Galates VI-9*

HIST. : Acquis à l'Exposition Universelle
de 1900 pour le musée du
Luxembourg; reversement du musée
national d'Art moderne au musée
d'Orsay, 1978.

EXP. : 1900, Paris, Exposition
Universelle, groupe XII, classe 73;
1985-86, Paris, n° 120 p. 207-08, repr.

BIBL. : E. Garnier, «L'Exposition
universelle - Le verre», *Revue de l'art
ancien et moderne*, décembre 1900,
repr. hors-texte.

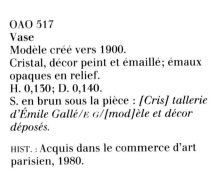

OAO 517
Vase
Modèle créé vers 1900.
Cristal, décor peint et émaillé; émaux
opaques en relief.
H. 0,130; D. 0,140.
S. en brun sous la pièce : *[Cris] tallerie
d'Émile Gallé/E G/[mod]èle et décor
déposés.*

HIST. : Acquis dans le commerce d'art
parisien, 1980.

BIBL. : Lacambre-Thiébaut, 1983, n° 422
p. 100, repr. p. 101.

OAO 1087 [1-2]
**Verre et coupe (Service
«Chrysanthèmes»)**
Modèle créé en 1902.
Cristal incolore et enfumé, cabochons,
décor gravé à l'acide, rehauts d'or.
Verre : H. 0,104; D. ouverture 0,058.
Coupe : H. 0,095; D. ouverture 0,110.
Signature gravée sur le pied : *E. Gallé*
(coupe) et *Gallé Nancy* (verre).

HIST. : Collection Albert Daigueperce;
don de Mlle Suzanne Daigueperce en
souvenir de ses père et grand-père
Albert (1873-1966) et Marcelin
(1844-1896) Daigueperce,
concessionnaires de Gallé, 1986.

EXP. : Modèle présenté à l'*Exposition de
l'École de Nancy*, Paris, Pavillon de
Marsan, 1903.

BIBL. : Modèle repr. dans *Exposition
lorraine*, 2ᵉ série, pl. 3.

OAO 1107-1108
Coupes à champagne
Modèles créés vers 1902-1904.
Cristal teinté.
H. 0,119; D. ouverture 0,085.

HIST. : Famille de l'artiste; don de M. et
Mme Jean Bourgogne, 1987.

OAO 495
Coupe
Modèle créé vers 1903.
Cristal marbré, applications.
H. 0,150; D. ouverture 0,185.
S. en creux sous la pièce : *Gallé*

HIST. : Ancienne collection Adolphe
Fruhinsholz, tonnelier. Acquis en vente
publique à Enghien-les-Bains,
28 octobre 1979, nᵒ 38.

EXP. : 1985-86, Paris, nᵒ 142 p. 232, repr.

BIBL. : Lacambre-Thiébaut, 1983, nᵒ 421
p. 100, repr. p. 101.

OAO 873
«La Flore hivernale», vitrine
1889
Noyer, loupe d'amboine, incrustations
de bois variés, cuivre ciselé et doré,
vitre gravée au diamant.
H. 2,555; l. 1,280; P. 0,630.
S.D. en creux en bas à droite du battant
gauche de la porte du corps inférieur :
*Composé et menuisé par Émile Gallé de
Nancy pour l'exposition de 1889/EG*; S.
en creux en bas à droite de la vitre
gauche du corps supérieur : *E. Gallé;*

S. en creux sur chaque bouton du tiroir
central : *EG.*
Inscriptions en marqueterie sur le côté
gauche du corps supérieur :
Les Noctuelles/d'hiver; sur le tiroir :
Noël!.../Noël/Au Gui/L'an neuf; sur le
côté droit du corps inférieur : *Fleurs de
Neige EG.*
Inscription gravée en bas du battant
gauche de la porte du corps inférieur :
*Conte d'hyver/Un conte gai?/Un conte
triste?/Shakespeare.*

HIST. : Acquis dans le commerce d'art
parisien, 1983.

EXP. : 1889, Paris, Exposition
Universelle, groupe III, classe 17;
1985-86, Paris, nᵒ 151 p. 259-61, repr.

BIBL. : E. Gallé, *Exposition universelle de
1889. Groupe III, classe 19 (Meubles à
bon marché et meubles de luxe). Notes
remises au jury sur sa production et
catalogue de son envoi,* Nancy, 1889,
p. 18-20.

OAO 461
Étagère murale
Modèle créé vers 1890-92.
Noyer, érable, marqueterie de bois
variés.
H. 0,930; l. 0,690; P. 0,280.
S. en marqueterie sur le panneau du
fond : *Gallé*

HIST. : Acquis en vente publique à Paris,
Drouot, 6 décembre 1979, nᵒ 156, repr.

EXP. : 1985-86, Paris, nᵒ 266 p. 154, repr.

OAO 494
**«Gardez les cœurs qu'avez gagnés»,
table à jeu**
Modèle créé en 1895, présenté à
l'Exposition Universelle de Paris en
1900.
Noyer, marqueterie de bois variés.
H. 0,760; L. 0,800; l. 0,450.
S. en marqueterie dans l'angle
inférieur du plateau : *E Gallé à Nancy;*
au fer au revers de la traverse frontale
de la ceinture : *forme et décor déposés.*
Inscription en marqueterie sur le côté
droit du plateau : *Gardez les cœurs
qu'avez gagnés.*

HIST. : Acquis en vente publique à
Enghien-les-Bains, 18 mars 1980,
nᵒ 232, repr.

EXP. : 1985-86, Paris, nᵒ 156 p. 267-69,
repr.

BIBL. : Lacambre-Thiébaut, 1983, nᵒ 428
p. 102, repr. p. 103.

OAO 874
Table à thé
Modèle créé en 1897.
Noyer, marqueterie de bois variés.
H. 0,860; L. 0,915; l. 0,670.
S. en marqueterie sur le côté gauche
du plateau supérieur : *Gallé*.

HIST. : Don de Melle Andrée Vyncke,
1983.

BIBL. : Lacambre-Thiébaut, 1983, n° 434
p. 104, repr. p. 105.

OAO 501
Sellette «Bananier»
Modèle créé en 1897.
Acajou, marqueterie de bois variés.
H. 1,050; L. 0,480; l. 0,480.
S. en marqueterie dans l'angle gauche
inférieur du plateau : *E Gallé*

HIST. : Acquis dans le commerce d'art
parisien, 1980.

BIBL. : Gallé, 1900, p. 338, repr.;
Lacambre-Thiébaut, n° 429 p. 102,
repr. p. 103.

OAO 597 1-2
Paire de chaises «Les Trois-Épis»
(Salon «Les Champs»)
Modèle créé en 1898, présenté à
l'Exposition Universelle de Paris en
1900.
Noyer, garniture originale en peau de
chèvre retournée.
H. 1,115; l. 0,445; P. 0,450.
S. au fer au revers de l'épi central du
dossier : *Gallé*.

HIST. : Acquis dans le commerce d'art
parisien, 1981.

BIBL. : Gallé, 1900, p. 333 et 366, repr.;
Lacambre-Thiébaut, 1983, n° 430
p. 102, repr. p. 103.

OAO 602
Banquette
Vers 1902-1904.
Noyer, garniture originale en cuir.
H. 0,680; L. 1,030; P. 0,430.
S. au fer au bas de l'élément central du
dossier : *Gallé*

HIST. : Acquise en vente publique à
Versailles, Hôtel Rameau, 18 octobre
1981, n° 88, repr.

BIBL. : Lacambre-Thiébaut, 1983, n° 431
p. 102, repr. p. 103.

OAO 1082
«La berce des prés», chaise de salon
Modèle créé en 1902.
Noyer, garniture originale en peau de
chèvre retournée.
H. 0,950; l. 0,470; P. 0,440.
Marque au fer sur le pied arrière
gauche : *Gallé*

HIST. : Collection Mme Robert Chevalier
(1885-1966) née Geneviève Gallé; don
de M. et Mme Jean Bourgogne, 1986.

EXP. : Modèle présenté à l'*Exposition de
l'École de Nancy*, Paris, Pavillon de
Marsan, 1903; 1985-86, Paris, n° 164
p. 279-281, repr.

BIBL. : Modèle repr. dans *Exposition
lorraine*, 1ʳᵉ série, pl. 8 et 9.

OAO 1083
«La berce des prés», chaise de
chambre à coucher
Modèle créé en 1902.
Noyer, garniture originale en peau de
chèvre retournée.
H. 0,951; l. 0,510; P. 0,480.
Marque au fer sur le montant droit du
dossier : *Gallé*

HIST. : Collection Madame Robert
Chevalier (1885-1966) née Geneviève
Gallé; don de M. et Mme Jean
Bourgogne, 1986.

EXP. : Modèle présenté à l'*Exposition de
l'École de Nancy*, Paris, Pavillon de
Marsan, 1903.

BIBL. : Modèle repr. dans *Exposition
lorraine*, 1ʳᵉ série, pl. 9.

OAO 708
«Vitrine aux libellules»
1904.
Bois de fer, chêne lacustre, acajou
moucheté, palissandre, incrustations
de nacre, verre patiné, pierre dure,
bronze ciselé et patiné.
H. 2,340; l. 1,340; P. 0,645.
S.D. en relief sur le montant droit
arrière : *E/Gallé/1904*

HIST. : Commandé en 1897 à Gallé par
Henry Hirsch (1860-1944), magistrat;
collection Claude Hirsch, fils du
commanditaire; collection Gérard
Lévy; collection Robert Walker; acquis
en 1982.

EXP. : 1904, Nancy, Galeries de la Salle
Poirel, *Exposition d'art décoratif
lorrain*, n° 84 p. 41; 1985-86, n° 167
p. 284-86, repr.

BIBL. : F. Th. Charpentier, «Une œuvre
unique d'Émile Gallé : *La vitrine aux
libellules*», *La Revue du Louvre et des
Musées de France*, 1983, n° 2, p. 126-33.

OAO 1098
Socle pour un vase en cristal
1903
Bois sculpté et incrusté de bois divers.
H. 0,173; l. 0,215; P. 0,195.
S.D. au dos de la pièce : *Gallé 1903* et
sur le côté droit : *E G*

HIST. : Collection Albert Daigueperce
(1873-1966), concessionnaire de Gallé;
don de Mlle Suzanne Daigueperce,
1986.

Gallé

Voir aussi Catalogue sommaire des
dessins d'architecture et d'art
décoratif.

Établissements Émile Gallé

OAP 192
Lampe «Liserons».
Modèle créé entre 1925 et 1930.
Verre à deux couches, décor gravé à
l'acide.
H. 0,380.

HIST. : Legs de Mme Benir, 1975.

Gagneré
Voir **Popelin**

Garchey
Voir **Guimard**

Gardet Georges
Paris 1863 - Paris 1939.

OAO 220
«Perruches inséparables», groupe
Vers 1895.
Onyx du Brésil.
H. 0,253; L. 0,124; P. 0,132.
S.b.d. : *G. Gardet*

HIST. : Acquis au Salon de la Société des
Artistes français de 1895 pour le musée
du Luxembourg; reversement du
musée national d'Art moderne au
musée d'Orsay, 1978.

EXP. : 1895, Paris, Salon de la société des
Artistes français, n° 3110.

BIBL. : Vitry, 1905, p. 76.

Gardet Georges
Sculpteur
Paris 1863 - Paris 1939

Manufacture de Sèvres
Éditeur

OAO 162
«Souris et escargot», groupe
Modèle créé vers 1897, présenté à
l'Exposition universelle de Paris, 1900.
Biscuit porcelaine dure nouvelle.
H. 0,067; L. 0,250; l. 0,045.
S. sur la terrasse à droite : *G. GARDET;*
marque rectangulaire en creux :
SÈVRES.

HIST. : Entré au musée du Luxembourg
avant 1898; reversement du musée
national d'Art moderne au musée
d'Orsay, 1978.

BIBL. : E. Molinier, «Quelques mots sur
l'Exposition de céramique», *Art et
Décoration*, t. 2, 1897, repr. p. 8; Vitry,
1905, repr. p. 76.

Gardet
Voir aussi Catalogue sommaire des
sculptures.

Garnier Alfred
Voir **Grandhomme**

**Garnier Jean-François-
Marie**
Lyon 1820 - Paris 1895

OA 3668
«L'Enfer des Luxurieux», plat
décoratif
Vers 1859-1864.
Bronze fondu et ciselé, patine brune.
H. 0,030; D. 0,530.
S.b. sur la face, au bord : *JEAN GARNIER*
Au revers, n° d'inventaire du musée du
Luxembourg : *LUX 122* en rouge.
Étiquette ancienne au revers : *MUSÉE
NATIONAL/DU LUXEMBOURG/Garnier
Jean/plat bronze/122*

HIST. : Acquis de l'artiste pour le musée
du Luxembourg en 1894; affecté par le
musée du Louvre au musée d'Orsay,
1983.

BIBL. : Maillet, 1894, pp. 274-279, repr.
p. 273.

Gauguin Paul
Paris 1848 - Atuana (Iles Marquises) 1903

AF 14329-4
Vase
1886
Grès partiellement émaillé, décor modelé.
H. 0,146; L. 0,205; P. 0,105.
S. en creux à droite de la figure féminine : *P. Go;* numéro en creux : *20*

HIST. : Collection Ambroise Vollard (1867-1939), marchand et éditeur; don Lucien Vollard, frère du précédent, au musée de la France d'Outre-Mer, 1943; déposé par le musée national des Arts Africains et Océaniens au musée du Jeu de Paume, 1971; affecté au musée d'Orsay, 1986.

EXP. : 1976, Paris, n° 105, repr. p. 50.

BIBL. : Gray, 1963, n° 13 p. 126, repr.; Bodelsen, 1964, n° 25 p. 230, repr. p. 53.

AF 14329-5
Vase
Vers 1886-1887.
Grès, décor modelé, rehauts peints.
H. 0,170; l. 0,149.
S. en creux à gauche d'une figure féminine : *P Go*

HIST. : Collection Ambroise Vollard (1867-1939), marchand et éditeur; don Lucien Vollard, frère du précédent, au musée de la France d'Outre-Mer, 1943; déposé par le musée national des Arts africains et océaniens au musée du Jeu de Paume, 1971; affecté au musée d'Orsay, 1986.

EXP. : 1976, Paris, n° 104, repr. p. 51.

BIBL. : Gray, 1963, n° 21 p. 132, repr.; Bodelsen, 1964, n° 26 p. 231, repr. p. 53.

AF 14329-6
Potiche
Vers 1886-1887.
Grès, décor modelé, rehauts peints et dorés.
H. 0,131; L. 0,151; P. 0,116.
S. en creux en bas à droite de la figure féminine : *P. Go*

HIST. : Collection Ambroise Vollard (1867-1939), marchand et éditeur; don Lucien Vollard, frère du précédent, au musée de la France d'Outre-Mer, 1943; déposé par le musée national des Arts africains et océaniens au musée du Jeu de Paume, 1971; affecté au musée d'Orsay, 1986.

BIBL. : Gray, 1963, n° 15 p. 128, repr.; Bodelsen, 1964, n° 39 p. 232, repr. p. 89.

AF 14343
Vase
Vers 1887-1888.
Grès, décor modelé et gravé, rehauts peints et dorés.
H. 0,222; l. 0,138.
S. en noir au dos sous l'anse : *P. Gauguin;* numéro en creux sous la pièce : *70*

HIST. : Collection Ambroise Vollard (1867-1939), marchand et éditeur; don Lucien Vollard, frère du précédent, au musée de la France d'Outre-Mer, 1943; déposé par le musée national des Arts africains et océaniens au musée du Jeu de Paume, 1971; affecté au musée d'Orsay, 1986.

BIBL. : Gray, 1963, n° 54 p. 168, repr.; Bodelsen, 1964, n° 37 p. 232, repr. p. 81.

OA 9050
Pot anthropomorphe
1889
Grès émaillé.
H. 0,284; D. base 0,215.
Étiquette manuscrite de Gauguin collée sous la pièce : *La Sincérité d'un Songe.../à l'idéaliste Schuffenecker, Souvenir/Paul Gauguin*

HIST. : Collection Emile Schuffenecker (1851-1934), peintre; collection Jeanne Schuffenecker, fille du précédent; don Jean Schmit au musée du Louvre, 1938.

BIBL. : Gray, 1963, n° 66 p. 185, repr.; Bodelsen, 1964, n° 53 p. 234, repr. p. 137.

OA 9051
Socle et couvercle de fontaine
Vers 1889-1890.
Bois, décor sculpté et peint.
La fontaine en grès est une poterie traditionnelle.
H. 0,445; l. 0,350; P. 0,225.
S. en creux sous le socle : *P.G.*

HIST. : Collection Émile Schuffenecker (1851-1934), peintre; collection Jeanne Schuffenecker, fille du précédent; don Jean Schmit au musée du Louvre, 1938.

EXP. : 1949, Paris, n° 88.

BIBL. : Gray, 1963, n° 78 p. 197, repr.

OA 9514
Objet décoratif
Vers 1893-1895.
Terre cuite, rehauts peints.
H. 0,344; l. 0,141; P. 0,141.

HIST. : Don David David-Weill au musée
du Louvre, 1938.

EXP. : 1949, Paris, n° 87.

BIBL. : Gray, 1963, n° 115 p. 249-250,
repr. p. 250-251.

AF 14329⁻²
Coupe
Vers 1891.
Pua sculpté.
H. 0,052; L. 0,451; l. 0,201.
S. en relief au centre : *P Go*

HIST. : Collection Ambroise Vollard
(1867-1939), marchand et éditeur; don
Lucien Vollard, frère du précédent, au
musée de la France d'Outre-mer, 1943;
déposé par le musée des Arts africains
et océaniens au musée du Jeu de
Paume, 1971; affecté au musée
d'Orsay, 1986.

BIBL. : Gray, 1963, n° 144 p. 298, repr.

AF 14329⁻³
Coupe
Vers 1891.
Tamanu sculpté.
H. 0,152; L. 0,440; l. 0,265.

HIST. : Collection Ambroise Vollard
(1867-1939), marchand et éditeur; don
Lucien Vollard, frère du précédent, au
musée de la France d'Outre-Mer, 1943;
déposé par le musée des Arts africains
et océaniens au musée du Jeu de
Paume, 1971; affecté au musée
d'Orsay, 1986.

BIBL. : Gray, 1967, n° 145 p. 299, repr.

AF 14339
Canne
Vers 1893-1895.
Bois sculpté.
L. 0,899.
S. à la peinture dorée sur la bague : *P
GO*

HIST. : Collection Ambroise Vollard
(1867-1939), marchand et éditeur; don
Lucien Vollard, frère du précédent, au
musée de la France d'Outre-Mer, 1943;
déposé par le musée des Arts africains
et océaniens au musée du Jeu de
Paume, 1971; affecté au musée
d'Orsay, 1986.

BIBL. : Gray, 1963, n° 105 p. 237, repr.

OA 9052
Poignard
Vers 1890
Bois, décor sculpté et peint, métal.
L. 0,575.
S. en creux sur le plat, à l'extrémité du manche : *PG*

HIST. : Collection Émile Schuffenecker (1881-1934), peintre; collection Jeanne Schuffenecker, fille du précédent; don Jean Schmit au musée du Louvre, 1938.

BIBL. : Gray, 1963, n° 90 p. 211, repr.

OA 9053
Canne
Vers 1893-1894.
Bois sculpté, décor peint et doré.
L. 0,850.
S. en rouge sous la pomme : *P GO*

HIST. : Collection Émile Schuffenecker (1881-1934), peintre; collection Jeanne Schuffenecker, fille du précédent; don Jean Schmit au musée du Louvre, 1938.

EXP. : 1949, Paris, n° 85.

BIBL. : Gray, 1963, n° 104 p. 235, repr.

AF 14811
Cadre
Vers 1901-1903.
Sequoia, décor sculpté et peint.
Contient une photographie ancienne d'un guerrier des Iles Marquises.
H. 0,500; l. 0,430.

HIST. : Collection Ambroise Vollard (1867-1939), marchand et éditeur; don Lucien Vollard, frère du précédent, au musée de la France d'Outre-Mer, 1943; déposé par le musée national des arts Africains et Océaniens au musée du Jeu de Paume, 1971; affecté au musée d'Orsay, 1986.

BIBL. : Gray, 1963, n° 142 p. 296, repr.

Gauguin
Voir aussi Catalogue sommaire des sculptures.

Gaulard Félix-Émile
Paris 1842-Paris (?) 1924

OA 3235
«Phoebus», camée monté
1881
Camée sur minerai d'opale à quatre couches, monture de métal doré.
H. 0,080; L. 0,094; Ép. 0,023.

HIST. : Acquis par l'État au Salon de la Société des Artistes français de 1881; attribué au musée du Luxembourg en 1890; affecté par le musée du Louvre au musée d'Orsay, 1983.

EXP. : 1881, Paris, Salon de la Société des Artistes français, n° 4381; 1882, Vienne, Exposition Universelle, n° 209; 1889, Paris, Exposition Universelle groupe I, classe 3, cadre n° 1866, n° 1.

BIBL. : Babelon, 1900, pp. 300-301; Babelon, 1902, p. 237.

OAO 221
«Naissance de Minerve», camée monté
1884
Camée sur calcédoine à deux couches, monture de cuivre doré et argenté.
H. 0,096; L. 0,044; Ép. 0,009 (avec monture).
S.D.b.d. : *GAULARD./COMP. & GRAV. 1884.*

HIST. : Acquis au Salon de la Société des Artistes français de 1884 pour le musée du Luxembourg; reversement du musée national d'Art moderne au musée d'Orsay, 1978.

EXP. : 1884, Paris, Salon de la Société des Artistes Français, n° 3998.

BIBL. : Babelon, 1902, p. 237, repr. pl. XXI, fig. 2.

OAO 272
«Gallia», modèle de figurine
Avant 1890.
Plâtre, sous globe, socle recouvert de velours vert.
Modèle pour «Gallia», figurine exécutée en quartz jaune (voir OAO 222).
H. 0,129; D. 0,065 (statuette seule).
Sur le socle, étiquette ancienne : *A remplacer/par la pierre/(topaze)* et un numéro : *830;* sous le socle, au crayon : *Gaulard/48/830.*

HIST. : Entré au musée du Luxembourg en même temps que «Gallia» (OAO 222) en 1891; reversement du musée national d'Art moderne au musée d'Orsay, 1978.

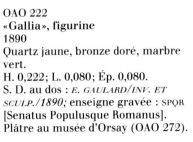

OAO 222
«Gallia», figurine
1890
Quartz jaune, bronze doré, marbre vert.
H. 0,222; L. 0,080; Ép. 0,080.
S. D. au dos : *E. GAULARD/INV. ET SCULP./1890;* enseigne gravée : SPQR [Senatus Populusque Romanus].
Plâtre au musée d'Orsay (OAO 272).

HIST. : Acquis au Salon de la Société des Artistes français de 1890 pour le musée du Luxembourg; entré au musée du Luxembourg en 1891; reversement du musée national d'Art moderne au musée d'Orsay, 1978.

EXP. : 1890, Paris, Salon de la Société des Artistes français, n° 4655; 1900, Paris, Exposition Universelle, groupe II, classe 3, cadre n° 292, n° 1.

BIBL. : Babelon, 1902, p. 237.

OAO 1135
«L'Enlèvement de Déjanire», camée
1895
Camée sur sardonyx à plusieurs couches.
H. 0,095; l. 0,075; Ép. 0,013.
S.D. d. : *E. GAULARD/INV & SCULP/1895.*

HIST. : Acquis au Salon de la Société des Artistes français de 1895 pour le musée du Luxembourg, 1895; déposé au musée Fabre de Montpellier en 1933; attribué au musée d'Orsay par le Fonds national d'art contemporain, 1987.

EXP. : 1895, Paris, Salon de la Société des Artistes français, n° 3601, n° 1; 1900, Paris, Exposition Universelle groupe II, classe 9, cadre n° 292, n° 5.

BIBL. : Babelon, 1900, p. 300, repr. p. 303.

OAO 1134
«Léda», camée
1896
Camée sur sardonyx à trois couches.
H. 0,085; l. 0,125; Ép. 0,009.
S.D.b.d. : *E. gaulard/inv. & sculp./1896*

HIST. : Acquis au Salon de la Société des Artistes français de 1896 pour le musée du Luxembourg; entré au musée du Luxembourg en 1897; déposé au musée Fabre de Montpellier en 1933; attribué au musée d'Orsay par le Fonds national d'Art contemporain, 1987.

EXP. : 1896, Paris, Salon de la Société des Artistes français, n° 3931; 1900, Paris, Exposition Universelle, groupe II, classe 9, cadre n° 292, n° 8.

BIBL. : Babelon, 1902, p. 238.

Gélin
Voir **Maison Fourdinois**

Gély
Voir **Manufacture Nationale de Sèvres**

Geoffroy-Dechaume
Voir **Maison Froment-Meurice**

Georges Léone

OAO 317
Éventail plié
1906
Gouache sur soie, monture en écaille.
H. 0,192; l. 0,325 (déplié).
S.b.d. en bleu : *LÉONE GEORGES*

HIST. : Acquis par l'État à l'Exposition de la Société de la Miniature, de l'Aquarelle et des Arts Précieux de 1907; attribué au musée du Luxembourg en 1912; reversement du musée national d'Art moderne au Musée d'Orsay, 1978.

EXP. : 1907, Paris, Galerie Georges Petit, *Exposition de la Société de la Miniature, de l'Aquarelle et des Arts Précieux;* 1911, Turin, Exposition internationale des Beaux-Arts.

Geyger Ernst-Moritz
Rixdorf (près de Berlin) 1861 - Florence 1941

OAO 64
Modèle de pendentif (?)
Vers 1900-1902.
Bronze patiné brun, décor face et revers.
H. 0,060; l. 0,032; Ép. 0,006.

HIST. : Musée du Luxembourg; reversement du musée national d'Art moderne au musée d'Orsay, 1978.

BIBL. : Exemplaire repr. dans *Deutsche Kunst und Dekoration*, 1904, XIV, p. 395.

Gimson Ernest William
Leicester 1864 - Sapperton 1919

Kenton and Company Ltd
Ateliers d'ébénisterie
Londres 1890-1892

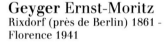

OAO 457
Cabinet
1891
Ébène de Macassar, marqueterie de palmier, oranger et ébène; intérieur en cyprès, sycomore et œil de vermeil; argent et métal blanc.
H. 1,397; L. 1,010; P. 0,453.
Poinçons sur les poignées en argent : titre, argent, Londres (tête de léopard, lion passant); lettre-date ϱ (1891).

HIST. : Passé en vente à Londres chez Christie; Galeries Haslam & Whiteway et The Fine Art Society, Londres; Coll. J. Lewis; The Fine Art Society, Londres; acquis en 1979.

EXP. : 1891, Londres, Art Workers' Guild, Barnards Inn, *Kenton and Company;* 1973, Londres, The Fine Art Society, *The Arts and Crafts movement. Artist craftsmen & designers. 1890-1930,* nº F8.

BIBL. : L. Lambourne, *Utopian Craftsmen. The Arts and Crafts Movement from the Cotswold to Chicago,* London, 1980, p. 168, repr. p. 167.

Giroux
Voir **Duvinage**

Manufacture nationale de tapisserie des Gobelins,
Voir **Gorguet**

Gobert
Voir **Manufacture nationale de Sèvres**

Godwin Edward William
Bristol 1833 - Londres 1886

Watt William (?)
Fabricant de meubles
Londres

OAO 578
Étagère-vitrine à suspendre.
Modèle créé vers 1877.
Acajou, verre.
H. 1,320; L. 0,695; P. 0,235.

HIST. : Galerie Haslam & Whiteway, Londres; The Fine Art Society, Londres; acquis en 1981.

EXP. : 1981, Londres, The Fine Art Society, *Architect-Designers Pugin to Mackintosh,* nº 25, repr.

BIBL. : *Art furniture from designs by E.W. Godwin, F.S.A., and others, with hints and suggestions on domestic furniture and decoration, by William*

Watt, Londres, 1877, pl. 4 et 14; R.W. Edis, *Decoration and Furniture of Town Houses,* Londres, 1881, repr. p. 214.

Goodall & C°
Voir **Mackmurdo**

Gorguet Auguste-François-Marie
Peintre
Paris 1862 - Paris (?) 1927

Manufacture nationale de tapisseries des Gobelins

OAO 275
«Vertumne et Pomone», tapisserie
Tapisserie tissée de 1899 à 1903.
Laine et soie polychromes.
H. 3,750; L. 2,880.
S.b.d. tissé : *AUG FRANÇOIS GORGUET.*
Inscriptions tissées dans un cartouche : à g., *VERTUM/NUS.;* à d. : *POMO/NA.*
Marques tissées dans la bordure droite : *RF/G* broché [Gobelins]/ *1901-03/H.F/L.B*/monogramme *CA/G.M* [tapissiers].
Étiquette cousue au revers : *Manufacture Nationale des Gobelins/ n° 520/Vertumne et Pomone d'après M. Gorguet/H. 3,79 m. l. 3,04 m.*
Carton composé en 1898 (exp. : 1898, Paris, Salon de la Société des Artistes français, section Peinture, n° 931).

HIST. : Modèle acquis pour le Musée du Luxembourg en 1898; tapisserie et carton entrés au Musée du Luxembourg en 1904; reversement du Musée national d'Art moderne au musée d'Orsay, 1978.

BIBL. : Paulet, 1907, p. 72, repr. p. 79.

Godefroy
Voir **Manufacture nationale de tapisseries de Beauvais**

Grandhomme Paul
Paris 1851 - Saint-Briac-sur-mer 1944

Garnier Étienne-Marie-Alfred
Puiseaux (Loiret) 1848 - Bazoches (Yvelines) (?) 1908 (?)

OAO 194
«L'Amour et la Chasteté», émail peint
1890
Émail peint sur cuivre, polychrome, translucide et opaque, paillons d'or, rehauts d'or; cadre ancien de bois noirci et doré.
D'après «Le combat de l'Amour et de la Chasteté» (National Gallery, Londres).
H. 0,195; l. 0,166 (hors cadre).
H. 0,387; l. 0,356; Ep. 0,092 (cadre).
S.b.g. en or : *PGrandhomme AGarnier* (les initiales formant monogramme) (peu lisible).
Titre b.m. en or : *L'AMOUR ET LA CHASTE[TÉ]*
S.D. au revers : *Grandhomme Garnier/ Émailleurs/Paris 1890* (très effacé).
Cartel ancien sur le cadre : *GRANDHOMME et GARNIER/L'Amour et la Chasteté*

HIST. : Donation Charles Hayem au musée du Luxembourg, 1898; entré au musée du Luxembourg en 1899; reversement du musée national d'Art moderne au musée d'Orsay, 1978.

EXP. : 1892, Paris, Salon de la Société nationale des Beaux-Arts, n° 54.

BIBL. : Bouyer, 1900, p. 593.

OAO 190
«Orphée», vase
1892
Émail peint sur cuivre, polychrome, translucide et opaque, paillons d'or, rehauts d'or; monture d'argent ciselé et patiné.
H. 0,230; D. 0,079.
S. au col, à l'intérieur de la monture : *C. Ahl (?) fondeur.* S. b. en noir : *PGrandhomme - AGarnier* (les initiales formant monogramme) *18[..]*
Texte peint en or :
Les mugissements de la flamme terrible
Couvraient à peine les plaintes d'Orphée
L'Écho désolé, à ses a ses (sic) sanglots
à ses appels
Repetait comme dans un râle
Euridice ... Euridice!!!

HIST. : Acquis au Salon de la Société nationale des Beaux-Arts de 1892 pour le musée du Luxembourg; reversement du musée national d'Art moderne au musée d'Orsay, 1978.

EXP. : 1892, Paris, Salon de la Société nationale des Beaux-Arts, n° 59.

BIBL. : Fourcaud, 1892, pp. 10 et 12, repr. p. 4.

OAO 192
«Hélène», émail peint
1893
Émail peint sur cuivre, polychrome, translucide et opaque, paillons d'or, rehauts d'or; monture de bronze doré et d'émaux peints à rehauts d'or; cadre de présentation ancien recouvert de velours cramoisi avec fenêtre permettant de voir le revers de la pièce.
D'après Gustave Moreau «Hélène sous les murs de Troie» (musée du Louvre, Cabinet des Dessins).
Monogrammé b.g. en noir : *PG AG* (lettres entrelacées) et inscription b.d. en noir : *Gustave MOREAU*
S.D. au revers : *PGrandhomme - AGarnier* (les initiales formant monogramme)/*Émailleurs/Paris - 1893.*
Sur le cadre, cartel ancien : *GRANDHOMME et GARNIER/Hélène d'après G. Moreau;* au revers, étiquette ronde : *Lux/33.*
H. 0,134; l. 0,092 (avec monture).
H. 0,235; l. 0,195; Ep. 0,040 (avec cadre).

HIST. : Donation Charles Hayem au musée du Luxembourg, 1898; entré au musée du Luxembourg en 1899; reversement du musée national d'Art moderne au musée d'Orsay, 1978.

EXP. : 1894, Paris, Salon de la Société nationale des Beaux-Arts, n° 2 de la vitrine n° 406.

BIBL. : Fourcaud, 1894, p. 9.

OAO 191
«Minerve» émail peint
1895
Émail polychrome opaque, translucide et sur paillons, peint sur cuivre, rehauts d'or; monture de métal doré, cadre de velours.
D'après Andréa Mantegna, «La Sagesse victorieuse des Vices», (musée du Louvre).
H. 0,230; L. 0,205; Ep. 0,035 (avec cadre).
S.b.g. : *PGrandhomme AGarnier* (les initiales formant monogramme).
Cartel ancien sur le cadre : *GRANDHOMME et GARNIER/Minerve, d'après Mantegna;* au revers, petite étiquette ronde : *LUX/32* collée sur étiquette plus ancienne.

HIST. : Donation Charles Hayem au musée du Luxembourg, 1898; entré en

1899; reversement du musée national d'Art moderne au musée d'Orsay, 1978.

EXP. : 1895, Paris, Salon de la Société nationale des Beaux-Arts, vitrine n° 246, n° 4.

BIBL. : Bouyer, 1900, p. 593.

OAO 193
«Léda», émail peint
1895
Émail peint sur cuivre, translucide et opaque, rehauts d'or; monture d'émail peint et doré et bronze doré; cadre de présentation ancien recouvert de velours noir.
D'après Gustave Moreau.
H. 0,372; l. 0,291 (avec monture).
H. 0,420; l. 0,333; Ep. 0,022 (avec cadre).
S.b.g. en noir : *PGrandhomme - AGarnier* (les initiales formant monogramme) d^{ap} *GUSTAVE MOREAU*
Au revers du cadre, étiquette ronde : *LUX/34*

HIST. : Acquis au Salon de la Société Nationale des Beaux-Arts de 1895 pour le musée du Luxembourg; reversement du musée national d'Art moderne au musée d'Orsay, 1978.

EXP. : 1895, Paris, Salon de la Société nationale des Beaux-Arts, n° 7 de la vitrine n° 246.

BIBL. : Fourcaud, 1895, p. 426.

Grasset Eugène-Samuel
Peintre et décorateur
Lausanne 1841-Sceaux 1917

Maison Vever
Joaillier et bijoutier, Paris
Maison dirigée par Paul (Metz 1851-?)
et Henri (Metz 1854-Noyers 1942)
Vever.

OAO 44
«Apparitions», broche
1900
Or repoussé; émail cloisonné translucide et opaque ; ivoire; topazes en cabochons.
Présentoir d'origine conservé.
L. 0,062; l. 0,039; Ep. 0,013.
S.b.d. sur la tranche : *VEVER*
Sur la tranche et sur l'épingle : poinçon de petite garantie, or, Paris, et de fabricant (illisible); au revers, sur le crochet : poinçon de fabricant, (illisible).

HIST. : Acquis à l'Exposition Universelle de 1900 pour le musée du

Luxembourg; reversement du musée national d'Art moderne au musée d'Orsay, 1978.

EXP. : 1900, Paris, Exposition Universelle, groupe XV, classe 95.

BIBL. : Saunier, 1901, p. 24; Ernstyl, 1901, p. 152 et repr.

Grasset

Voir aussi Catalogue sommaire des dessins d'architecture et d'art décoratif.

Greber Charles
Beauvais 1853-Beauvais 1935

DO 1981-30
Vase
1910
Grès émaillé.
H. 0,220; D. ouverture 0,103.
S. en creux sous la pièce : *C. Greber*

HIST. : Acquis au Salon de la Société des Artistes français de 1911 pour le musée du Luxembourg; dépôt du musée national d'Art moderne au musée d'Orsay, 1981.

EXP. : 1911, Paris, Salon de la Société des Artistes français, n° 12 de la vitrine n° 5272.

Grisée
Voir **Froment-Meurice**

Grittel Émile
Strasbourg 1870- ? 1953

OAO 520
Vase
Vers 1910.
Grès émaillé, rehauts d'or et d'argent.
H. 0,152; l. 0,156.
S. en creux sous la pièce : *E. Grittel*

HIST. : Acquis en vente publique à Paris, Drouot, 17 décembre 1980, salle 9, n° 173, repr.

BIBL. : Lacambre-Thiébaut, 1983, n° 437 p. 104, repr. p. 105.

Gruber Jacques
Sundhausen 1870 - Paris 1936

OAO 969
Vitrail
1910
Verre «américain» chenillé et iridescent, verre opalescent; verres gravés et superposés.
S.D. b.m. à la grisaille : *Jacques GRUBER/NANCY. 10*

HIST. : Provient du salon de réception du château Dedyn dans les Ardennes belges, aménagé en 1910. Acquis en Belgique, 1984.

Gruber
Voir également à **André**

Grueby Faïence Company
Manufacture fondée à Boston en 1897

OAO 163
Cache-pot
Vers 1899-1900.
Faïence
H. 0,155; D. ouverture 0,145.
Marque circulaire en creux ornée d'un lotus sous la pièce : *GRUEBY FAÏENCE Co.BOSTON. USA.;* monogramme en creux de la modeleuse : *W*[ilhelmina] *P*[ost]

HIST. : Acquis en 1901 à la galerie Bing pour le musée du Luxembourg; reversement du musée national d'Art moderne au musée d'Orsay, 1978.

BIBL. : *L'Art pour tous*, n° 986, 15 juillet 1901, repr. p. 4041.

William Guérin & Cie
Voir **Cavaillé-Coll**

Guillaume de Rochebrune
Voir **Avisseau**

Guillemin
Voir **Diehl**

Guéret frères,
Fabrique de meubles sculptés, Paris.
Dirigée par Denis-Désiré Guéret
(1828-?) et Onésime Guéret (1830-?).

A. Cartier
Horloger, Paris.

MDO 60
« L'Amour triomphant du temps »,
pendule
1863
Noyer sculpté, bronze doré, verre.
H. 0,930 ; L. 0,635 ; P. 0,275.
S.D.b.m. : *GUÉRET SCULP. F^{RES}/PARIS 1863*
Marque d'horloger sur le mouvement :
A^{TE} CARTIER/à/PARIS

HIST. : Donation sous réserve d'usufruit
de M. Daniel Iffla-Osiris, 1906 ; musée
du Château de Rueil-Malmaison, 1912 ;
affecté au musée d'Orsay, 1982.

Guéret frères
Fabrique de meubles sculptés, Paris.

Dirigée par Denis-Désiré Guéret
(1828-?) et Onésime Guéret (1830-?).

MDO 61-62
« Les Saisons », paire de statuettes
Vers 1867 ?
Noyer sculpté.
(Le Printemps et l'Été) et 0,365
H. 0,800 ; l. 0,350
(L'Automne et l'Hiver) ; P. 0,210.
Marque au fer à l'arrière des socles :
GUÉRET F^{RES} PARIS

HIST. : Donation sous réserve d'usufruit
de M. Daniel Iffla-Osiris, 1906 ; musée
du Château de Rueil-Malmaison, 1912 ;
affecté au musée d'Orsay, 1982.

MDO 1983-87
Baromètre-thermomètre
1867
Tilleul sculpté, et partiellement doré;
cuivre doré et émaillé; verre.
H. 1,480; L. 0,590; P. 0,100.
S.D.b.d. : *D. Guéret/1867*
Marque sur le cadran du baromètre :
GUÉRET FRÈRES/PARIS/ÉON/R Sᵀ ANDRÉ
DES ARTS 43

HIST. : Acquis par l'Empereur à
l'Exposition de 1867; entré au Garde-
Meuble le 22 novembre 1867; dépôt du
Mobilier national, 1983.

EXP. : 1867, Paris, Exposition
Universelle, groupe III, classe 14.

BIBL. : « Paris, Exposition Universelle of
1867. The Art-Journal Illustrated
Catalogue of the Universal Exhibition »,
The Art-Journal, vol. VII, 1868, p. 286
repr.; Ph. Burty, « Le Mobilier
moderne », *Gazette des Beaux-Arts*,
t. XXIV, 1868, p. 38.

Gueyton Alexandre
Orfèvre, Paris
? 1818 - ? 1862
Morel-Ladeuil Léonard
Sculpteur et orfèvre
Clermont-Ferrand 1820 - Boulogne-
sur-mer 1888

OAO 537
**Bouclier allégorique de la guerre de
Crimée**
1862
Bronze patiné.
D. 0,560; P. 0,100.
S.b.g. : *Aᴰᴿᴱ Gueyton orfèvre*
Armes de France, de Grande-Bretagne
et de Turquie, entre les bas-reliefs.

HIST. : Coll. Michel Spiquel (1806-1870)
qui avait un magasin d'équipements
militaires et un atelier d'orfèvrerie à
Paris; don de son arrière-petite-fille
Mme Jacques Pharaon, 1981.

EXP. : 1862, Londres, Exposition
Universelle, classe XXXIII.

BIBL. : *Exposition Universelle de Londres
en 1862. Rapports des membres de la
section française du Jury international*,
Paris, 1862, vol. VI, p. 460; *Rapports
des délégués des ouvriers parisiens à
l'Exposition de Londres en 1862*, Paris,
1862-1864, vol. XIII, p. 634; Lacambre-
Thiébaut, 1983, nº 438 p. 104, repr.
p. 105

Gueyton Alexandre
Orfèvre, Paris
? 1818 - ? 1862

OAO 1016
Épée
Argent doré (galvanoplastie), émail,
rubis, émeraudes, saphir, diamants et
perles; lame d'acier gravé et doré;
foureau gainé de parchemin.
H. 0,048; L. 0,896; l. 0,106.
S. gravé : *ALEXANDRE GUEYTON PARIS*
Poinçons à droite au bout du quillon,
au bas de la poignée, et en haut du
fourreau : titre, argent, importation ou
vente publique.
Monogramme émaillé de chaque côté
de la fusée : *ED*
Inscriptions gravées, sur la fusée :
CORDE/LA CUZON; sur la coquille :
FRANCE
Dans son écrin d'origine en acajou et
laiton, doublé de velours blanc inscrit à
l'intérieur du couvercle, en lettres
dorées, au milieu : *OFFERT/par/
L'Empereur Napoléon III/à/Monsieur
Édouard Detaille;* b. d. : A. GUEYTON A
PARIS

HIST. : Offert par l'Empereur au peintre
Jean-Baptiste Édouard Detaille
(1842-1912); acquis en vente publique,
Versailles, Palais des Congrès,
1er décembre 1985, nº 101, repr.

Guimard Hector
Lyon 1867 - New-York 1942

OAO 340
Banquette de fumoir
1897
Jarrah, métal ciselé, garniture
moderne.
H. 2,600; l. 2,620; P. 0,660.

HIST. : Provient de la salle de billard de
la propriété Roy aux Gévrils (Loiret),
aménagée par Guimard en 1897-1898;
coll. Alain Blondel - Yves Plantin, Paris;
acquis en 1979.

EXP. : 1970, New-York, nº 4 p. 9.

BIBL. : Modèle repr. dans *Le Castel
Béranger*, 1898, pl. 64 fig. 6-9.

OAO 341
Meuble formant cheminée
1897
Jarrah, tilleul, cuivre ciselé.
H. 3,020; l. 1,790; P. 0,290.

HIST. : Provient de la salle de billard de
la propriété Roy aux Gévrils (Loiret),
aménagée par Guimard en 1897-1898;
coll. Alain Blondel - Yves Plantin, Paris;
acquis en 1979.

OAO 342
Banquette - coffre
1897
Jarrah et tilleul, garniture moderne.
H. 0,890; l. 1,510; P. 0,550.

HIST. : Provient du petit salon de la propriété Roy aux Gévrils (Loiret) aménagée par Guimard en 1897-1898; coll. Alain Blondel - Yves Plantin, Paris; acquis en 1979.

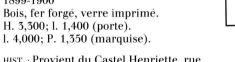

OAO 557[1-2]
Porte et marquise
1899-1900
Bois, fer forgé, verre imprimé.
H. 3,300; l. 1,400 (porte).
l. 4,000; P. 1,350 (marquise).

HIST. : Provient du Castel Henriette, rue des Binelles à Sèvres, construit par Guimard pour Mme veuve Hefty en 1899-1900, démoli en 1969; coll. Alain Blondel-Yves Plantin, Paris; don de MM. Alain Blondel et Yves Plantin, 1979.

OAO 561[1-2]
Balcons
1899-1900
Fer forgé.
H. 0,415; l. 1,400; P. 0,315 chaque.

HIST. : Provient du fumoir du Castel Henriette, rue des Binelles à Sèvres, construit par Guimard pour Mme veuve Hefty en 1899-1900, démoli en 1969; coll. Alain Blondel-Yves Plantin, Paris; don de MM. Alain Blondel et Yves Plantin, 1979.

OAO 565
Étai
1899-1900
Fer.
H. 2,030; l. 0,285; Ép. 0,400.

HIST. : Provient du Castel Henriette, rue des Binelles à Sèvres, construit par Guimard pour Mme veuve Hefty en 1899-1900, démoli en 1969; coll. Alain Blondel-Yves Plantin, Paris; don de MM. Alain Blondel et Yves Plantin, 1979.

EXP. : 1971, Paris, *Pionniers*, n° 151 p. 156.

OAO 563-564
Colonnes
1899-1900
Calcaire.
A l'origine, les colonnes se composaient
de cinq tambours.
H. 1,300; D. 0,450 chaque.

HIST. : Provient du Castel Henriette, rue
des Binelles à Sèvres, construit par
Guimard pour Mme veuve Hefty en
1899-1900, démoli en 1969; coll. Alain
Blondel-Yves Plantin, Paris; don de.
MM Alain Blondel et Yves Plantin,
1979.

EXP. : 1971, Paris, *Pionniers*, n° 150
p. 156.

OAO 558[1-8]
Éléments d'escalier
1899-1900
Fer forgé, acajou.
H. 0,620; L. 1,180 (chaque panneau de
rampe).
H. entre 1,490 et 0,930; l. 0,075
(pilastres).

HIST. : Provient de l'escalier intérieur
principal du Castel-Henriette rue des
Binelles à Sèvres, construit par
Guimard pour Mme veuve Hefty en
1899-1900, démoli en 1969; coll. Alain
Blondel-Yves Plantin, Paris; don de
MM Alain Blondel et Yves Plantin,
1979.

EXP. : 1971, Paris, *Pionniers*, n° 154
p. 157 (pilastre).

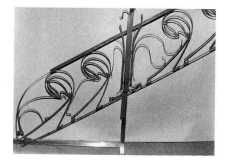

OAO 579[1-2]
Consoles
1899-1900
Plâtre patiné marron.
H. 0,270; l. 0,200; l. 0,220 chaque.

HIST. : Provient du Castel Henriette, rue
des Binelles à Sèvres, construit par
Guimard pour Mme veuve Hefty en
1899-1900, démoli en 1969; coll. Alain
Blondel - Yves Plantin, Paris; don de
MM. Alain Blondel et Yves Plantin,
1979.

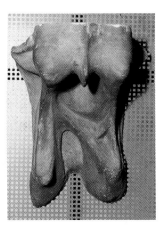

OAO 580
Console
1899-1900
Plâtre patiné vert.
H. 0,315; l. 0,105; P. 0,305.

HIST. : Provient du Castel Henriette, rue
des Binelles à Sèvres, construit par
Guimard pour Mme veuve Hefty en
1899-1900, démoli en 1969; coll. Alain
Blondel - Yves Plantin, Paris; don de
MM. Alain Blondel et Yves Plantin,
1979.

OAO 581[1-3]
Consoles
1899-1900
Plâtre peint à l'huile.
H. 0,160; l. 0,125; P. 0,110 chaque.

HIST. : Provient du Castel Henriette, rue
des Binelles à Sèvres, construit par
Guimard pour Mme veuve Hefty en
1899-1900, démoli en 1969; coll. Alain
Blondel - Yves Plantin, Paris; don de
MM. Alain Blondel et Yves Plantin,
1979.

BIBL. : Modèle repr. dans *Le Castel
Béranger*, 1898, pl. 36, fig. 10.

OAO 582-584
Corbeaux
1899-1900
Plâtre peint à l'huile.
H. 0,255; l. 0,100; P. 0,410.

HIST. : Provient du Castel Henriette, rue
des Binelles à Sèvres, construit par
Guimard pour Mme veuve Hefty en
1899-1900, démoli en 1969; coll. Alain
Blondel - Yves Plantin, Paris; don de
MM. Alain Blondel et Yves Plantin,
1979.

OAO 482-484
Éléments de crémones
Modèles créés entre 1896 et 1898.
Fonte peinte.

HIST. : Provient du Castel Henriette, rue
des Binelles à Sèvres, construit par
Guimard pour Mme veuve Hefty en
1899-1900, démoli en 1969; coll. Alain
Blondel-Yves Plantin; don de
MM. Alain Blondel et Yves Plantin,
1979.

BIBL. : Modèles repr. dans *Le Castel
Béranger*, 1898, pl. 49, 57 et 58.

OAO 482[1-2]
Poignées et boitiers
H. 0,180; l. 0,050; P. 0,085 chaque.

OAO 483 [1-3]
Gâches
H. 0,038; l. 0,052; Ép. 0,022 chaque.

OAO 484 [1-3]
Chapiteaux
H. 0,078; l. 0,065; Ép. 0,027 chaque.

OAO 477
Plaque
Vers 1899-1900.
Verre imprimé.
H. 0,660; l. 0,450.

HIST. : Provient du Castel Henriette, rue
des Binelles à Sèvres, construit par
Guimard pour Mme veuve Hefty en
1899-1900, démoli en 1969; coll. Alain
Blondel-Yves Plantin; don de
MM. Alain Blondel et Yves Plantin,
1979.

OAO 540
Grille
Vers 1907.
Fer forgé.
H. 2,970; L. 2,050.

HIST. : Provient de la villa de Jules
Desagnat, 5 bis avenue Foch, Saint-
Cloud, construite par Eugène-
Théodore Judlin; don de la Société des
Amis d'Orsay, 1981.

BIBL. : Lacambre-Thiébaut, 1983, n° 440,
p. 104, repr. p. 105.

Guimard Hector
Lyon 1867 - New-York 1942

Bigot Alexandre
Céramiste
Mer (Loir-et-Cher) 1862 - Paris 1927

OAO 469-471 [1-2]
Panneaux de revêtement mural
Modèles créés entre 1896 et 1898.
Grès émaillé.
H. 0,298; L. 0,625; Ep. 0,090
(OAO 469).
H. 0,602; L. 0,145; Ep. 0,080
(OAO 470).
H. 0,598; L. 0,142; Ep. 0,065

(OAO 471 [1]).
H. 0,590; L. 0,145; Ep. 0,070
(OAO 471 [2]).

HIST. : Provient du dépotoir de la villa de Guimard à Vaucresson, rue Le Nôtre (construite vers 1930, détruite en 1969); coll. Alain Blondel - Yves Plantin; don de MM. Alain Blondel et Yves Plantin, 1979.

EXP. : 1971, Paris, *Pionniers,* n° 136 p. 146 (OAO 469).

BIBL. : Modèle repr. dans *Le Castel Béranger,* 1898, pl. 25 et 26.

OAO 472-473 [1-19]
Fragments de cheminée
Modèle créé entre 1896 et 1898.
Grès émaillé.

HIST. : Provient des ateliers de Guimard à l'Orangerie du château de Saint-Cloud; don de MM. Alain Blondel et Yves Plantin, 1979.

BIBL. : Modèle repr. dans *Le Castel Béranger,* 1898, pl. 43.

Guimard Hector
Lyon 1867 - New-York 1942
Société des Chéneaux et Tuyaux en fonte Bigot-Renaux

OAO 559[1-4]
Chéneaux
1899-1900
Fonte peinte.
H. 0,295; L. 1,040 chaque.

HIST. : Provient du Castel Henriette, rue des Binelles à Sèvres, construit par Guimard pour Mme veuve Hefty en 1899-1900, démoli en 1969; coll. Alain Blondel-Yves Plantin, Paris; don de MM. Alain Blondel et Yves Plantin, 1979.

BIBL. : G. Jarlot, «Guimard et l'Art Nouveau», *Art de France,* IV, 1964, repr. p. 382.

OAO 560
Fragment d'un tuyau de descente
1899-1900
Fonte peinte.
H. 1,010; D. 0,120.

HIST. : Provient du Castel Henriette, rue des Binelles à Sèvres, construit par Guimard pour Mme veuve Hefty en 1899-1900, démoli en 1969; coll. Alain Blondel-Yves Plantin, Paris; don de MM. Alain Blondel et Yves Plantin, 1979.

BIBL. : Modèle repr. dans *Le Castel Béranger,* 1898, pl. 22 fig. 2.

Guimard Hector
Lyon 1867 - New-York 1942
Maison H.E. et L. Fontaine
Quincailliers-serruriers
Paris

OAO 485
Plaque de sonnette
Modèle créé entre 1896 et 1898.
Cuivre.
H. 0,060; l. 0,065; Ep. 0,030.

HIST. : Provient du Castel Henriette, rue des Binelles à Sèvres, construit par Guimard pour Mme veuve Hefty en 1899-1900, démoli en 1969; coll. Alain Blondel-Yves Plantin; don de MM Alain Blondel et Yves Plantin, 1979.

BIBL. : Modèle repr. dans *Le Castel Béranger,* 1898, pl. 57 n° 6.

OAO 514
Poignée de porte
Modèle créé entre 1896 et 1898.
Cuivre.
H. 0,098; l. 0,100; P. 0,060.
Marques en creux à la base de la poignée : *F.T.* et près du pas de vis de la poignée : *Q.*

HIST. : Don de M. Bruno Foucart par l'intermédiaire de la Société des Amis d'Orsay, 1980.

BIBL. : Modèle repr. dans *Le Castel Béranger,* 1898, pl. 35 n°s 2-4; Lacambre-Thiébaut, 1983, n° 439 p. 104, repr. p. 105.

Guimard Hector
Lyon 1867 - New York 1942
Société parisienne d'Exploitation des Produits céramiques G. Garchey

OAO 476[1-35]
Carreaux de revêtement mural
Modèles créés vers 1898-1900.
Pierre de verre.
H. 0,097; l. 0,097; Ép. 0,082 chaque.

HIST. : Provient de la salle de bains du Castel Henriette, rue des Binelles à Sèvres, construit par Guimard pour Mme veuve Hefty en 1899-1900, démoli en 1969; coll. Alain Blondel-Yves Plantin, Paris; don de MM. Alain Blondel et Yves Plantin, 1979.

Guimard Hector
Lyon 1867 - New-York 1942

Maison Lacour

OAO 562
Pavillon de jalousie
Modèle créé entre 1896 et 1898.
Tôle découpée.
H. 0,250; l. 1,150.

HIST. : Provient du Castel Béranger, 16
rue La Fontaine à Paris, construit par
Guimard pour Mme veuve E. Fournier
en 1894-1898; coll. Alain Blondel-Yves
Plantin, Paris; don de MM. Alain
Blondel et Yves Plantin, 1979.

BIBL. : *Le Castel Béranger,* 1898, pl. 11.

Guimard Hector
Lyon 1867 - New York 1942

Maison Lantillon et Cie

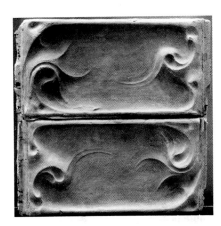

OAO 585[1-24]
Hourdis de plafond
1899-1900
Plâtre moulé et peint à l'huile.
L. 0,715; l. 0,320; Ép. 0,050.

HIST. : Provient des chambres du Castel
Henriette, rue des Binelles à Sèvres,
construit par Guimard pour
Mme Veuve Hefty en 1899-1900,
démoli en 1969; coll. Alain Blondel-
Yves Plantin, Paris : don de MM. Alain
Blondel et Yves Plantin, 1979.

BIBL. : Modèle repr. dans *Le Castel
Béranger,* 1898, pl. 26 fig. 6.

OAO 586[1-4]
Éléments de frise
1899-1900
Plâtre moulé et peint à l'huile.
H. 0,280; L. 0,980 (OAO 586[1-2]).
H. 0,275; L. 0,345 (OAO 586[3-4]).

HIST. : Provient du Castel Henriette, rue
des Binelles à Sèvres, construit par
Guimard pour Mme veuve Hefty en
1899-1900, démoli en 1969; coll. Alain
Blondel-Yves Plantin, Paris; don de
MM. Alain Blondel-Yves Plantin, 1979.

BIBL. : Jarlot, 1964, p. 383.

OAO 587[1-9]
Éléments de frise
1899-1900
Plâtre moulé et peint à l'huile.
H. 0,130; L. 0,545; Ép. 0,070 (OAO
587[1]).

HIST. : Provient du Castel Henriette, rue
de Binelles à Sèvres, construit par
Guimard pour Mme veuve Hefty en
1899-1900, démoli en 1969; coll. Alain
Blondel-Yves Plantin, Paris; don de
MM. Alain Blondel et Yves Plantin,
1979.

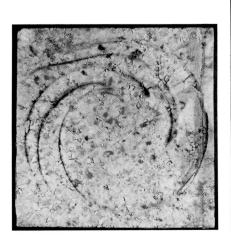

Guimard Hector
Lyon 1867 - New-York 1942

Société Lincrusta-Walton Française
Paris

OAO 481
Panneau de tenture murale
Modèle créé entre 1896 et 1898.
Linoleum.
H. 0,990; L. 0,600.

HIST. : Don de MM. Alain Blondel et
Yves Plantin, 1979.

EXP. : 1971, Paris, Pionniers, n° 114
p. 133.

BIBL. : Modèle repr. dans *Le Castel
Béranger*, 1898, pl. 32.

Guimard Hector
Lyon 1867 - New-York 1942

Neret G.
Maître-verrier
Paris

OAO 478-479
Vitraux
1897
Verre blanc, verres de couleurs.
H. 2,025; l. 0,950 chaque.

HIST. : Provient de la salle de billard de
la propriété de M. Roy aux Gévrils
(Loiret) aménagée par Guimard en
1897-98; coll. Alain Blondel-Yves
Plantin, Paris; don de MM. Alain
Blondel et Yves Plantin, 1979.

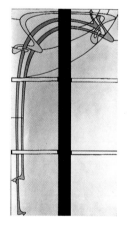

OAO 480
Vitrail
1897
Verre blanc, verre imprimé, verres de
couleurs.
H. 2,025; l. 0,950.

HIST. : Provient de la salle à manger de
la propriété de M. Roy aux Grévils
(Loiret) aménagée par Guimard en
1897-98; coll. Alain Blondel-Yves
Plantin, Paris; don de MM. Alain
Blondel et Yves Plantin, 1979.

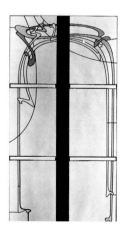

Guimard Hector
Lyon 1867 - New-York 1942

Fonderies de Saint-Dizier
Haute-Marne

OAO 606 à 652
**Éléments et ornements
architecturaux**
Modèles originaux exécutés entre 1905
et 1907.
Fonte.

HIST. : Restés à l'usine des fonderies de
Saint-Dizier jusqu'en 1968; coll.
Galerie Alain Blondel - Yves Plantin,
Paris; acquises en 1973 par la Menil
Foundation, Houston; don de Mme de
Menil, 1981.

OAO 637
Panneau central de grand balcon
H. 0,810; L. 1,730.

EXP. : 1971, Paris, n° 27 p. 24; 1976,
Houston, n° 648 p. 430, repr.

BIBL. : Guimard, 1907, pl. 2 GB;
Thiébaut, 1983, p. 218-219; Lacambre -
Thiébaut, 1983, n° 470 p. 112, repr.
p. 113.

OAO 638
Raccord de grand balcon
H. 0,825; L. 0,235.

EXP. : 1971, Paris, n° 29 p. 24; 1976,
Houston, n° 650 p. 432, repr.

BIBL. : Guimard, 1907, pl. 3 GA et p. 5;
Lacambre - Thiébaut, n° 471 p. 112,
repr. p. 113.

OAO 652
Balcon de croisée
H. 0,502; L. 1,400.
En creux au revers : *GB*

EXP. : 1983, Saint-Dizier, p. 48.

BIBL. : Guimard, 1907, pl. 9 GB;
Lacambre - Thiébaut, 1983, n° 484
p. 114, repr. p. 115.

OAO 648
Motif de grand balcon demi-galbé
H. 0,940; L. 0,585.
En creux au revers : *GE*

EXP. : 1983, Saint-Dizier, p. 50.

BIBL. : Guimard, 1907, pl. 9bis GE;
Thiébaut, 1983, p. 218-219; Lacambre-
Thiébaut, 1983, n° 480 p. 114, repr.
p. 115.

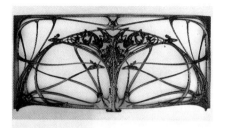

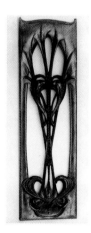

OAO 640
Motif de grand balcon demi-galbé
H. 0,975; L. 0,085.
En creux au revers : *GE*

BIBL. : Guimard, 1907, pl. 9bis GE;
Lacambre - Thiébaut, 1983, n° 473
p. 112, repr. p. 113.

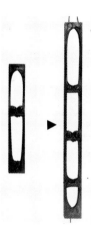

OAO 647 et 854
Motifs de balcon de croisée demi-galbé
H. 0,505; L. 0,095.
En creux au revers : *GF*

BIBL. : Guimard, 1907, pl. 9bis GF, n° 5;
Bayard et Saint-Dizier, 1935, fasc. 2,
p. 119 GF, n° 5; Lacambre - Thiébaut,
1983, n° 479 et 486 p. 112 et 114, repr.
p. 113 et 115.

OAO 645 [1-2]
Motifs de balcon de croisée demi-galbé
H. 0,450; L. 0,145 chaque.

BIBL. : Guimard, 1907, pl. 9bis GH, n° 2 et 3; Bayard et Saint-Dizier, 1935, fasc. 2, p. 119 GH, n° 2 et 3; Lacambre - Thiébaut, 1983, n° 477 p. 112.

OAO 646
Motif de balcon de croisée demi-galbé
H. 0,450; L. 0,290.

BIBL. : Guimard, 1907, pl. 9bis GH, n° 1; Bayard et Saint-Dizier, 1935, fasc. 2, p. 119 GH, n° 1; Thiébaut, 1983, p. 218-219; Lacambre - Thiébaut, 1983, n° 478 p. 112, repr. p. 113.

OAO 639
Motif de grand balcon
H. 0,915; L. 0,695.

EXP. : 1976, Houston, n° 660 p. 438, repr.; 1983, Saint-Dizier, p. 56.

BIBL. : Guimard, 1907, pl. 10 GF, n° 1; Thiébaut, 1983, p. 219-20; Lacambre - Thiébaut, 1983, n° 472 p. 112, repr. p. 113.

OAO 641
Motif de grand balcon
H. 0,970; L. 0,150.

BIBL. : Guimard, 1907, pl. 10 GF, n° 5; Lacambre - Thiébaut, 1983, n° 473 p. 112, repr. p. 113.

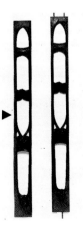

OAO 642
Motif de balcon de croisée
H. 0,510; L. 0,387.

EXP. : 1971, Paris, n° 32 p. 24; 1976, Houston, n° 655 p. 434, repr.; 1983, Saint-Dizier, p. 52.

BIBL. : Guimard, 1907, pl. 10 GD; Bayard et Saint-Dizier, 1935, fasc. 2, p. 109 GD; Thiébaut, 1983, p. 219-20; Lacambre - Thiébaut, 1983, n° 474 p. 112, repr. p. 113.

OAO 649 et 651
Motifs de grand balcon demi-galbé
H. 0,920; L. 0,085 (OAO 649).
H. 0,970; L. 0,085 (OAO 651).

BIBL. : Guimard, 1907, pl. 10 GG, n° 5; Lacambre - Thiébaut, 1983, n° 481 et 483 p. 114, repr. p. 115.

OAO 650
Motif de grand balcon demi-galbé
H. 0,915; L. 0,135.
En creux au revers : *GG*

BIBL. : Guimard, 1907, pl. 10 GG, n° 6; Lacambre - Thiébaut, 1983, n° 482 p. 114, repr. p. 115.

OAO 643
Motif de balcon de croisée demi-galbé
H. 0,505; L. 0,077.
En creux au revers : *GI*

BIBL. : Guimard, 1907, pl. 10bis GI, n° 4; Bayard et Saint-Dizier, 1935, fasc. 2, p. 119 GI, n° 4; Lacambre - Thiébaut, 1983, n° 475 p. 112.

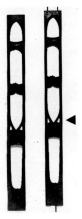

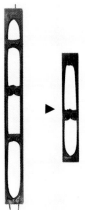

OAO 644
Motif de balcon de croisée demi-galbé
H. 0,505; L. 0,085.
En creux au revers : *GI*

BIBL. : Guimard, 1907, pl. 10bis GI, n° 5;
Bayard et Saint-Dizier, 1935, fasc. 2,
p. 119 GI, n° 5.

OAO 636
Motif de milieu pour balcon en pierre
H. 0,350; L. 0,935.

EXP. : 1971, Paris, n° 44 p. 24; 1976,
Houston, n° 664 p. 441, repr. p. 440.

BIBL. : Guimard, 1907, pl. 11 GB;
Thiébaut, 1983, p. 219-20; Lacambre -
Thiébaut, 1983, n° 469 p. 110, repr.
p. 111.

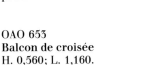

OAO 653
Balcon de croisée
H. 0,560; L. 1,160.
En creux au revers : *GA*

EXP. : 1971, Paris, n° 31 p. 24; 1976,
Houston, n° 652 p. 432, repr. p. 433;
1983, Saint-Dizier, p. 57.

BIBL. : Guimard, 1907, pl. 14 GA;
Thiébaut, 1983, p. 213; Lacambre -
Thiébaut, 1983, n° 485 p. 114, repr.
p. 115.

OAO 610 [1-2]
Ornements de linteaux
H. 0,210; L. 0,220 chaque.
En creux au revers : *GA G* (OAO 610[1])
et *GA D* (OAO 610[2]).

BIBL. : Guimard, 1907, pl. 14 GA;
Thiébaut, 1983, p. 219-20; Lacambre -
Thiébaut, 1983, n° 445 p. 106, repr.
p. 107.

OAO 611 [1-2]
Ornements de linteaux
H. 0,250; L. 0,590 chaque.
En creux au revers : *GD G* (OAO 611[1])
et *GD G* (OAO 611[2]).

EXP. : 1971, Paris, n° 24 et 25 p. 23;
1976, Houston, n° 646 p. 429, repr.

BIBL. : Guimard, 1907, pl. 15 GD;
Thiébaut, 1983, p. 219-20; Lacambre -
Thiébaut, 1983, n° 446 p. 106, repr.
p. 107.

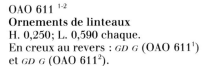

OAO 632
Appui de croisée
H. 0,195; L. 1,250.
En creux au revers : *GB 1M*

EXP. : 1971, Paris, nº 53 p. 24; 1976,
Houston, nº 670 p. 443, repr. p. 442;
1983, Saint-Dizier, p. 44.

BIBL. : Guimard, 1907, pl. 16 GB; Bayard
et Saint-Dizier, 1935, fasc. 2,
p. 138 GB; Thiébaut, 1983, p. 219-20;
Lacambre - Thiébaut, 1983, nº 465
p. 110, repr. p. 111.

OAO 633
Appui de croisée
H. 0,118; L. 1,100.
En creux au revers : *GE 90*

EXP. : 1971, Paris, nº 55 p. 25; 1976,
Houston, nº 672 p. 443, repr. p. 442;
1983, Saint-Dizier, p. 40.

BIBL. : Guimard, 1907, pl. 16 GE;
Thiébaut, 1983, p. 219-20; Lacambre -
Thiébaut, 1983, nº 466 p. 110, repr.
p. 111.

OAO 634
Appui de croisée
H. 0,300; L. 1,150.
En creux au revers : *GF 90*

EXP. : 1983, Saint-Dizier, p. 46.

BIBL. : Guimard, 1907, pl. 17 GF; Bayard
et Saint-Dizier, 1935, fasc. 2,
p. 138 GF; Lacambre - Thiébaut, 1983,
nº 467 p. 110, repr. p. 111.

OAO 635
Appui de croisée en saillie
H. 0,235; L. 2,260.
En creux au revers : *1.75-1.95*

EXP. : 1971, Paris, nº 57 p. 25; 1976,
Houston, nº 675, p. 443, repr. p. 442.

BIBL. : Guimard, 1907, pl. 17 GG;
Thiébaut, 1983, p. 219-20; Lacambre -
Thiébaut, 1983, nº 468 p. 110, repr.
p. 111.

OAO 630
Panneau de porte
H. 1,035; L. 0,250.
En creux au revers : *GA*

BIBL. : Guimard, 1907, pl. 21 GA;
Thiébaut, 1983, p. 219-20; Lacambre -
Thiébaut, 1983, nº 463 p. 110, repr.
p. 111.

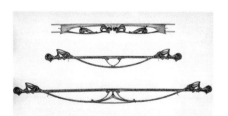

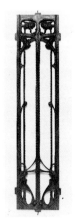

OAO 631
Panneau de porte
H. 1,010; L. 0,550.
En creux au revers : *GB*

EXP. : 1983, Saint-Dizier, p. 28.

BIBL. : Guimard, 1907, pl. 21 GB;
Lacambre - Thiébaut, 1983, nº 464
p. 110, repr. p. 111.

OAO 616
Panneau d'imposte
H. 0,195; L. 0,215.
En creux au revers : *GI*

EXP. : 1971, Paris, nº 64 p. 25; 1976,
Houston, nº 681 p. 445, repr. p. 444.

BIBL. : Guimard, 1907, pl. 22 GI;
Thiébaut, 1983, p. 219-221; Lacambre -
Thiébaut, 1983, nº 450 p. 106, repr.
p. 107.

OAO 606
Ancre de bâtiment
H. 0,680; L. 0,235.
En creux au revers : *GD*

EXP. : 1971, Paris, nº 4 p. 23; 1976,
Houston, nº 631 p. 424, repr.; 1983,
Saint-Dizier, p. 21.

BIBL. : Guimard, 1907, pl. 26 GD.

OAO 612
Ornement de chéneau.
H. 0,320; L. 0,700.
En creux au revers : *GA*

EXP. : 1971, Paris, nº 26 p. 24; 1976,
Houston, nº 647 p. 430, repr.

BIBL. : Guimard, 1907, pl. 30 GA;
Thiébaut, 1983, p. 213; Lacambre -
Thiébaut, 1983, nº 447 p. 106, repr.
p. 107.

OAO 613
Ornement de chéneau (angle rentrant)
H. 0,350; L. 0,560.

BIBL. : Guimard, 1907, pl. 30 GA;
Lacambre - Thiébaut, 1983, nº 448
p. 106, repr. p. 107.

OAO 607
Palmette
H. 0,100; L. 0,050.

EXP. : 1971, Paris, nº 14 p. 23; 1976,
Houston, nº 640 p. 427, repr.; 1983,
Saint-Dizier, p. 20.

BIBL. : Guimard, 1907, pl. 31 GG;
Lacambre - Thiébaut, 1983, nº 442
p. 106, repr. p. 107.

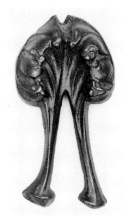

OAO 608
Palmette
H. 0,250; L. 0,574.
En creux au revers : *GM*

EXP. : 1971, Paris, nº 12 p. 23; 1976,
Houston, nº 638 p. 427, repr.; 1983,
Saint-Dizier, p. 18.

BIBL. : Guimard, 1907, pl. 31 GM;
Thiébaut, 1983, p. 219 et 221;
Lacambre - Thiébaut, 1983, nº 443
p. 106, repr. p. 107.

OAO 609
Palmette
H. 0,180; L. 0,435.
En creux au revers : *GN*

EXP. : 1971, Paris, nº 16 p. 23; 1976,
Houston, nº 641 p. 428, repr.

BIBL. : Guimard, 1907, pl. 31 GN;
Lacambre - Thiébaut, 1983, nº 444
p. 106 repr. p. 107.

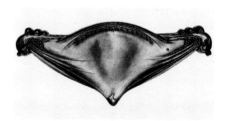

OAO 618
Lance
H. 0,200; L. 0,090.

EXP. : 1971, Paris nº 69, p. 25; 1976,
Houston, nº 684 p. 446, repr.

BIBL. : Guimard, 1907, pl. 32 GB;
Lacambre - Thiébaut, 1983, nº 452
p. 108, repr. p. 109.

OAO 619
Lance
H. 0,170; L. 0,065.

EXP. : 1971, Paris, p. 26; 1976, Houston,
n° 685 p. 446, repr.

BIBL. : Guimard, 1907, pl. 32 GL;
Thiébaut, 1983, p. 219 et 221;
Lacambre - Thiébaut, 1983, n° 453
p. 108, repr. p. 109.

OAO 620
Lance
H. 0,140; L. 0,055.

EXP. : 1971, Paris, n° 71 p. 26; 1976,
Houston, n° 686 p. 446, repr.

BIBL. : Guimard, 1907, pl. 32 GD;
Lacambre - Thiébaut, 1983, n° 454
p. 108, repr. p. 109.

OAO 614-615
Motifs de frise courante
H. 0,060; L. 0,150 (OAO 614).
H. 0,060; L. 0,145 (OAO 615).
En creux au revers : GP (OAO 614).

EXP. : 1971, Paris, n° 85-86 p. 26; 1976,
Houston, n° 701 p. 452, repr. p. 453.

BIBL. : Guimard, 1907, pl. 32 GP et GQ;
Thiébaut, 1983, p. 219 et 221;
Lacambre - Thiébaut, 1983, n° 449
p. 106, repr. p. 107.

OAO 625
Chasse-roues
H. 0,590; L. 0,345.

EXP. : 1971, Paris, N 116 p. 27; 1976,
Houston, n° 727 p. 461, repr.

BIBL. : Guimard, 1907, pl. 34 GE;
Lacambre -Thiébaut, 1983, n° 459
p. 108, repr. p. 109.

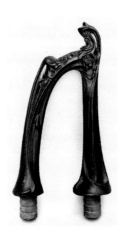

OAO 617
Plaque pour numéros de maison
H. 0,220; L. 0,415.

EXP. : 1971, Paris, n° 77 p. 26; 1976,
Houston, n° 693 p. 449, repr. p. 448.

BIBL. : Guimard, 1907, pl. 35; Lacambre
- Thiébaut, 1983, n° 451 p. 108, repr. p.
109.

OAO 622[1-2]
Vase et socle
H. 1,355; L. 0,590; P. 0,450.

EXP. : 1971, Paris, n° 74 p. 26, repr.
p. 38; 1976, Houston, n° 695 p. 450,
repr.

BIBL. : Guimard, 1907, pl. 41 GA et GH;
Bayard et Saint-Dizier, 1935, fasc. 5,
p. 406 GA; Thiébaut, 1983, p. 216 et
219; Lacambre - Thiébaut, 1983, n° 456
p. 108, repr. p. 109.

OAO 621
Coupe
H. 0,350; L.0,550; P. 0,470.

EXP. : 1971, Paris, n° 81 p. 26; 1976,
Houston, n° 697 p. 451, repr.

BIBL. : Guimard, 1907, pl. 42 GE;
Thiébaut, 1983, p. 214; Lacambre -
Thiébaut, 1983, n° 455 p. 108, repr.
p. 109.

OAO 623[1-2]
Paire de pieds de banc
H. 0,930; D. 0,570 chaque.
En creux au bas du pied arrière : GN
Style Guimard

EXP. : 1971, Paris, n° 120 p. 27; 1976,
Houston, n° 731 p. 463, repr. p. 462.

BIBL. : Guimard, 1907, pl. 42 GN; Bayard
et Saint-Dizier, 1935, fasc. 4, p. 316
GN; Thiébaut, 198Ab p. 216, 219 et 221;
Lacambre - Thiébaut, 1983, n° 457
p. 108, repr. p. 109.

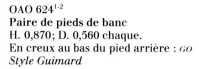

OAO 624[1-2]
Paire de pieds de banc
H. 0,870 ; D. 0,560 chaque.
En creux au bas du pied arrière : GO
Style Guimard

EXP. : 1971, Paris, n° 121 p. 27 ; 1976,
Houston, n° 732 p. 463, repr. p. 462 ;
1983, Saint-Dizier, p. 64.

BIBL. : Guimard, 1907, pl. 42 GO ; Bayard
et Saint-Dizier, 1935, fasc. 4, p. 316
GO ; Thiébaut, 1983, p. 213 ; Lacambre-
Thiébaut, 1983, n° 458 p. 108, repr. p.
109.

OAO 627-628
Éléments d'entourage de tombe
H. 0,530 ; L. 1,070 (OAO 627).
H. 0,495 ; L. 0,165 (OAO 628).

EXP. : 1971, Paris, n° 108 p. 27 ; 1976,
Houston, n° 721 p. 458, repr. p. 459
(OAO 628).

BIBL. : Guimard, 1907, pl. 44 GB ;
Thiébaut, 1983, p. 218 et 221 ;
Lacambre-Thiébaut, 1983, n° 461
p. 110, repr. p. 111.

OAO 629
**Pièce terminale d'un pilastre
d'entourage de tombe**
H. 0,748 ; L. 0,070.

BIBL. : Guimard, 1907, pl. 44 GB ;
Lacambre-Thiébaut, 1983, n° 462
p. 110.

OAO 626
Croix
H. 1,410 ; L. 0,503.

EXP. : 1971, Paris, n° 103 p. 27 ; 1976,
Houston, n° 716 p. 457, repr. ; 1983,
Saint-Dizier, p. 65.

BIBL. : Guimard, 1907, pl. 47 GB ; Bayard
et Saint-Dizier, 1935, fasc. 5, p. 423 GB ;
Thiébaut, 1983, p. 214 ; Lacambre-
Thiébaut, 1983, n° 460 p. 108, repr. p.
109.

OAO 951-952
Numéros de maisons : 5 et 9
Pièces exécutées après 1905.
H. 0,130; L. 0,100 (5).
H. 0,126; L. 0,090 (9).

HIST. : Don de M. Jean Dupont, 1984.

BIBL. : Guimard, 1907, pl. 35.

OAO 897 [1-2]
Poignées de cercueil
Modèle exécuté après 1907.
H. 0,110; L. 0,225 chaque.
En relief au revers : *Breveté sgdg fsd
Guimard*

HIST. : Restées à l'usine des fonderies de
Saint-Dizier jusqu'en 1983; don de la
Société des Fonderies de Saint-Dizier,
1983.

BIBL. : Bayard et Saint-Dizier, 1935, fasc.
5, p. 409 G.

Guimard Hector
Lyon 1867 - New York 1942
Maison Sauzin

OAO 474-475 [1-2]
Boutons de portes
1897-1898
Porcelaine bleue (OAO 474), blanche
(OAO 475[1]) et ivoire (OAO 475[2]).
H. 0,045; l. 0,065; P. 0,065 chaque.

HIST. : Proviennent de la propriété Roy
aux Gévrils (Loiret) aménagée par
Guimard en 1897-1898; coll. Alain
Blondel-Yves Plantin, Paris; don de
MM. Alain Blondel et Yves Plantin,
1979.

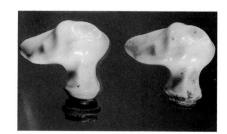

EXP. : 1971, Paris, *Pionniers*, n° 188
p. 182 (OAO 474).

BIBL. : Modèle repr. dans *Le Castel
Béranger*, 1898, pl. 56, n° 1 et 7.

Guimard Hector
Lyon 1867 - New-York 1942
Société anonyme des hauts-fourneaux et des fonderies du Val d'Osne
Haute-Marne

OAO 318
**Entrée ouverte de Métropolitain,
station Montparnasse-Bienvenüe**
1910
Fonte peinte, pierre, lave émaillée et
verre teinté.
H. 4,200; L. 5,500; l. 3,200.

HIST. : Mis en place à la station
Montparnasse-Bienvenüe en 1910;
déposé en 1960; don de M. Jacques
Courson, directeur général de la Régie
Autonome des Transports Parisiens au
musée national d'Art moderne, 1961;
reversement du musée national d'Art
moderne au musée d'Orsay, 1978.

EXP. : 1960-61, Paris, Musée national
d'Art moderne, *Les Sources du
XXe siècle*, n° 977 p. 327.

Guino
Voir **Renoir**

Habert-Dys Jules-Auguste (Habert Jules-Auguste, dit)
Décorateur
Fresnes (Loir-et-Cher) 1850 - ? après
1927

Poisson Fernand
Orfèvre, Paris.
Successeur de Fannière Frères.

OAO 2
Vase
1904
Argent fondu et ciselé, fond amati et
doré.
H. 0,202; D. 0,092.
S.D. sur un pied : *J. Habert-Dys./1904*.
Poinçon sur un autre pied : fabricant,
argent, Fernand Poisson.

HIST. : Acquis au Salon de la Société des
Artistes français de 1904 pour le musée
du Luxembourg; reversement du
musée national d'Art moderne au
musée d'Orsay, 1978.

EXP. : 1904, Paris, Salon de la Société
des Artistes français, vitrine n° 4732.

BIBL. : H. Classens, *Habert-Dys, maître-
décorateur*, Paris 1924.

Hairon Charles-Édouard-François
Bordeaux 1880 - Paris 1962

DO 1977-15
Bonbonnière
Avant 1906.
Argent fondu et ciselé; glace à
l'intérieur du couvercle.
H. 0,052; D. 0,060.
S. sous la pièce : *Hairon*

HIST. : Acquis à l'exposition de la Société
Les Arts Réunis de 1906 pour le musée
du Luxembourg; entré au musée du
Luxembourg en 1907; dépôt du musée
national d'Art moderne au musée
d'Orsay, 1977.

EXP. : 1906, Paris, Exposition de la
Société Les Arts Réunis, n° 80.

DO 1977-16
Boîte
Avant 1911.
Ivoire tourné, sculpté, doré.
H. 0,070; D. 0,085.
S. à la base : *C. Hairon*

HIST. : Acquis en 1911 pour le musée du
Luxembourg; entré au musée du
Luxembourg en 1912; dépôt du musée
national d'Art moderne au musée
d'Orsay, 1977.

EXP. : 1911, Paris, Salon de la Société
nationale des Beaux-Arts, vitrine
n° 2458.

Hamm Henri
Bordeaux 1871 - Ivry-sur-Seine 1961

DO 1977-18
Coupe sculptée
1904
H. 0,035; D. 0,122.
S.D. sous la pièce : *H. HAMM. 04*

HIST. : Acquis au Salon d'Automne de
1904 pour le musée du Luxembourg;
entré au musée du Luxembourg en
1905; dépôt du musée national d'Art
moderne au musée d'Orsay, 1977.

EXP. : 1904, Paris, Salon d'Automne,
vitrine n° 1992.

BIBL. : Félice, 1904, p. 218-219, repr.
p. 221.

DO 1977-17
Boîte
1907
Palissandre tourné et sculpté, corne
sculptée.
H. 0,035; D. 0,100.
S. sur le revers du couvercle : *H. HAMM*

HIST. : Acquis au Salon d'Automne de
1907 pour le musée du Luxembourg;
entré au musée du Luxembourg en
1912; dépôt du musée national d'Art
moderne au musée d'Orsay, 1977.

EXP. : 1907, Paris, Salon d'Automne,
vitrine n° 744.

BIBL. : Sedeyn, 1907, p. 157; Cornu,
1907, p. 207-208.

OAO 1066
Peigne
1908
Corne sculptée.
H. 0,090; l. 0,132.
S.D. en creux au revers de la dent de
gauche : *H. HAMM. 1908*

HIST. : Offert par l'artiste à Mme Albert
Daigueperce, épouse du
concessionnaire parisien d'Émile
Gallé; don de Melle Suzanne
Daigueperce, 1986.

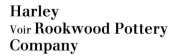

Harley
Voir **Rookwood Pottery
Company**

Association Haute-Claire
Voir **Point**

Haviland et Cie
Voir **Bracquemond**

Hawkins Louis-Welden
Esslingen (Wurtenberg) 1849 - Paris
1910

OAO 1110
Haut d'étagère
Vers 1895-1900.
Bois peint.
H. 1,070; l. 0,875; P. 0,335.
Monogramme peint dans l'angle
supérieur gauche du battant droit de la
porte : *LHW*

HIST. : Atelier de l'artiste; don de
Mme Geneviève Lomon-Hawkins,
petite-fille de l'artiste, 1986.

Healy and Millet
Maîtres-verriers
Chicago

DO 1981-5[1-2]
Panneaux de vitrail
1888-1889
Verres «américains» doublés et
chenillés, verres opalescents.
H. 1,000; l. 0,535 chaque.

HIST. : Acquis à l'Exposition Universelle
de Paris, 1889, par le musée des Arts
décoratifs; dépôt du musée des Arts
décoratifs au musée d'Orsay, 1981.

EXP. : 1889, Paris, Exposition
Universelle, groupe III, classe 19.

DO 1981-6[1-2]
Panneaux de vitrail
1888-1889
Verres «américains» chenillés, verre
blanc chenillé.
H. 1,410; l. 0,730 chaque.

HIST. : Acquis à l'Exposition Universelle
de Paris, 1889, par le musée des Arts
décoratifs; dépôt du musée des Arts
décoratifs au musée d'Orsay, 1981.

EXP. : 1889, Exposition Universelle,
Paris, groupe III, classe 19.

DO 1981-7
Panneau de vitrail
1888-1889
Verres «américains» doublés et
chenillés, verre blanc, cabochons de
verre blanc taillé et de verres de
couleur.
H. 0,530; l. 0,990.

HIST. : Acquis à l'Exposition Universelle
de Paris, 1889, par le musée des Arts
décoratifs; dépôt du musée des Arts
décoratifs au musée d'Orsay, 1981.

EXP. : 1889, Paris, Exposition
Universelle, groupe III, classe 19.

DO 1981-8
Panneau de vitrail
Vers 1889.
Verres «américains» chenillés, verre
blanc taillé, cabochons de verre de
couleur.
H. 0,940; l. 1,410.

HIST. : Acquis à l'Exposition Universelle
de Paris, 1889, par le musée des Arts
décoratifs; dépôt du musée des Arts
décoratifs au musée d'Orsay, 1981.

EXP. : 1889, Paris, Exposition
Universelle, groupe III, classe 19.

Hébrard A. A.
Voir **Bugatti Desbois
Husson**

Heeg
Voir **Loos**

Heller Florent-Antoine
Saverne 1840 - Paris 1904

OAO 3 à 32
30 modèles de manches de couverts
Avant 1895.

HIST. : Acquis en 1895 pour le musée du
Luxembourg; entrés au musée du
Luxembourg en 1905; reversement du
musée national d'Art moderne au
musée d'Orsay, 1978.

EXP. : 1895, Paris, Salon de la Société
des Artistes français, cadre n° 3606.

BIBL. : *L'Art pour tous,* n° 883, 31 mars
1897, p. 3629, fig. 8433, 8434 et 8435
(n° OAO 3, OAO 31 et OAO 32).

Les modèles OAO 3 à 20 semblent
appartenir à un même ensemble à
décor de figures mythologiques.
Métal blanc frappé.

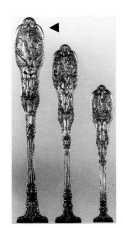

OAO 3
Modèle de manche pour une louche
Traces de vernis (?) coloré sur la
spatule et le manche.
L. 0,272; l. 0,043; P. 0,006.
S. b. d. sur la face de la spatule :
HELLER

OAO 4
**Modèle de manche pour une cuillère
à ragoût**
Traces de vernis (?) coloré sur la
spatule et le manche.
L. 0,231; l. 0,038; P. 0,005.

OAO 5
**Modèle de manche pour un couvert à
servir**
Traces de vernis (?) coloré sur la
spatule et le manche.
L. 0,182; l. 0,031; P. 0,004.

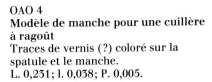

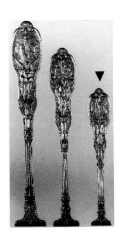

OAO 6
Modèle de manche pour un couvert à servir
L. 0,151; l. 0,029; P. 0,003.
Marque *HELLER* sur la face, base du manche.

OAO 7
Modèle de manche pour un couvert à servir
L. 0,138; l. 0,029; P. 0,004.

OAO 8 et 9
Modèles de manche pour des couverts de table
OAO 8 : L. 0,134; l. 0,026; P. 0,004.
OAO 9 : L. 0,134; l. 0,026; P. 0,003.
Marque *HELLER* sur la face, base du manche (les deux modèles identiques).

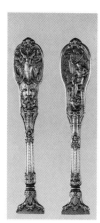

OAO 10
Modèle de manche pour un couvert à servir
L. 0,129; l. 0,024; P. 0,003.

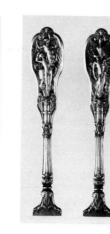

OAO 11 et 12
Modèle de manche pour des couverts de dessert (?)
L. 0,122; l. 0,024; P. 0,003 chaque.

OAO 13
Modèle de manche pour une cuiller à confiture (?)
L. 0,119; l. 0,017; P. 0,002.

OAO 14 - 15 - 16
Modèles de manches pour des fourchettes à gâteaux
L. 0,104; l. 0,019; P. 0,002.
Marque *HELLER* sur la face, base du manche (les trois modèles identiques).

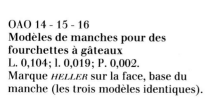

OAO 17
Modèle de manche pour des cuillers à café
L. 0,089; l. 0,017; P. 0,002.
Marque *HELLER* sur la face, base du manche.

OAO 18
Modèle de manche pour des cuillers à moka
L. 0,075; l. 0,014; P. 0,002.
Marque *HELLER* sur la face, base du manche.

OAO 19 et 20
Modèles de manche pour des couteaux de table et de dessert
OAO 19 : L. 0,103; l. 0,025; P. 0,004.
OAO 20 : L. 0,093; l. 0,022; P. 0,003.
OAO 19 : marque *HELLER* sur la face, base du manche.

Les modèles OAO 27 à 31 appartiennent au même ensemble à décor de figures mythologiques que les modèles OAO 3 à 20.
Plomb (?) frappé et argenté.

OAO 27
Modèle de manche pour une louche (modèle identique à OAO 3)
L. 0,280; l. 0,043; P. 0,006.
S. b. d. sur la face de la spatule :
HELLER
Marque *HELLER* sur la face, base du manche.

OAO 28
Modèle de manche de cuiller à ragoût (modèle identique à OAO 4)
L. 0,240; l. 0,038; P. 0,005.
Marque *HELLER* sur la face, base du manche.

OAO 29
Modèle de manche de couvert à servir (modèle identique à OAO 5)
L. 0,187; l. 0,032; P. 0,013.
Marque *HELLER* sur la face, base de manche.

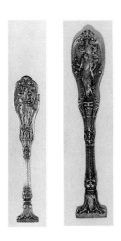

OAO 30
Modèle de manche pour des couverts de table (modèle identique à OAO 9)
L. 0,148; l. 0,026; P. 0,011.
Marque *HELLER* sur la face, base du manche.

OAO 31
Modèle de fourchette à gâteaux (modèle identique à OAO 15)
L. 0,166; l. 0,023; P. 0,012.
Marque (illisible) sur la face, base du manche.

Les modèles OAO 21, 22 et 32 semblent appartenir à un autre modèle de couverts.

OAO 21 et 22
Modèles de manche de cuiller à café et à moka (?)
Métal blanc frappé.
OAO 21 : L. 0,110; l. 0,028; P. 0,005.
OAO 22 : L. 0,083; l. 0,014; P. 0,002.

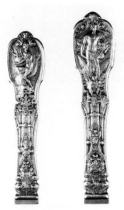

OAO 32
Modèle de manche de cuiller à moka (?) (modèle identique à OAO 22).
Plomb (?) frappé et argenté.
L. 0,088; l. 0,019; P. 0,013.

Les modèles OAO 23 à 26 correspondent à un modèle de couverts différent.

OAO 23 à 26
4 modèles de manches de couteaux
Métal anglais (?).
OAO 23 : L. 0,153; l. 0,027; P. 0,010.
OAO 24 : L. 0,133; l. 0,026; P. 0,010.
OAO 25 : L. 0,113; l. 0,023; P. 0,008.
OAO 26 : L. 0,101; l. 0,021; P. 0,008.
Marque *HELLER* sur la face, près de la virole (les 4 pièces identiques).

Hexamer
Voir **Chaplet**

Hildebrand Bernard-Frédéric
Montoillet 1842 - Paris (?) 1903

OAO 223
«Esméralda», camée
1895
Camée sur sardonyx à plusieurs couches.
H. 0,060; L. 0,080; Ép. 0,006.

HIST. : Acquis au Salon de la Société des Artistes français de 1895 pour le musée du Luxembourg; reversement du musée national d'Art moderne au musée d'Orsay, 1978.

EXP. : 1895, Paris, Salon de la Société des Artistes français, nº 3607.

BIBL. : Babelon, 1902, p. 242, repr. pl. XXI, nº 1.

Hirtz Lucien
Nancy 1864 - Paris 1928

OAO 1067
Coupe
1896
Cuivre; émail peint translucide, sur fond d'émail; paillons d'or; rehauts d'or peint; contre-émail violet.
H. 0,024; D. 0,132.
S. sur la face près du bord : *L. Hirtz.*

HIST. : Don de M. Jacques Hirtz, fils de l'artiste, 1986.

EXP. : Paris, 1896, Salon de la Société nationale des Beaux-Arts, nº 297.

OAO 197
«Gaîté», plaque d'émail
Dessiné vers 1903, exécuté avant 1906.
Émail peint sur cuivre avec paillons d'or, acajou sculpté.
Cet objet a conservé le coffret d'origine.
H. 0,273; L. 0,455; Ep. 0,033.
S.b.g. : *L. Hirtz.*
Sur le coffret, étiquette : *Mr. Hirtz / nº 1876/1906;* à l'intérieur du coffret, étiquette : *Musée du Luxembourg / Mr. L. Hirtz.*

HIST. : Acquis au Salon de la Société nationale des Beaux-Arts de 1906 pour le musée du Luxembourg; entré au musée du Luxembourg en 1907; reversement du musée national d'Art moderne au musée d'Orsay, 1978.

EXP. : Paris, 1906, Salon de la Société nationale des Beaux-Arts, nº 2366, repr. p. 173 du catalogue illustré.

BIBL. : Verneuil, 1906, p. 189; Félice, 1906, nº 93, p. 218, repr. du dessin préparatoire p. 217, et 1906, nº 94, p. 36.

OAO 196
«La Ronde», plaque d'émail
1911
Émail peint sur cuivre repoussé, chêne et bois mouluré et doré.
Cet objet a conservé le coffret d'origine.
H. 0,338; L. 0,434; Ep. 0,032.
S.h.d. : *L. Hirtz.*
Au revers, sur le fond de chêne, étiquette : *nº 7;* étiquette portant le tampon : *DOUANES FRANÇAISES. PARIS / SERVICE DES EXPOSITIONS;* étiquette : *Musée National du Luxembourg / Auteur Mr. Hirtz (Lucien) / Titre La Ronde / Panneau décoratif /Dimensions avec cadre : H. 0.34. L. 0.43 ½ / sans cadre : H. 0.20 ½. L. 0,30.*
Sur le coffret : étiquette : *3752 / 1911 / Mr. Hirtz / La ronde / 54 × 43 panneau décoratif;* étiquette : *Musée National du Luxembourg.*

HIST. : Acquis au Salon de la Société nationale des Beaux-Arts de 1911 pour le musée du Luxembourg; reversement du musée national d'Art moderne au musée d'Orsay, 1978.

EXP. : Paris, 1911, Salon de la Société nationale des Beaux-Arts, nº 2468.

BIBL. : Saunier, 1911, p. 92 (dessin préparatoire).

OAO 1068
Boîte
Vers 1914-1919.
Bois tourné.
Émail peint sur cuivre, translucide, rehauts d'émail noir; paillons d'or.
Cet objet a conservé le coffret d'origine.
H. 0,027; D. 0,074.
Sur le coffret, étiquette ronde : *Hirtz/ 42 rue de l'Yvette/Paris/954.*

HIST. : Don de M. Jacques Hirtz, fils de l'artiste, 1986.

OAO 1069
Boîte
Vers 1914-1919.
Bois tourné et verni.
Émail peint sur cuivre, translucide,
rehauts d'émail noir; paillons d'or.
Cet objet a conservé le coffret
d'origine.
H. 0,025; D. 0,073.
Sur le coffret, demi-étiquette ronde :
Hirtz.

HIST. : Don de M. Jacques Hirtz, fils de
l'artiste, 1986.

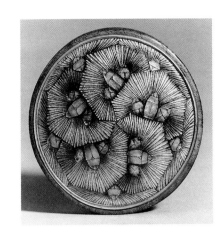

Hoentschel Georges
? 1855 - Paris 1915

OAO 521
Vase
Vers 1900.
Grès émaillé.
H. 0,215; D. 0,158.
Monogrammé en creux sous la pièce :
GH (entrelacés).

HIST. : Acquis en vente publique à Paris,
Drouot, 17 décembre 1980, salle 9,
n° 176, repr.

BIBL. : Lacambre-Thiébaut, 1983, n° 488
p. 114, repr. p. 115.

OAO 522
Vase
Vers 1900.
Grès émaillé
H. 0,276; D. 0,142.
Monogrammé en creux sous la pièce :
GH (entrelacés).

HIST. : Acquis en vente publique à Paris,
Drouot, 17 décembre 1980, salle 9,
n° 177, repr.

BIBL. : Lacambre-Thiébaut, 1983, n° 489
p. 114, repr. p. 115.

Hoffmann Josef
Pirnitz (Moravie) 1870 - Vienne
(Autriche) 1956

Wiener Werkstätte
Ateliers de création et d'artisanat
Vienne.

Berger Josef
Orfèvre
Vienne.

OAO 1045
Jardinière
Modèle créé vers 1903-1904.
Métal martelé, argenté.
H. : 0,110; L. : 0,392; l. : 0,122.
Poinçons sur un des côtés : fabricant,
Wiener Werkstätte (rose, *ww*);
dessinateur, Josef Hoffmann
(monogramme *jh*); maître, Josef
Berger (monogramme *jb*).

HIST. : Coll. famille Waerndorfer,
Vienne; coll. Asenbaum, Vienne;
acquis en 1986.

EXP. : 1978, Vienne, Galerie am graben,
*Schmuck-tischgerät aus Osterreich
1904-08 - 1973-77;* 1980, Vienne,
Künstlerhaus, *Moderne Vergangenheit-
Wien 1800-1900,* n° 235, repr. p. 302.

Hoffmann Josef
Pirnitz (Moravie) 1870 - Vienne
(Autriche) 1956

Wiener Werkstätte
Ateliers de création et d'artisanat,
Vienne

OAO 550
Corbeille
1904
Tôle perforée laquée.
H. 0,172; L. 0,265; l. 0,142.

HIST. : Coll. famille Moser, Vienne;
Galerie Nebehay, Vienne; acquis en
1981.

BIBL. : Archives de la Wiener Werkstätte
(Vienne, Österreichisches Museum für
angewandte Kunst), W.W.F. 97, p. 10
et W.W.S.3, p. 383, M 176; Lacambre-
Thiébaut, 1983, n 490 p. 116, repr.
p. 117.

OAO 551
Vase
Tôle perforée laquée.
H. 0,285; D. 0,147.

HIST. : Coll. famille Moser, Vienne;
Galerie Nebehay, Vienne; acquis en
1981.

BIBL. : Lacambre-Thiébaut, 1983, n° 491
p. 116, repr. p. 117.

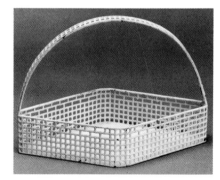

OAO 1048
Lustre
Vers 1905.
Cuivre argenté (?) à patine noire,
perles de verre blanc.
H. 0,950; D. 0,340.
Poinçonné deux fois (verticalement et
horizontalement) sur les abats-jour;
fabricant, Wiener Werkstätte (rose,
ww); dessinateur, Josef Hoffmann
(monogramme *jh*).

HIST. : Modèle créé pour les chambres
d'hôtes du Sanatorium Westend, à
Pürkersdorf, construit par Josef
Hoffmann en 1904-1905; coll.
Asenbaum, Vienne; acquis en 1986.

EXP. : 1986, New-York, The Museum of
Modern Art, *Vienna. 1900 Art.
Architecture & Design.*

BIBL. : Archives de la Wiener Werkstätte
(Vienne, Österreichisches Museum für
angewandte Kunst), Vol. XIV, p. 96,
n° WWF 102.

OAO 574[1-1]
Couverts de table
1906
Métal argenté, acier.
1. cuiller à soupe.
L. 0,211; l. 0,055; P. 0,023.
2. fourchette de table.
L. 0,214; l. 0,022; P. 0,010.
3. couteau de table.
L. 0,214; l. 0,022; Ép. 0,005.
4. cuiller à entremets.
L. 0,183; l. 0,040; P. 0,019.
5. fourchette à entremets.
L. 0,182; l. 0,018; P. 0,010.
6. couteau à fromage (?).
L. 0,183; l. 0,015; Ép. 0,005.
7. cuiller à dessert.
L. 0,144; l. 0,032; P. 0,014.
8. cuiller à (?).
L. 0,120; l. 0,031; P. 0,010.
9. cuiller à glace (?).
L. 0,110; l. 0,023; P. 0,006.
10. cuiller à café.
L. 0,102; l. 0,022; P. 0,010.
11. pique à épis de maïs.
L. 0,060; l. 0,030; Ep. 0,003.
Poinçons : fabricant, Wiener
Werkstätte, *ww* (pièces 1 et 7 à 11),
rose (cuiller 10); dessinateur, Josef
Hoffmann, *jh* (cuiller 10)
Monogramme gravé sur les manches :
RT

HIST. : Modèle utilisé au cabaret Die
Fledermaus, aménagé par Josef
Hoffmann en 1907, 33 Kärtner Strass, à
Vienne; coll. Asenbaum, Vienne;
acquis en 1981.

EXP. : 1981, Vienne, Künstlerhaus,
Moderne Vergangenheit 1800-1900,
n° 250 p. 316, repr.

BIBL. : Archives de la Wiener Werkstätte

(Vienne, Österreichisches Museum für angewandte Kunst), W.W.M.B. 31, p. 849, 850, 922; «Der gedeckte Tisch», *Hohe Warte*, III, 1906-1907, p. 30, repr.; W. Neuwirth, *Josef Hoffmann, Bestecke für die Wiener Werkstätte*, Vienne, 1982, p. 73-127; Lacambre-Thiébaut, 1983, n° 494 p. 116, repr. p. 117.

OAO 1047
Boîte à timbres ou cendrier
Vers 1906.
Métal martelé argenté.
H. 0,040; L. 0,150; l. 0,052.
Poinçons au revers : fabricant, Wiener Werkstätte (rose, *ww*); dessinateur, Josef Hoffmann (monogramme *JH*).

HIST. : Don de Mme Inge Asenbaum, Vienne, 1986.

EXP. : 1977, Londres, Fischer Fine Art, *Josef Hoffmann. 1870-1956. Architect and Designer*, n° 7, repr. p. 29.

BIBL. : Archives de la Wiener Werkstätte (Vienne, Österreichisches Museum für angewandte Kunst) W.W.F. 97, M 55 et W.W.M.B. 30, 4 avril 1906.

OAO 552
Corbeille
1906-1907
Tôle perforée laquée; pieds nickelés.
H. 0,457; L. 0,261; l. 0,131.

HIST. : Coll. famille Moser, Vienne; Galerie Nebehay, Vienne; acquis en 1981.

BIBL. : Archives de la Wiener Werkstätte (Vienne, Österreichisches Museum für angewandte Kunst), W.W.M. 2, p. 564 et W.W.F. 97, p. 25; «Der gedeckte Tisch», *Hohe Warte*, III, 1906-1907, p. 29, repr.; Lacambre-Thiébaut, 1983, n° 492 p. 116, repr. 117.

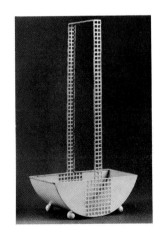

OAO 553
Corbeille (?)
Objet composite résultant d'un montage postérieur.
Tôle cuivrée, argentée et patinée en noir.
H. 0,164; D. 0,164.
Poinçons en haut de l'anse : fabricant, Wiener Werkstätte (*ww*, rose); dessinateur, Josef Hoffmann (Monogramme *JH*).

HIST. : Coll. famille Moser, Vienne; Galerie Nebehay, Vienne; acquis en 1981.

BIBL. : Lacambre-Thiébaut, 1983, p. 116, repr. p. 117.

OAO 1046.
Encrier porte-plume
Vers 1912 ?
Métal martelé et argenté.
H. 0,093 ; L. 0,118 ; l. 0,084.
Poinçons et marque sur la face
arrière : *WIENER/WERK/STÄTTE* ;
fabricant, Wiener Werkstätte (rose)
dessinateur, Josef Hoffmann
(monogramme *JH*).

HIST. : Coll. Asenbaum, Vienne ; acquis
en 1986.

EXP. : 1983, Zurich, Museum Bellerive,
Josef Hoffmann. Wien, n° 115, repr. p.
74.

BIBL. : Archives de la Wiener Werkstätte
(Vienne, Österreichisches Museum für
angewandte Kunst) W.W.M.B. 35,
n° 2080, 24 mai 1912 et K.I. 12067-18 ;
Deutsche Kunst und Dekoration,
XXXIV, 1914, p. 114 (garniture de
bureau, coll. Hugo Koller, Vienne).

Hoffmann Josef
Pirnitz (Moravie) 1870 - Vienne
(Autriche) 1956

OAO 1062
Table de milieu
Modèle créé vers 1904.
Chêne teinté en noir et verni, marbre.
H. 0,730 ; L. 1,480 ; l. 0,890.

HIST. : Coll. Asenbaum, Vienne ; acquis
en 1986.

BIBL. : *Die Kunst*, vol. X, 1904, p. 29
(table analogue photographiée dans la
salle à manger de la maison syndicale
Poldihütte à Kladno, Tchécoslovaquie) ;
E. Sekler, *Josef Hoffmann. Das
architektonische Werk*, Salzbourg et
Vienne 1982, p. 312-313 (table
analogue photographiée dans l'atelier
de Magda von Mautner-Markhof).

Hoffman Josef
Pirnitz (Moravie) 1870 - Vienne
(Autriche) 1956

Jacob & Josef Kohn
Manufacture de bois courbé
Vienne

OAO 894
Chaise
Vers 1905-1906.
Hêtre courbé, contreplaqué perforé,
moleskine.
H. 0,990 ; L. 0,450 ; P. 0,430.
Marque au fer

HIST. : Modèle créé pour la Salle à
manger du Sanatorium Westend, à
Pürkersdorf, construit par Josef
Hoffmann en 1904-1905 ; acquis en
1983.

BIBL. : « The Art Revival in Austria »,
Studio Special Number, 1906, ill. c. 10. ;
Deutsche Kunst und Dekoration, XVIII,
1906, p. 432-434, repr. p. 433 ; J. & J.
Kohn, *Catalogue*, 1906, p. 65, repr.
n° 322.

OAO 1049
Fauteuil à dossier inclinable
Modèle créé vers 1908.
Hêtre courbé, contreplaqué perforé,
vernis façon acajou, laiton.
H. 1,100 ; L. 0,620 ; P. 0,820.

HIST. : Galerie Fischer Fine Art,
Londres ; acquis en 1986.

BIBL. : *Provisionischer Katalog der
Kunstschau*, Vienne, 1908, p. 82 ;
Katalog der Kunstschau, Vienne, 1908,
p. 114 ; *Dekorative Kunst*, XVI, 1908,
p. 541, repr. ; *Moderne Bauformen*, VII,
1908, p. 370, repr.

Horta Victor
Gand 1861 - Bruxelles 1947

Pelseneer Henri
Entrepreneur de menuiserie

Maison Dandois
Quincaillerie

Evaldres Raphaël
Maître-verrier

De Molder Alfred
Tapissier

OAO 486-493
**Boiseries et mobilier de l'hôtel
Aubecq**
Vers 1902-1904.

HIST. : Provient de l'hôtel particulier,
520 avenue Louise à Bruxelles,
construit et aménagé par Horta pour
Octave Aubecq, industriel, de 1899 à
1904, démoli en 1950 ; coll. M. et
Mme Vanderpeere, Antoing ; coll. M. et
Mme Wittamer-De Camps, Bruxelles ;
acquis en 1980.

BIBL. : G. Vigne « Victor Horta et l'hôtel
Aubecq à Bruxelles », *La Revue du
Louvre et des Musées de France*, 1983,
n° 1 p. 25-34 ; Lacambre-Thiébaut,
1983, nᵒˢ 495-510, p. 116-120, repr.

OAO 489
Banquette
Frêne, garniture moderne.
H. 0,970 ; l. 1,715 ; P. 0,695.
Faisait partie du mobilier du hall.

OAO 486
Table
Frêne.
H. 0,770; L. 1,860; l. 1,120.
Faisait partie du mobilier de la salle à manger.

OAO 487[1-6]
Six chaises
Frêne, garniture moderne.
H. 0,923; l. 0,485; P. 0,470 chaque.
Faisaient partie du mobilier de la salle à manger.

OAO 492[1-2]
Deux buffets
Frêne, cuivre.
H. 0,905; l. 1,700; P. 0,390 chaque.
Étaient incorporés aux boiseries de la salle à manger.

OAO 490
Tapis
Laine, point noué.
L. 3,070; l. 2,680.
Provient de la galerie.

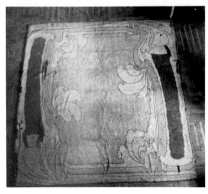

OAO 488[1-4]
Quatre fauteuils
Frêne, garniture moderne.
H. 0,960; l. 0,705; P. 0,760 chaque.
Faisaient partie du mobilier de la galerie.

OAO 492³⁻⁴
Deux buffets
Frêne, cuivre.
H. 1,000; l. 1,137; P. 0,378 chaque.
Étaient incorporés aux boiseries de la
galerie.

OAO 492¹⁵⁻¹⁷
Deux chambranles et une porte
Frêne.
H. 2,115; l. 0,935 (porte).
H. 2,375; l. 1,002 (chaque
chambranle).
Formaient l'accès au parloir.

OAO 492⁵
Paravent
Frêne, verres «américains» doublés et
chenillés.
H. 1,273; l. 0,525; Ep. 0,083.
Surmontant l'un des buffets de la
galerie.

OAO 492¹⁸⁻²³
Quatre portes et deux impostes
Frêne, verres «américains» doublés et
chenillés.
H. 2,950; l. 0,865 (chaque porte).
H. 1,200; l. 3,530 (chaque imposte).
Faisaient communiquer le hall d'une
part avec la salle à manger, d'autre
part avec la galerie.

OAO 492⁶⁻⁷
Deux consoles d'angle
Frêne, marbre.
H. 0,850; l. 0,790; P. 0,383 chaque.
Étaient incorporées aux boiseries de la
galerie.

OAO 492²⁴⁻²⁶
Une porte et deux panneaux
Frêne, verres «américains» doublés et
chenillés.
H. 2,375; l. 0,814 (chaque panneau).
H. 2,375; l. 1,002 (porte).
Séparaient le vestibule et le hall.

OAO 492²⁷⁻²⁸
Deux panneaux
Frêne.
H. 2,375; l. 0,814 chaque.
Faisaient partie de la paroi vitrée
séparant le hall et l'office.

OAO 492⁸⁻¹⁴
Sept éléments de lambris
Frêne.
H. variable entre 1,000 et 0,833;
L. variable entre 1,260 et 0,970.
Provient de la galerie.

OAO 493
Patère
Laiton.
H. 0,160; l. 0,187; P. 0,063.

OAO 491
Fragment de tapis
Laine, point noué.
L. 0,280; l. 0,085.
Provient du salon.

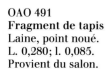

Hubert Léopold
Montreuil-sous-Bois 1832 - Paris?
après 1906

OAO 516
Vase de style Renaissance
Vers 1878.
Cristal de roche, or, argent
partiellement doré, émail.
H. 0,300; L. 0,157; P. 0,146.
S. gravé sous le buste de Persée :
L. HUBERT; S.b.d. (gravé verticalement
dans le cristal, sur le même côté) :
L. HUBERT
Poinçons : petite garantie, argent,
Paris; maître, argent, illisible

HIST. : Acquis en vente publique à
Londres, Christie, 25 novembre 1980,
n° 249, repr.

EXP. : 1878, Paris, Exposition
Universelle, groupe IV, classe 39

BIBL. : *L'Art moderne à l'Exposition de
1878*, Paris, 1879, p. 336, repr. p. 334;
*Exposition universelle de 1878, Rapport
sur la joaillerie et la bijouterie*, Paris,
1878, p. 30; Lacambre-Thiébaut, 1983,
n° 511 p. 120, repr. p. 121

Hukin & Heath
Voir **Dresser**

Hunsinger et Wagner
Fabricants de meubles de luxe et de
fantaisie, Paris.
Maison dirigée par Charles Hunsinger
(1823-1893) et Charles-Adolphe-
Frédéric Wagner, à partir de 1872.

OAO 1001
Cabinet
1879
Tilleul sculpté et noirci, marqueterie
d'ébène, noyer, amourette, hêtre,
poirier, palissandre, satiné, acajou,
charme, sycomore, buis, et os gravé;
bâti de chêne; bronze doré.
H. 2,090; L. 1,030; P. 0,550.
Marque de fabricant gravée sur la
plaque de serrure, au revers du vantail
droit : *1879/Hunsinger/Wagner Paris*

HIST. : Galerie Hypnos, Paris; acquis en
1985

BIBL. : Album Maciet, Paris,
Bibliothèque de l'Union centrale des
Arts décoratifs, 340,5 (photographie
contemporaine d'un meuble analogue,
avec quelques variantes de décor)

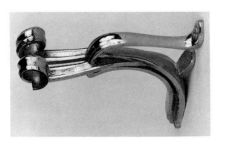

Hurpin
Voir **Maison Fourdinois**

Husson Henri
Grand (Vosges) 1854 - Vétheuil 1914

OAO 33
«Tête de femme», coquille
1909
Argent martelé, repoussé et ciselé,
grenaille d'argent.
H. 0,085; L. 0,290; l. 0,280.
S.b. au revers : *h husson;* monogrammé
sur la face, près du bord : *hH.*
Étiquette du dépôt de l'État :
*3046-1909/Mr Husson/Tête de femme/
Coquille argent repoussé* et étiquette
ronde : *LUX/39.*

HIST. : Acquis de l'artiste pour le musée
du Luxembourg en 1909; entré au
musée du Luxembourg en 1910;
reversement du musée national d'Art
moderne au musée d'Orsay, 1978.

EXP. : 1909, Paris, École des Beaux-Arts,
*Exposition des acquisitions et des
commandes de l'État livrées en 1909,*
n° 415.

BIBL. : Vaillat, 1909, n° 51, p. 135.

OAO 66
«Saint Jean», plat
Avant 1909.
Cuivre martelé, repoussé, ciselé,
patiné.
H. 0,140; D. 0,540.
Étiquette du dépôt de l'État, au revers :
*3045-1909/M Husson/Saint Jean/Plat
cuivre rep* et étiquette ronde : *LUX/164.*

HIST. : Acquis de l'artiste pour le musée
du Luxembourg en 1909; entré au
musée du Luxembourg en 1910;
reversement du musée national d'Art
moderne au musée d'Orsay, 1978.

EXP. : 1909, Paris, École des Beaux-Arts,
*Exposition des Acquisitions et des
Commandes de l'État livrées en 1909,*
n° 415.

Husson Henri
Sculpteur
Grand (Vosges) 1854 - Vétheuil 1914

Hébrard A.-A.
Fondeur et éditeur
Paris

OAO 65
Coupe
1909
Cuivre martelé, repoussé, patiné,
grenaille d'argent.
H. 0,100; D. 0,442.
S. au revers : *h. husson;* monogrammé
sur la face, au bord : *hH*
Marque au revers sur le bord :
A. HEBRARD/PARIS

HIST. : Acquis de l'artiste pour le musée
du Luxembourg en 1909; entré au

musée du Luxembourg en 1910;
reversement du musée national d'Art
moderne au musée d'Orsay, 1978.

EXP. : 1909, Paris, Ecole des Beaux-Arts,
*Exposition des acquisitions et des
commandes de l'État livrées en 1909,*
n° 415.

OAO 67
Vase
1914
Cuivre martelé et patiné, laiton (ou
or?) et argent forgés et ciselés,
grenaille d'argent.
H. 0,293; D. 0,255.
S. sous la pièce : *h. husson;*
monogrammé sur le col : *hH*
Marque sous la pièce : *A. HÉBRARD/
PARIS.*

HIST. : Acquis de l'artiste pour le musée
du Luxembourg en 1914; entré au
musée du Luxembourg en 1916;
reversement du musée national d'Art
moderne au musée d'Orsay, 1978.

Ingres
Voir **David**

Iselin
Voir **Galbrunner**

Itasse Jeanne
Paris 1867 - Paris 1941

Émile Muller et Cie
Céramiste, éditeur
Ivry-sur-Seine.

OAO 1033
«Saint Sébastien», masque
Vers 1898-1899.
Grès émaillé.
H. 0,172; l. 0,120; P. 0,068.
S. en creux en bas à droite : *J. Itasse;*
marque en creux sur la tête : *E.
MULLER/IVRY PORT*
Marbre exposé au Salon de la Société
des Artistes français de 1898, n° 3526.

HIST. : Acquis en vente publique, Paris,
Hôtel Drouot, 28 janvier 1986, salle 2,
n° 72.

BIBL. : *Émile Muller et Cie. Catalogue de
L'exécution en Grès d'un choix
d'œuvres des maîtres de la sculpture
contemporaine* [1899], p. 13

Jallot Léon-Albert
Nantes 1874 - Paris 1967

DO 1981-31 et 32
Vitrines
1913
Merisier, loupe de poirier de Perse,
cuivre.
H. 0,176; l. 1,510; P. 0,475.

HIST. : Commande de l'État en 1913
pour l'Exposition internationale des
Beaux-Arts de Munich; attribué au
musée du Luxembourg en 1913; dépôt
du musée national d'Art moderne au
musée d'Orsay, 1981.

EXP. : 1913, Munich, Glaspalast, *XI
Internationale Kunstausstellung;* 1913,
Paris, École des Beaux-Arts, *Exposition
des acquisitions et des commandes de
l'État livrées en 1913,* n° 341 p. 14.

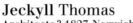

Jeckyll Thomas
Architecte? 1827-Norwich 1881

De Morgan William
Céramiste
Londres 1839- ? 1917

Barnard, Bishop and Barnards
Fondeurs, Norwich, 1826-1955

OAO 864
Revêtement de cheminée et pare-feu
Modèle créé en 1873.
Laiton, fonte, faïence.
Cheminée : H. 0,918; L. 0,817.
Pare-feu : H. 0,218; L. 1,295; P. 0,455.
Bac à cendres : H. 0,082; L. 0,535;
l. 0,122.
Marque de fabricant en relief au revers
de la plaque supérieure : *BBB /
REGISTERED*
Marques de dépôt de brevet en relief,
au revers de la plaque supérieure : *1/3/
24/F/K/R^D* (modèle déposé le
24 novembre 1873); à l'intérieur du
bac à cendres : *1/6/20* (?)/*V* (?)/ *R* (?)/
R^D (marque peu lisible)
S. D. en relief au revers des carreaux :
DM/98 (1898)

HIST. : The Fine Art Society, Londres;
acquis en 1982.

BIBL. : *Victorian and Edwardian
Decorative Art. The Handley-Read
collection,* Londres, Royal Academy of
Arts, 1972, D 125, p. 77; R. Pinckham,
*Catalogue of the Pottery by William de
Morgan,* Victoria and Albert Museum,
Londres, 1973, n° 98, repr.

Jouhaud Léon
Limoges 1874-Limoges 1950.

DO 1977-19
«Femme à sa toilette», plaque
d'émail
1912
Émail peint sur cuivre; cuivre patiné.
H. 0,130; l. 0,100; Ép. 0,012.
S.D. au revers, sous le contre-émail :
L. JOUHAUD/LIMOGES/1912.
Au revers du cadre, étiquette du dépôt
de l'État : *4330 1913/Mr. JOUHAUD/
Femme à sa toilette/H. 0m.13 × 0m.10
plaque d'émail/Commissariat A.D.* et
deux petites étiquettes : *2* et *LUX/35.*

HIST. : Acquis pour le musée du
Luxembourg en 1912; entré au musée
du Luxembourg en 1916; dépôt du
musée national d'Art moderne au
musée d'Orsay, 1977.

EXP. : 1912, Paris, École des Beaux-Arts,
*Exposition des Acquisitions et des
Commandes de l'État livrées en 1912,*
n° 416.

Jubin
Voir **O'Kin**

Karageorgevitch Bojidar
Belgrade 1861-Versailles 1908

Desaignes Georges
Orfèvre, Paris

OAO 45$^{1-2}$
Boucle de ceinture
Avant 1906.
La boucle (OAO 45^1) est complétée par
une barrette (OAO 45^2).
Argent fondu, ciselé et doré, patine
rougeâtre.
OAO 45^1 : L. 0,068; l. 0,048; P. 0,012.
OAO 45^2 : L. 0,062; l. 0,012; P. 0,002.
S. au revers de la boucle : *B.* (en
caractère cyrillique) *Karageorgevitch.*
Poinçons sur chaque pièce, face de la
boucle et barrette : fabricant, argent
(illisible) et petite garantie, argent,
Paris.

HIST. : Acquis en 1906 pour le musée du
Luxembourg; entré au musée du
Luxembourg en 1912; reversement du
musée national d'Art moderne au
musée d'Orsay, 1978.

EXP. : 1906, Paris, Salon de la Société
nationale des Beaux-Arts, n° 2380 b.

BIBL. : Félice, 1906, n° 93, repr. p. 218;
Félice, 1906, n° 94, p. 34.

Kendal Milne & C°
Voir **Freeth Roper**

Kenton and Company
Voir **Gimson**

Kern
Voir **Auscher**

Koepping Karl
Dresde 1848 - Berlin 1914

OAO 304
Verre décoratif
Vers 1896.
Verre teinté soufflé, applications.
H. 0,117; D. ouverture 0,092.
S. en blanc sur le pied : *C Koepping*

HIST. : Acquis en 1896 à la galerie Bing
pour le musée du Luxembourg;
reversement du musée national d'Art
moderne au musée d'Orsay, 1978.

EXP. : 1896, Paris Salon de la Société
nationale des Beaux-Arts, vitrine
n° 306.

BIBL. : G. Mourey, «The Salon of the
Champ de Mars», *The Studio*, VIII,
1896, repr. p. 25.

OAO 305
Verre décoratif
Vers 1896.
Verre teinté soufflé, applications.
H. 0,152; l. 0,122.
S. en blanc sur le pied : *C Koepping*

HIST. : Acquis en 1896 à la galerie Bing
pour le musée du Luxembourg;
reversement du musée national d'Art
moderne au musée d'Orsay, 1978.

EXP. : 1896, Paris, Salon de la Société
nationale des Beaux-Arts, vitrine
n° 306.

BIBL. : G. Mourey, «The Salon of the
Champ de Mars», *The Studio*, VIII,
1896, repr. p. 25.

Jacob & Josef Kohn
Manufacture de bois courbé.
Fondée à Vienne en 1867.

OAO 941
Chaise
Modèle dessiné après 1869 d'après la
chaise n° 5 de Thonet créée vers 1850.
Hêtre courbé, teinté noir et verni noir,
cannage.
H. 0,914; l. 0,432; P. 0,575.
Étiquette à l'intérieur de la ceinture
portant la marque de fabrique :
[JO]SEF KOHN W[S]ETIN

HIST. : Collection Georges Candilis;
acquis en 1984.

OAO 944
Chaise
Variante du modèle n° 21 créé par
Thonet avant 1873.
Hêtre courbé, teinté noir et verni noir,
cannage.
H. 0,910 ; l. 0,435 ; P. 0,550.
A l'intérieur de la ceinture, estampille :
J & J KOHN (deux fois).

HIST. : Collection Georges Candilis ;
acquis en 1984.

BIBL. : Thonet Frères, affiche-catalogue
[1873].

OAO 927
Fauteuil
Modèle créé dernier quart du
XIXᵉ siècle.
Hêtre courbé teinté façon noyer.
H. 1,030 ; L. 0,541 ; P. 0,640.
Estampillé à l'intérieur de la ceinture :
[J.] J. KOHN/[WS] ETIN AUSTRIA.

HIST. : Collection Georges Candilis ;
acquis en 1984.

BIBL. : J. et J. Kohn, catalogue de vente,
[1904].

OAO 923
Canapé
Modèle dessiné entre 1870 et 1880
d'après les modèles n° 12 et 22 de
Thonet.
Hêtre courbé teinté façon noyer foncé
et verni, cannage (moderne.)
H. 1,090 ; L. 1,460 ; P. 0,650.
A l'intérieur de la ceinture, estampille :
J. & J. KOHN/WSETIN AUSTRIA.

HIST. : Collection Georges Candilis ;
acquis en 1984.

BIBL. : J. et J. Kohn, catalogue de vente,
[1904].

OAO 907
Berceau
Modèle créé dernier quart du XIXᵉ
siècle.
Hêtre courbé teinté merisier et verni.
H. 1,335 ; L. 1,530 ; P. 0,680.

HIST. : Collection Georges Candilis ;
acquis en 1984.

BIBL. : J. et J. Kohn, catalogue de vente,
[1904], n° 1572.

OAO 948
Chaise
Modèle créé dernier quart du XIXᵉ
siècle.
Hêtre courbé teinté noir et verni noir,
cannage.
H. 0,930; l. 0,417; P. 0,517.
A l'intérieur de la ceinture, traces de
l'étiquette portant la marque de
fabrique (Kohn?); numéro de
montage : *797* estampé à l'intérieur de
la ceinture, sur un des pieds arrière et
sur l'anneau stabilisant les pieds.

HIST. : Collection Georges Candilis;
acquis en 1984.

OAO 950
Chaise
Variante du modèle Thonet nᵒ 91 créé
par August Thonet vers 1890.
Hêtre courbé teinté, vernis façon
acajou, cannage (moderne).
H. 0,880; l. 0,400; P. 0,590.
A l'intérieur de la ceinture, estampille :
J & J. KOHN./WSETIN-AUSTRIA. et lettre :
H gravée.

HIST. : Don de M. Georges Candilis,
1984.

BIBL. : J. & J. Kohn, catalogue de vente,
[1904].

OAO 934
Dressoir
Vers 1900.
Hêtre courbé et contreplaqué plaqué
hêtre, teintés rouge et vernis.
H. 0,960; l. 0,763; P. 0,540.

HIST. : Collection Georges Candilis;
acquis en 1984.

BIBL. : Jacob et Josef Kohn, catalogue de
vente, 1916, nᵒ 956.

J. & J. Kohn
Voir également **Hoffmann,
Loos, Moser, Wagner**

Den Kongelice
Porcelainsfabrik
Voir **Manufacture Royale de
Copenhague**

Königliche Porzellan-
Manufaktur
Voir **Eckmann**

Laboureur Émile
Nantes 1877 - Penestin (Morbihan)
1943

Préaubert Louis
Tapissier
Coueron (Loire-Atlantique) 1854 -
Nantes après 1926

OAO 864
Paravent à quatre feuilles
Modèle créé en 1899.
Feutre collé sur toile de jute imprimée
et peinte.
H. 1,285; l. 1,800.

HIST. : Atelier d'Émile Laboureur;
acquis en 1982.

EXP. : 1899, Paris, Salon de la Société
nationale des Beaux-Arts, nᵒ 333; 1900,
Paris, Exposition Universelle, groupe
XII, classe 70.

BIBL. : A. des A., «A l'atelier d'un
«jeune» M. Émile Laboureur», *Le Petit
Phare de Nantes*, 29 octobre 1902.

Laboureur
Voir aussi Catalogue sommaire des
dessins d'architecture et d'art décoratif

Maison Lacour
Voir **Guimard**

Lafleur Abel
Rodez 1875 - Boulogne-sur-Seine 1953

DO 1977-20
Plaquette
Entre 1911 et 1915.
Ivoire sculpté.
H. 0,069; l. 0,069; P. 0,006.
S.d. : *-Abel - Lafleur-;* monogramme
h.g. : *AL*
Étiquette octogonale au revers :
B 2552.

HIST. : Entré au musée du Luxembourg
en 1919; dépôt du musée national d'Art
moderne au musée d'Orsay, 1977.

EXP. : 1915, San Francisco, *Panama
Pacific International Exposition*, Fine
Arts, French Section, Contemporary
Art, cadre nᵒ 645.

Lalique René-Jules
Ay-sur-Marne 1860 - Paris 1945

OAO 46
«Pavot», objet décoratif
1897
Or, argent, diamants brillantés, émail
cloisonné et à jour, translucide mat et
opaque brillant.
Démontable en sept éléments : tige,
quatre pétales, étamines, pistil.
H. 0,075; L. 0,235; l. 0,105.

HIST. : Acquis au Salon de la Société des
Artistes français de 1897 pour le musée
du Luxembourg; entré au musée du
Luxembourg en 1898; reversement du
musée national d'Art moderne au
musée d'Orsay, 1978.

EXP. : 1897, Paris, Salon de la Société
des Artistes français, vitrine n° 3615.

BIBL. : Binet, 1897, p. 68 à 71; Bénédite,
1900, repr. p. 241.

OAO 47

Plaque de collier
1899-1900
Or jaune fondu, ciselé et amati, et or
rose; émail opaque mat gravé en
camée; de chaque côté, 13 rangs de
20 fausses perles rondes.
Écrin d'origine : *R. LALIQUE / 20. RUE
THÉRÈSE / PARIS.*
H. 0,057; L. 0,235; P. 0,021.

HIST. : Commande de l'État au Salon de
la Société des Artistes français de 1899
pour le musée du Luxembourg; entré
au musée du Luxembourg en 1900;
reversement du musée national d'Art
moderne, 1978.

EXP. : 1900, Paris, Exposition
Universelle, groupe XV, classe 95.

BIBL. : Bénédite, 1900, repr. p. 240.

OAO 48
Broche
Entre 1899 et 1903.
Or jaune et or rose, émail translucide
cloisonné et à jour, et émail opaque
gravé, trois tourmalines (?).
L. 0,082; l. 0,046; Ep. 0,028.
S. *LALIQUE* sur la tige.
Poinçons de garantie, or, et poinçon de
fabricant, René Lalique.

HIST. : Don de Miss Tarn (?) au musée
du Luxembourg, sans date; entré au
musée du Luxembourg entre 1906 et
1907; reversement du musée national
d'Art moderne au musée d'Orsay, 1978.

OAO 898
Pendant de cou et chaîne
1903-1905
Or, émail translucide cloisonné et à
jour et sur paillons, brillants, aigue-
marine.
Le bijou a conservé son écrin d'origine
portant les initiales de la propriétaire :
M.R. (Madeleine Reymond) sur le
couvercle ; à l'intérieur : *R. LALIQUE/40.
Cours-la-Reine/Paris.*
Pendentif : L. 0,069 ; l. 0,057 ; Ep. 0,008.
Chaîne : L. 0,415.
Poinçon de fabricant, René Lalique, sur
l'anneau de suspension, et poinçon de
garantie, or, sur l'anneau du pendentif.

HIST. : Offert par le docteur Émile
Reymond, chirurgien des hôpitaux,
sénateur de la Loire, à son épouse née
Madeleine Delaunay (1873-1929).
Acquis de la famille de la propriétaire
en 1983.

OAO 198
Bonbonnière
1904
Or jaune, émail cloisonné et à jour,
gravé à l'acide partiellement repoli, six
cabochons d'opales.
H. 0,020 ; D. 0,055.
S. sur le bord supérieur du récipient :
LALIQUE.

HIST. : Acquis au Salon de la Société des
Artistes français de 1904 pour le musée
du Luxembourg ; reversement du
musée national d'Art Moderne au
musée d'Orsay, 1978.

EXP. : 1904, Paris, Salon de la Société
des Artistes français, vitrine n° 4785.

BIBL. : Verneuil, 1904[d], p. 170, repr.
p. 166.

OAO 199
Bonbonnière
1908
Or, émail à deux couches gravé, plaque
de verre moulé et gravé sur le revers.
H. 0,047 ; L. 0,110 ; l. 0,062.

HIST. : Acquis au Salon de la Société des
Artistes français de 1908 pour le musée
du Luxembourg ; entré au musée du
Luxembourg en 1909 ; reversement du
musée national d'Art moderne, 1978.

EXP. : 1908, Paris, Salon de la Société
des Artistes français, vitrine n° 4959.

BIBL. : Verneuil, 1908, p. 203, repr.
p. 198.

OAO 34, 35 et 36, 1141 et 1142
Garniture de toilette
Avant 1909.
Ensemble composé de savonnière,
miroir, petite brosse et deux boîtes à
poudre ; comportait en outre une glace
(emplacement actuel inconnu) et une
brosse à poignée (disparue, mais dont
provient peut-être un pétale de verre
isolé).

HIST. : Garniture acquise au Salon de la
Société des Artistes français de 1909 ;
boîtes à poudre déposées au musée des
Beaux-Arts de La Rochelle en 1939,
attribuées au musée d'Orsay par le
Fonds national d'art contemporain ;
1987 ; savonnière, miroir et petite
brosse entrés au musée national d'Art
moderne en 1940 et reversés au musée
d'Orsay en 1978.

EXP. : 1909, Paris, Salon de la Société
des Artistes français, vitrine n° 5105.

BIBL. : Verneuil, 1909, p. 60.

OAO 34
Savonnière
Argent repoussé et ciselé, cristal taillé
et gravé, pétale de verre moulé, gravé
et dépoli serti en bâte.
H. 0,069 ; L. 0,228 ; l. 0,090.
Sur le rebord du couvercle : poinçons
de petite garantie, argent, Paris, et de
fabricant, René Lalique.
Étiquette du dépôt de l'État :
*3129-1911/Mr Lalique/Savonnière en
verre et avec (?) petite brosse.*

OAO 35
Miroir à main
Argent repoussé et ciselé sur âme de
bois, pétale de verre moulé, gravé et
dépoli serti en bâte ; glace biseautée.
L. 0,330 ; l. 0,088 ; Ép. 0,022.
Au bout du manche : poinçons de
petite garantie, argent, Paris, et de
fabricant, René Lalique.

OAO 36
Brosse à poudre
H. 0,048 ; L. 0,152 ; l. 0,036.
Argent repoussé et ciselé sur âme de
bois, pétale de verre moulé, gravé et
dépoli, serti en bâte ; soies.
Au bout du manche, poinçons de petite
garantie, argent, Paris, et de fabricant,
René Lalique.

OAO 1141-1142
Deux boîtes à poudre
Cristal taillé et gravé, argent repoussé
et ciselé pour le couvercle et la
monture du récipient; pétale de verre
moulé, gravé et dépoli, serti en bâte
sur le couvercle du n° OAO 1141.
OAO 1141 : H. 0,110; D. 0,098.
OAO 1142 : H. 0,070; D. 0,070.
Sur le bord externe de la monture et
sur le rebord du couvercle : poinçons
de petite garantie, argent, Paris, et de
fabricant, René Lalique (les deux
pièces identiques).

OAO 306
Vase
Modèle créé en 1911.
Verre moulé, gravé et patiné.
H. 0,290; D. base 0,145.

HIST. : Acquis au Salon de la Société des
Artistes français de 1911 pour le musée
du Luxembourg; entré au musée du
Luxembourg en 1912; reversement du
musée national d'Art moderne au
musée d'Orsay, 1978.

EXP. : 1911, Paris, Salon de la Société
des Artistes français, vitrine n° 5146.

BIBL. : H. Bidou, «L'Art Décoratif aux
Salons», *Art et Décoration*, 1911, t. 27,
p. 171-172, repr. p. 181.

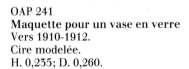

OAP 241
Maquette pour un vase en verre
Vers 1910-1912.
Cire modelée.
H. 0,235; D. 0,260.

HIST. : Ateliers Lalique; acquis en vente
publique à Paris, Drouot, 7 décembre
1977, salle 2, n° G/6; affecté par le
musée du Louvre au musée d'Orsay,
1982.

OAP 265
Maquette pour un vase en verre
Vers 1910-1912.
Cire modelée.
H. 0,307; D. ouverture 0,290.

HIST. : Ateliers Lalique; acquis en vente
publique à Paris, Drouot, 7 décembre
1977, salle 2, n° G 10; affecté par le
musée du Louvre au musée d'Orsay,
1982.

Lalique
Voir aussi Catalogue sommaire des
dessins d'architecture et d'art décoratif

Lambert Gustave-Alexandre
Paris 1856 - Paris (?) 1940

R.F. 2250
«La source et le ruisseau», intaille et son empreinte dans un cadre
1898
Intaille sur cornaline, empreinte argent; velours, cadre de bois noirci.
Intaille : H. 0,056; l. 0,046; Ep. 0,003.
Empreinte : H. 0,053; l. 0,043.
S.b. : *G. LAMBERT*
Sur le cadre, deux étiquettes anciennes : *3984 et 821 - 1898 - 3984/ Mr Lambert (G.)/Un cadre cont^nt : La source/et le ruisseau; - camée intai[lle]/ Appartient à l'État.*

HIST. : Acquis au Salon de la Société des Artistes français de 1898; entré au musée du Luxembourg en 1912; reversé au musée du Louvre en 1932.

EXP. : 1898, Paris, Salon de la Société des Artistes français, n° 3984.

BIBL. : 1902, Babelon, pp. 245-246, empreinte repr. pl. XXI, n° 10.

OAO 224
«Le Voile», intaille et son empreinte dans un cadre
1905
Intaille sur cornaline, épreuve métal, montage sur papier doré et cadre de bois.
H. 0,039; l. 0,032; Ep. 0,002 (hors cadre, les deux pièces identiques).
S.D.b.g. et d. : *G. LAMBERT/1905*
Étiquette ancienne au revers du cadre : *2342 Acquis 1907/Mr. Lambert Gustave/Camée.*

HIST. : Acquis par l'État au Salon de la Société des Artistes français de 1907; entré au musée du Luxembourg en 1912; reversement du musée national d'Art moderne au musée d'Orsay, 1978.

EXP. : 1906, Paris, Salon de la Société des Artistes français, cadre n° 3685, n° 3.

Langlois
Voir **Manufacture nationale de tapisserie de Beauvais.**

Maison Lantillon et Cie
Voir **Guimard**

Larche Raoul-François
Sculpteur
Saint-André de Cubzac 1860 - Paris 1912
Siot-Decauville
Fondeur, Paris.

OAO 214-215-216
«La Mer», surtout de table
1894
Étain fondu.
Groupe du milieu : OAO 214 : H. 0,760; L. 0,800; P. 0,330.
Bouts de table : OAO 215 : H. 0,420; L. 0,200; P. 0,170. OAO 216 : H. 0,415; L. 0,235; P. 0,210.
S. *RAOUL LARCHE* sur les trois pièces.
Marque à la base du groupe central : *SIOT. FONDEUR. PARIS.*

HIST. : Acquis au Salon de la Société des Artistes français de 1894 pour le musée du Luxembourg; reversement du musée national d'Art moderne au musée d'Orsay, 1978.

EXP. : 1894, Paris, Salon de la Société des Artistes français, n° 3801.

BIBL. : Maillet, 1894, p. 324, repr. p. 320 et 323.

Larche
Voir aussi Catalogue sommaire des sculptures

Lasserre
Voir **Manufacture Nationale de Sèvres**

Lechevrel Alphonse-Eugène
Paris 1848 - Paris (?) 1924

OAO 1136-1137
«Consultatio», intaille montée et son empreinte
1888-1889
Intaille sur sardoine foncée; empreinte sur plâtre; montures de métal doré.
H. 0,055; l. 0,043; Ép. 0,008 (avec monture; les deux pièces identiques).
S.b. : *LECHEVREL* et inscription :
KONSULTATIO (en caractères grecs); au revers de l'intaille, en légende : *Consultatio Intaille sur Sardoine - Lechevrel - A - Paris-1888-1889 -* et en exergue : *appartient à l'État.*

HIST. : Acquis au Salon de la Société des Artistes français de 1889; attribué au musée du Luxembourg, 1891; déposé au musée Fabre de Montpellier en 1933; attribué au musée d'Orsay par le Fonds national d'art contemporain; 1987.

EXP. : 1889, Paris, Salon de la Société des Artistes français, n° 5091 ; 1893, Chicago, Exposition Universelle, n° 6 du cadre 747 .

BIBL. : Babelon, 1900, p. 302 ; Babelon, 1902, p. 246, empreinte repr. pl. XXI, fig. 4.

Le Couteux Lionel-Aristide
Le Mans 1847 - Allones (Sarthe) 1909

OAO 49
Barrette à cheveux
Avant 1904.
Or jaune fondu, ciselé et amati, patine brune.
L. 0,061 ; l. 0,025 ; H. 0,012.
Monogramme *LC* sur la face, base de l'aile droite.
Poinçons : au revers de l'aile gauche : petite garantie, or, Paris ; sur la tige du fermoir : petite garantie, or, Paris et deux poinçons de fabricant (illisibles).

HIST. : Acquis pour le musée du Luxembourg au Salon de la Société des Artistes français de 1904 ; reversement du musée national d'Art moderne au musée d'Orsay, 1978.

EXP. : 1904, Paris, Salon de la Société des Artistes français, vitrine n° 4797.

Lecreux Marguerite Hermance-Prospérine, née Druez
Lille 1856 - Quimper 1941

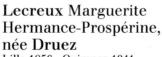

OAO 37
«Muguet», clef
1910
Argent fondu et ciselé.
L. 0,067 ; l. 0,027 ; Ép. 0,007.
S. sur la branche : *M. LECREUX.*

HIST. : Acquis au Salon de la Société des Artistes Décorateurs de 1910 pour le musée du Luxembourg ; entré au musée du Luxembourg en 1912 ; reversement du musée national d'Art moderne, 1978.

EXP. : 1910, Paris, Salon de la Société des Artistes Décorateurs, p. 48.

BIBL. : Saunier, 1910, p. 133.

Lee William
Paris ? - ?

OAO 167
Vase
1909
Grès émaillé.
H. 0,220; D. base 0,145.
Monogrammé en vert sous la pièce :
WL (entrelacés).

HIST. : Acquis au Salon de la Société des
Artistes français de 1909 pour le musée
du Luxembourg; entré au musée du
Luxembourg en 1910; reversement du
musée national d'Art moderne au
musée d'Orsay, 1978.

EXP. : 1909, Paris, Salon de la Société
des Artistes français, vitrine n° 5121.

OAO 166
Vase
Vers 1910.
Grès émaillé.
H. 0,125; D. base 0,052.
Monogrammé en rouge sous la pièce :
WL (entrelacés); en creux : *5 (c4)*

HIST. : Entré au musée du Luxembourg
avant 1931; reversement du musée
national d'Art moderne au musée
d'Orsay, 1978.

OAO 168
Vase
Vers 1910.
Grès émaillé.
H. 0,125; D. base 0,050.
Monogrammé en rouge sous la pièce :
WL (entrelacés); en creux : *52*

HIST. : Entré au musée du Luxembourg
avant 1931; reversement du musée
national d'Art moderne au musée
d'Orsay, 1978.

Lefèvre
Voir **Manufacture nationale
de tapisseries de Beauvais**

Legost
Voir **Monbro**

Lemaire Georges-Henri
Bailly 1853 - Paris 1914

OA 3195
«La main chaude», camée
1885
Camée sur sardonyx à trois couches.
H. 0,132; l. 0,117; Ep. 0,005.
S.b.d. : *G. LEMAIRE*.
Étiquette au revers : *R.F./n° 3.194 :*

HIST. : Acquis au Salon de la Société des
Artistes français de 1885 pour le musée
du Luxembourg; entré au musée du
Luxembourg en 1907; affecté par le
musée du Louvre au musée d'Orsay,
1983.

EXP. : 1885, Paris, Salon de la Société
des Artistes français, cadre n° 4375,
n° 2; 1889, Paris, Exposition
Universelle, groupe I, classe 3.

BIBL. : Lafenestre, 1885, p. 70.

OAO 227
«Flore et Zéphyr», camée
1888
Camée sur sardonyx à deux couches.
H. 0,105; l. 0,080; Ep. 0,005.
S.g. : *G. LEMAIRE*.

HIST. : Acquis au Salon de la Société des
Artistes français de 1888 pour le musée
du Luxembourg; reversement du
musée national d'Art moderne au
musée d'Orsay, 1978.

EXP. : 1888, Paris, Salon de la Société
des Artistes français, n° 4803, n° 5;
1889, Paris, Exposition Universelle,
groupe I, classe 3, n° 1964.

BIBL. : Babelon, 1900, p. 297.

OAO 1139
«La mort de Narcisse», camée
1895
Camée sur agate à plusieurs couches.
H. 0,081; l. 0,101; Ep. 0,011.
S.b.g. : *G. LEMAIRE*

HIST. : Commandé par l'État en 1894;
attribué au musée du Luxembourg en
1895; déposé au musée Fabre de
Montpellier de 1933 à 1982; attribué au
musée d'Orsay par le Fonds national
d'art contemporain, 1987.

EXP. : 1895, Paris, Salon de la Société
des Artistes français, n° 3617; 1900,
Paris, Exposition Universelle,
groupe II, classe 9, n° 391.

BIBL. : Babelon, 1900, p. 297-298.

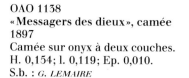

OAO 1138
«Messagers des dieux», camée
1897
Camée sur onyx à deux couches.
H. 0,154; l. 0,119; Ep. 0,010.
S.b. : *G. LEMAIRE*

HIST. : Commandé par l'État en 1897
pour le musée du Luxembourg; entré
au musée du Luxembourg en 1898;
déposé au musée Fabre de Montpellier
en 1933; attribué au musée d'Orsay
par le Fonds national d'art
contemporain; 1987.

EXP. : 1897, Paris, Salon de la Société
des Artistes français, cadre n° 3512,
n° 1; 1900, Paris, Exposition
Universelle, groupe II, classe 9, n° 392.

BIBL. : Babelon, 1900, p. 298; Babelon,
1902, p. 241-242, repr. pl. XX, fig. 1.

OAO 226
«Le Printemps», camée
1900
Camée sur sardonyx à trois couches.
Le camée était présenté dans un cadre
d'argent, topazes et améthystes,
aujourd'hui disparu.
H. 0,145; l. 0,097; Ep. 0,008.
S.b.g. : *G. LEMAIRE*.

HIST. : Acquis au Salon de la Société des
Artistes français de 1901 pour le musée
du Luxembourg; entré au musée du
Luxembourg en 1902; reversement du
musée national d'Art moderne au
musée d'Orsay, 1978.

EXP. : 1900, Paris, Exposition
Universelle, groupe II, classe 9, vitrine
n° 390, n° 6; 1901, Paris, Salon de la
Société des Artistes français, vitrine
n° 4690.

BIBL. : Babelon, 1900, p. 297; Babelon
1901, pp. 36-37, repr. p. 35.

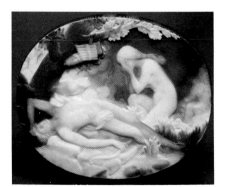

OAO 225
«L'Aube», camée
1906
Camée sur sardonyx à deux couches.
H. 0,150; l. 0,103; Ep. 0,006.
S.h.g. : *G. LEMAIRE*
Au dos, petite étiquette ronde : *LUX/36*.

HIST. : Acquis au Salon de la Société des
Artistes français de 1906; attribué au
musée du Luxembourg en 1907;
reversement du musée national d'Art
moderne au musée d'Orsay, 1978.

EXP. : 1906, Paris, Salon de la Société
des Artistes français, cadre n° 3691.

BIBL. : Babelon, 1906, p. 57 et 58, repr.
p. 57.

Lemarchand
Voir **Cremer**

Lemoine
Voir **Cremer**

Lepec Charles
Artiste peintre
Paris 1830- ? après 1885

Dotin Ch.
Émailleur

OAO 712
«Clémence Isaure», panneau
décoratif
1865
Émail peint sur cuivre, cuivre doré.
H. 1,803; L. 1,113.
S.D.b.m. : *2 (?) 51 CLP* (L et P liés)
1865
Inscriptions émaillées, en haut sur une
banderole : *POESIM PICTURA CELEBRAT;*
sur le médaillon central : *CLEMENCE
ISAURE.*

HIST. : Coll. Robert Philips, Londres;
coll. Bolckow, Marton Hall (Yorkshire);
vendu à Londres en 1892; vente à New
York, Christie's, 16 novembre 1979,
n° 38, repr.; acquis en 1982.

EXP. : 1866, Paris, Salon, n° 2360.

BIBL. : E. About, *Salon de 1866*, Paris
1867, p. 21-22; D. Alcouffe, «Les
émailleurs français à l'Exposition
universelle de 1867», *Antologia di Belle
arti*, 1980, n° 13-14, p. 105-106, repr.;
Lacambre-Thiébaut, 1983, n 514
p. 120, repr. p. 121.

Leroy
Voir **Rudolphi**

Lesbros
Voir **Dalpayrat**

Léveillé Ernest-Baptiste
Éditeur
Paris 1841 - Vaucresson 1913

Michel Eugène
Graveur sur verre
Lunéville 1848 - Paris 1904

OAO 309
Vase
1892
Cristal à deux couches, couche
inférieure craquelée, décor gravé à la
roue, monture en bronze ciselé et
patiné.
H. 0,225; D. ouverture 0,105.

HIST. : Acquis au Salon de la Société
nationale des Beaux-Arts de 1892 pour

le musée du Luxembourg;
reversement du musée national d'Art
moderne au musée d'Orsay, 1978.

EXP. : 1892, Paris, Salon de la Société
nationale des Beaux-Arts, vitrine n° 76.

BIBL. : L. de Fourcaud, «Les arts
décoratifs au Salon de 1892», *Revue des
Arts décoratifs*, juin 1892, p. 10, repr.
p. 3.

OAO 308
«Feuilles de marronnier», vase
1893
Cristal à deux couches, décor gravé à la
roue.
H. 0,195; D. 0,083.
S. en creux sous la pièce :
E. Leveillé/Paris.

HIST. : Acquis au Salon de la Société
nationale des Beaux-Arts de 1893 pour
le musée du Luxembourg;
reversement du musée national d'Art
moderne au musée d'Orsay, 1978.

EXP. : 1893, Paris, Salon de la Société
nationale des Beaux-Arts, n° 340.

BIBL. : Bénédite, 1898, n° 852 p. 173;
L'Art pour tous, 1901, n° 994 p. 4074,
fig. 10010.

Léveillé
Voir également à
Bracquemond, Rousseau

Levillain Ferdinand
Sculpteur, médailleur
Paris 1837 - Paris 1905

Maison F. Barbedienne
Bronzes d'art, Paris.

OAO 966
Coupe
Vers 1873-1875.
Bronze (et cuivre galvanique?) patiné,
ivoire.
H. 0,182; L. 0,555; D. 0,385.
S. au centre : *F. LEVILLAIN*
Marque de fondeur gravée sur le pied :
F. BARBEDIENNE
Inscription au revers du pied : *96324
cug (?) C.II C.*

HIST. : Galerie J.L. Degrave, Paris;
acquis en 1984.

BIBL. : «Gravure en médailles et sur
pierres fines», *Salon de 1877*, Paris,
1877, n° 4214 *(Méduse)*; *Bronzes d'art
F. Barbedienne*, Paris, 1875, p. 15.

Levillain Ferdinand
Sculpteur, médailleur
Paris 1837 - Paris 1905

OAO 68
«Diogène», vase couvert
1891
Cuivre doré, reproduction et dorure
par galvanoplastie.
H. 0,400; D. 0,183.
S. sur la panse, b. d'un médaillon
inférieur : *F. LEVILLAIN*

HIST. : Acquis au Salon de la Société des
Artistes français de 1891 pour le musée
du Luxembourg; reversement du
musée national d'Art moderne au
musée d'Orsay, 1978.

EXP. : 1891, Paris, Salon de la Société
des Artistes français, n° 2692.

BIBL. : *Revue des Arts Décoratifs,* mai
1892, repr. pl. hors texte p. 328.

OAO 229
«Histoire de Psyché», objet décoratif
1898
Marbre noir de Belgique sculpté.
H. 0,210; L. 0,450; l. 0,185.
S. à l'intérieur de la coquille :
F. LEVILLAIN; D. sur la spirale :
PARIS/1898.

HIST. : Acquis au Salon de la Société des
Artistes français de 1898 pour le musée
du Luxembourg; entré au musée du
Luxembourg en 1900; reversement du
musée national d'Art moderne au
musée d'Orsay, 1978.

EXP. : 1898, Paris, Salon de la Société
des Artistes français, n° 4154.

BIBL. : *L'Art pour tous,* 1900, n° 958,
p. 3931, fig. 9425-9432.

OAO 228
«Bacchus et Cérès», objet décoratif
1900
Marbre veiné de Provence sculpté;
bronze doré.
H. 0,232; l. 0,177; P. 0,061.
S. sur la face, b. du médaillon :
F. LEVILLAIN.

HIST. : Acquis au Salon de la Société des
Artistes français de 1900 pour le musée
du Luxembourg; reversement du
musée national d'Art moderne au
musée d'Orsay, 1978.

EXP. : 1900, Paris, Salon de la Société
des Artistes français, n° 2808.

BIBL. : *L'Art pour tous,* 1901, n° 988,
p. 4051, fig. 9938.

Levillain Ferdinand
Sculpteur, médailleur
Paris 1837 - Paris 1905

Susse Frères
Fondeur, Paris, à partir de 1840.

OAO 69
«Les cinq masques», bassin
1894
Cuivre doré, reproduction et dorure
par galvanoplastie.
Manquent les quatre pieds.
H. 0,065; D. 0,465.
S.D. sur la face, g. d'un médaillon :
F. LEVILLAIN/1894; au revers, au
centre : médaille avec profil d'homme,
en légende : *F. LEVILLAIN SCULPTEUR,* et
autour de la base, inscription gravée :
SUSSE F^{RES} EDIT^{RS} PARIS

HIST. : Entré au musée du Luxembourg
entre 1898 et 1901; reversement du
musée national d'Art moderne au
musée d'Orsay, 1978.

BIBL. : *L'Art pour tous,* 1901, n° 978,
repr. fig 9753-9763 p. 4011; *La
sculpture française contemporaine,*
Paris, Armand Guérinet, s.d., repr.
pl. 11.

Lévy
Voir **Meyer**

Liberty and Co Ltd.
Voir **Voysey**

Liénard
Voir **Maison Froment-Meurice**

Lièvre Édouard
Dessinateur industriel
Blamont (Meurthe) 1829 - Paris 1886

Detaille Édouard
Artiste peintre
Paris 1848 - Paris 1912

Maison de l'Escalier de Cristal
Éditeur, Paris.

OAO 555
Meuble à deux corps : armoire sur
table d'applique
1877
Palissandre de Rio, ébène des Indes,
bronze doré, fer gravé; huile sur bois
(?), verre.
H. 2,100; L. 1,100; P. 0,570.
S.b.d. de la peinture centrale : *EDOUARD
DETAILLE/1877*

HIST. : Acquis par Albert Vieillard
(1841-1895) à Paris, en 1878 (?); resté
dans la famille Vieillard à Bordeaux,
puis à Paris; passé en vente publique, à

Paris, 1977 (?); galerie Aveline, Paris;
acquis en 1981.

EXP. : 1977 (?), Paris, Hôtel George V,
Salon des antiquaires.

BIBL. : Lacambre-Thiébaut, 1983, n° 515
p. 120, repr. p. 121.

Lièvre Édouard
Blamont (Meurthe) 1829 - Paris 1886

Maison F. Barbedienne
Bronzes d'art, Paris.

DO 1981-19
Lit à baldaquin
Bronze doré, peluche bleu clair, bâti en
bois.
H. 3,750; L. 2,600; l. 2,000.

HIST. : Commandé par Louise-Émilie
Valtesse de la Bigne (1861-1910) pour
son hôtel particulier, 83 boulevard
Malesherbes; legs Valtesse de la Bigne
au musée des Arts décoratifs, 1911;
déposé au musée d'Orsay, 1981.

BIBL. : Vente à Paris, collection de Mme
Valtesse de la Bigne, 2-7 juin 1902,
n° 575; J.J. Levêque, «Trois intérieurs
au début de la troisième république»,
Gazette des Beaux-Arts, mars 1976,
p. 94 repr.

Société Lincrusta-Walton Française
Voir **Guimard**

Linden Glass Company
Voir **Wright**

Manufacture Joh. Loetz Witwe
Fondée en 1840 par Johann Loetz
(1877-1848) à Klostermühle, Bohême.

OAO 983
Vase
Vers 1900.
Verre, lustre métallique.
H. 0,232; D. 0,090.
S. en creux sous la pièce : *Loetz* et
marque aux flèches.

HIST. : Acquis dans le commerce d'art
parisien, 1984.

Loos Adolf
Brno (Moravie) 1870 - Kalksburg
(Autriche) 1933

Jacob et Josef Kohn
Manufacture de bois courbé, Vienne.

OAO 573
Chaise
Modèle créé pour le Café Museum à
Vienne, aménagé par Adolf Loos en
1899.
Hêtre courbé, teinté et verni, cannage.
H. 0,870; L. 0,425; P. 0,510.
Marque au fer, à gauche, à l'intérieur
du chassis : *J & J KOHN / ... AUSTRIA*

HIST. : Galerie Asenbaum, Vienne;
acquis en 1981.

BIBL. : H. Kulka, *Adolf Loos das Werk des
Architekten*, Vienne, 1931, p. 27-28,
fig. 7; Ch. Witt-Dörring, «Schein und
Sein-Form und Funktion», *Moderne
Vergangenheit*, Vienne, Künstlerhaus,
1981, p. 36, repr. p. 39; K. Mang,
Thonet Bugholz möbel, Vienne, 1982,
p. 102, repr. p. 103.

Loos Adolf
Brno (Moravie) 1870 - Kalksburg
(Autriche) 1933

Schmidt Friedrich Otto
(attribué à)
Firme d'ébénisterie, Vienne.

OAO 878 à 889
**Partie d'un mobilier de chambre à
coucher**
Vers 1901-1902.

HIST. : Commandé pour la chambre de
Marie Turnovsky dans l'appartement,
19 Wohllebengasse, Vienne 4, où
Gustav et Marie Turnovsky s'installent
vers 1902; coll. privée, Vienne;
Galerie Fischer Fine Art, Londres;
acquis en 1983.

EXP. : 1900-1901, Vienne, K.K.
Österreichisches Museum für Kunst
und Industrie, *Winterausstellung;*
1981, Vienne, Künstlerhaus, *Moderne
Vergangenheit Wien. 1800-1900*, n° 204.

BIBL. : Archives Adolf Loos, Albertina,
Vienne, n 2645; A. Loos, *Wohnungs
wanderungen*, Vienne, 1907, p. 5;
H. Kulka, *Adolf Loos. das Werk des
Architekten*, Vienne, 1931, p. 27, repr.
fig. 5.

OAO 878
Armoire
Érable, laiton.
H. 2,000; L. 1,300; P. 0,590.
La seconde armoire, identique, est
conservée à Vienne (coll. part.).

OAO 879
Commode à vantaux
Érable, laiton, marbre.
H. 0,740; L. 1,125; P. 0,560.
L'autre commode, plus haute, est
conservée à Londres (Victoria and
Albert Museum, W19-1982).

OAO 883
Bureau
Érable, laiton, garniture moderne.
H. 0,760; L. 0,975; P. 0,540.

OAO 880
Meuble de chevet
Érable, laiton, marbre.
H. 1,105; L. 0,570; P. 0,435.

OAO 884
Guéridon
Érable, laiton.
H. 0,687; D. 0,496.

OAO 881
Paravent
Érable, laiton, verre.
H. 1,830; l. (feuille de milieu) 0,551; l.
(feuilles latérales) 0,453; Ep. 0,046.

OAO 885 à 888
**Chaise-longue, bergère, fauteuil,
chaise**
Érable, laiton, garniture moderne.
Chaise-longue :
H. 0,770; L. 1,660.
Bergère :
H. 1,040; L. 0,760; P. 0,830.
Fauteuil :
H. 0,790; L. 0,530; P. 0,590.
Chaise :
H. 0,895; L. 0,430; P. 0,465.

OAO 882
Cloison centrale
Érable, laiton, verre, tenture moderne.
H. 1,700; L. 2,340; P. 1,030.
Trois gravures de Heinrich Johann
Vogeler (1872-?) sont fixées d'un côté
de la cloison.

OAO 889
Lustre
Laiton, porcelaine; globes en verre modernes.
D. 0,590.
Sans doute fabriqué par Johann Heeg.

Loos
Voir également **Anonyme**

Mackintosh Charles Rennie
Glasgow 1868 - Londres 1928

Francis Smith & Son
(attribué à)
Ébénistes-tapissiers, Glasgow.

OAO 460
Fauteuil
Modèle créé en 1897.
Chêne teinté et verni, paille et crin.
H. 0,960; L. 0,530.
Marque au fer au revers de la traverse
frontale : *19*

HIST. : Modèle créé en 1897 pour le
salon de thé, 114 Argyle Street, à
Glasgow, aménagé par George Walton
& Co et Mackintosh, pour Catharine
Cranston; acquis en vente publique à
Londres, Sotheby's Belgravia, 11 juillet
1979, n 81, repr.

BIBL. : *The Studio*, XXXIX, 1906, p. 34;
R. Billcliffe, *Charles Rennie
Mackintosh. Furniture, furniture
drawing and interior designs,* Londres,
1979, p. 48-49, n° 1897-27, repr.

OAO 459
Chaise
Modèle créé en 1897.
Chêne teinté et verni, paille et crin.
H. 1,360; L. 0,500; P. 0,460.
Marque au fer sur une des équerres
intérieures : *11*

HIST. : Modèle créé en 1897 pour le
Salon de thé, 114 Argyle Street à
Glasgow, aménagé par George Walton
& Co et Mackintosh pour Catharine
Cranston; acquis en vente publique à
Londres, Sotheby's Belgravia, 11 juillet
1979, n° 80, repr.

BIBL. : *Ver Sacrum*, 1901, n° 23, p. 385;
Dekorative Kunst, VII, 1901, p. 172 et
175; *Studio* special Number, 1901,
p. 110-111; R. Billcliffe, *Charles Rennie
Mackintosh. Furniture, furniture
drawing and interior designs*, Londres
1979, p. 47-48, n° 1897-23 et
D. 1897-24, repr.

Mackintosh Charles Rennie
Glasgow 1868 - Londres 1928

Alex Martin
Ébénistes-tapissiers, Glasgow.

OAO 1004 à 1009
**Partie d'un mobilier de chambre à
coucher**
Vers 1904.

HIST. : Créé pour une double chambre
d'hôte dans la maison Hous'hill,
Nitshill (Glasgow), réaménagée par

Mackintosh pour M et Mme John
Cochrane (Miss Kate Cranston) en
1903-1904 (les cinq autres meubles
identiques - commode, miroir, armoire
de toilette, lit, chaise - sont conservés
au Royal Ontario Museum, à Toronto,
et la table de nuit, à l'Université de
Glasgow); coll. Edward Arthur
Gamble; vente à Glasgow, J. & R.
Edmiston, 18 mai 1933, lots 398, 401
(?), 403, 404, 405, 407; coll. Graham;
The Fine Art Society, Londres,
Edimbourg et Glasgow; don de
M. Michel David-Weill par
l'intermédiaire de la Fondation Lutèce,
1985.

EXP. : 1983, Edimbourg, The Fine Art
Society; 1984, Londres, The Fine Art
Society, *Spring' 84*, n° 43.

BIBL. : R. Billcliffe, *Charles Rennie
Mackintosh. Furniture, furniture
drawings & interior designs,* Londres,
1979, p. 17, p. 164, n° 1904 - L, repr. et
p. 173-174, n° D. 1904.84, repr. et
n° 1904.85, 88, 89, 91, 92 et 93; *Arts
décoratifs style 1900 et 1925*, Sotheby's,
Monte Carlo, 9 octobre 1983, n° 201 à
205, repr.

OAO 1004
Commode
Bois laqué blanc, nacre et ébène (?).
H. 0,768; L. 1,016; P. 0,457.

OAO 1005
Miroir de toilette
Bois laqué blanc, nacre et ébène (?),
verre, laiton argenté.
H. 1,028; L. 0,476; P. 0,247.

OAO 1006
Armoire de toilette
Bois laqué blanc, nacre et ébène (?),
verre incolore et verres colorés, plomb,
laiton argenté.
H. 1,219; L. 0,723; P. 0,419.

OAO 1007
Secrétaire à abattant
Bois laqué blanc, verres colorés, acier
(?), plomb, laiton argenté.
H. 1,219; L. 0,813; P. 0,419.

OAO 1008
Lit
Bois laqué blanc, sommier en fer et
sapin, garniture moderne.
H. 1,905; L. 1,981; P. 0,914.

OAO 1009
Chaise
Acajou du Honduras, teinté et vernis,
garniture moderne.
H. 0,733; L. 0,406; P. 0,406.

OAO 1010
Table de salon
Modèle créé avant 1904 ?
Bois laqué blanc.
H. 0,757; L. 0,660; P. 0,644.

HIST. : Provient du salon de la maison de
Mr et Mrs John Cochrane (Miss Kate
Cranston) Hous'hill, Nits'hill à
Glasgow, réaménagée par Mackintosh
vers 1903-1904; coll. Edward Arthur
Gamble; vente à Glasgow, J. & R.
Edmiston, 18 mai 1933, lot 419; coll.
Graham; The Fine Art Society Ltd,
Londres, Glasgow et Edimbourg, 1984;
acquis en 1985.

EXP. : 1984, Londres, The Fine Art Society, *Spring 84*, n° 42, repr.

BIBL. : N. Pevsner, *Charles Rennie Mackintosh*, Milan, 1950, ill. 34 ; Th. Howarth, *Charles Rennie Mackintosh and the Modern Movement*, Londres, 1952, pl. 46 et 47 B; R. Billcliffe, *Charles Rennie Mackintosh. Furniture, furniture drawings and interior designs*, Guildford et Londres 1979, p. 162, 1904. H et p. 167, 1904. 51.

Mackmurdo Arthur Heygate
Architecte
Londres 1851-Wickham Bishops (Essex) 1942

E. Goodall and Company
Fabricant, Manchester.

OAO 577
Chaise
Vers 1886.
Acajou, laine et soie (tissage mécanique).
H. 1,270; L. 0,465; P. 0,590.
Marques de fabricant au fer au revers de la traverse antérieure : *E. GOODALL AND CO MANCHESTER*, et sur la traverse arrière : *MANCHESTER*
Étiquette collée au revers de la traverse de droite : *WALTER CARTER/ HARRODS LTD/Bodding for/... CHESTER*

HIST. : Provient de la salle à manger de Pownall Hall (Cheshire), transformé et aménagé par les architectes Ball et Elce, pour Henry Boddington; galerie Haslam & Whiteway, Londres; The Fine Art Society, Londres; acquis en 1981.

EXP. : 1981, Londres, The Fine Art Society, *Architects-Designers. Pugin to Mackintosh*, n° 36, repr.

BIBL. : "Century Guild Furniture", *The British Architect*, 5 novembre 1886, repr. p. 420; T. Raffles Davison, "A modern country home", *The Art Journal*, 1891, p. 332-333.

OAO 1013
Petite armoire sur table d'applique
1886
Acajou partiellement peint, cuivre.
H. 1,357; L. 0,537; P. 460.
Marque de fabricant au revers du vantail gauche : *E. GOODALL AND CO/CABINET/MANUFACTURERS/15 KING ST/ MANCHESTER*
Inscription peinte sur les vantaux : *when morning w/-akes and eyes of/blue peep up thro'/tears of crystal dew.*

HIST. : Coll. Henry Boddington à Pownall

hall (?); coll. Graham Drummond, Londres; vente, Londres, Sotheby, 2 mai 1985, n° 223, repr.; galerie Haslam & Whiteway, Londres; acquis en 1985.

EXP. : 1886, Liverpool, International Exhibition, stand de la Century Guild.

BIBL. : "Century Guild Furniture", *The British Architect*, 5 novembre 1886, repr. p. 420; N. Pevsner, «A pioneer designer. Arthur H. Mackmurdo», *The Architectural Review*, Vol. 93, 1938, repr. p. 142 (photographie contemporaine du stand de la Century Guild à l'Exposition de Liverpool).

Madroux
Voir **Christofle & Cie**

Maillaud Fernand
Mouhet (Indre) 1863 - Guéret 1948

OAO 598
Armoire
Vers 1895-1900.
Chêne et sapin, décor sculpté.
H. 1,706; l. 0,998; P. 0,390.

HIST. : Famille de l'artiste; don de M. André Boule et de ses enfants, 1981.

BIBL. : Lacambre - Thiébaut, 1983, n° 518 p. 122, repr.

OAO 599
«L'Annonciation», panneau
Vers 1895-1900.
Chêne sculpté.
H. 0,553; l. 0,368.

HIST. : Famille de l'artiste; don de M. André Boule et de ses enfants, 1981.

BIBL. : Lacambre - Thiébaut, 1983, n° 519 p. 122, repr. p. 123.

OAO 600
«Le Repos pendant la fuite en
Égypte», panneau
Vers 1895-1900.
Chêne sculpté.
H. 0,532; l. 0,369.

HIST. : Famille de l'artiste; don de
M. André Boule et de ses enfants, 1981.

BIBL. : Lacambre - Thiébaut, 1983,
n° 520 p. 122, repr. p. 123.

Majorelle Louis
Toul 1859-Nancy 1926

OAO 331-332
Banquettes d'angle
1900
Noyer verni façon acajou, garniture
moderne.
H. 0,624; l. 1,020; P. 0,484 (OAO 331).
H. 0,624; l. 0,940; P. 0,472 (OAO 332).

HIST. : Provient des «Eaux bleues»,
résidence d'été d'Eugène Corbin
(1867-1952) à Liverdun; acquis en
vente publique à Enghien-Les-Bains,
29 octobre 1978, n° 178, repr.

OAO 506-507
Paire de fauteuils
Modèle créé en 1902-1903.
Acajou de Cuba, garniture moderne.
H. 1,140; l. 0,700; P. 0,770 chaque.

HIST. : Coll. Sir Valentin Abdy; acquis en
1980.

BIBL. : Modèle reproduit dans *Exposition
lorraine*, 1903, pl. 29; Lacambre-
Thiébaut, 1983, n° 524 p. 124, repr.

OAO 508-509
Paire de chaises
Modèle créé en 1902-1903.
Acajou de Cuba, garniture moderne.
H. 1,010; l. 0,480; P. 0,480.

HIST. : Coll. Sir Valentin Abdy; acquis en
1980.

BIBL. : Modèle reproduit dans *Exposition
lorraine*, 1903, pl. 29; Lacambre-
Thiébaut, 1983, n° 525 p. 124, repr.

OAO 502
Bureau «Orchidées»
Modèle créé vers 1903-1905.
Acajou, amourette, bronzes dorés et
ciselés, cuivre, cuir ciselé et repoussé.
H. 0,950; l. 1,700; P. 0,700.
Marque au fer à l'angle droit de la
ceinture : *L. Majorelle/Nancy.*

HIST. : Coll. Robert Walker; coll. Sir
Valentin Abdy; acquis en 1980.

BIBL. : Mannoni, 1968, repr. p. 62;
Lacambre-Thiébaut, 1983, n° 521
p. 123, repr.

OAO 503
Bibliothèque «Orchidées»
Vers 1905.
Acajou, amourette, marqueterie de
bois variés, bronzes dorés et ciselés.
H. 2,050; l. 2,500.

HIST. : Coll. Sir Valentin Abdy; acquis en
1980.

BIBL. : Mannoni, 1968, repr. p. 62;
Lacambre-Thiébaut, 1983, n° 522
p. 122, repr. p. 123.

OAO 504-505
Lit et chevet «Nénuphars»
Modèles créés entre 1905 et 1908.
Acajou, amourette, marqueterie de
bois variés, bronzes dorés et ciselés.
H. 1,900; L. 2,230; l. 1,950 (lit).
H. 1,100; l. 0,550; P. 0,450 (chevet).
Marque au tampon noir sur la face
interne de la traverse de la tête de lit :
*MAJORELLE/DECORATEUR/22 RUE DE
PROVENCE/PARIS.*

HIST. : Provient du Palais du Rhin à
Strasbourg; galerie Maria de Beyrie,
Paris; Coll. Sir Valentin Abdy; acquis
en 1980.

BIBL. : *Art et Industrie,* juillet 1909, repr.
fasc. III; Lacambre-Thiébaut, 1983,
n° 523 p. 122, repr. p. 123.

Majorelle

Voir aussi Catalogue sommaire des
dessins d'architecture et d'art décoratif

Majorelle Louis
Bronzes d'éclairage, Nancy.
Toul 1859 - Nancy 1926

Daum Frères
Maîtres-verriers
Nancy.

OAO 510
Lampe «Nénuphar»
Modèle créé en 1902-1903.
Bronze doré et ciselé, pâte de verre.
H. 0,605; l. 0,165.
S. à l'acide sur un cépale du cache-
ampoule : *DAUM F. NANCY*

HIST. : Acquis dans le commerce d'art
parisien, 1980.

BIBL. : Lacambre-Thiébaut, 1983, n° 526
p. 124, repr.

OAO 511-512
Paire d'appliques «Sagittaire»
Modèle créé en 1903-1904.
Bronze doré et ciselé, pâte de verre.
H. 0,475; l. 0,330; P. 0,210 chaque.
S. à l'acide à la base d'un pétale du
cache-ampoule : *DAUM F./NANCY*

HIST. : Acquis dans le commerce d'art
parisien, 1980.

BIBL. : Lacambre-Thiébaut, 1983, n° 527
p. 124, repr. p. 125.

Manton
Voir **Dresser**

Marioton
Voir **Carrier-Belleuse**

Martin
Voir **Mackintosh**

Martin-Sabon Nathalie
Épouse de Félix Martin-Sabon
(1846-1933), correspondant de la
Commission des Monuments
Historiques.

DO 1982-761
**Reliure pour «Photographies
archéologiques. Bretagne, Ile de
France, Picardie, Touraine»** de
F. Martin-Sabon, 1900.
Cuir ciselé et doré.
H. 1,040; l. 0,510.
S.D. sur le plat inférieur : *Nathalie
Martin Sabon/1900*

HIST. : Dépôt des Archives
photographiques de la Direction du
Patrimoine, 1982.

Massier Clément
Vallauris 1845-Golfe-Juan 1917

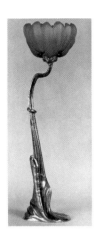

OAO 169
Plat
Vers 1890-1895.
Faïence, lustre métallique.
H. 0,055; D. 0,590.
S. en lustre au dos de la pièce : *Clément Massier/Golfe-Juan (a m)* ; marque en creux : *CLEMENT/MASSIER/GOLFE/JUAN/ (AM)*.

HIST. : Entré au musée du Luxembourg avant 1931.

EXP. : 1973, Paris, Grand Palais, *Autour de Levy-Dhumer. Visionnaires et Intimistes en 1900*, n° 48 p. 40, repr.

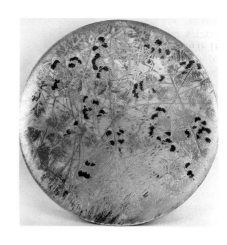

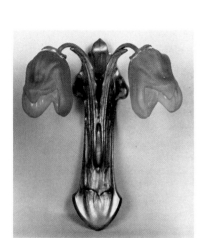

OAO 1084
Vase
Modèle créé vers 1890-1895.
Faïence, lustre métallique.
H. 0,311; D. ouverture 0,122.
S. en lustre sous la pièce : *clément/ massier/Golfe/Juan/AM*; marque en creux : *CLEMENT/MASSIER/GOLFE/JUAN/ (AM)* ; chiffre en creux : *2*.

HIST. : Acquis en 1986.

Matthews Brothers
Voir **Niedecken**

Mère Clément
Bayonne 1861-Paris ?

OAO 237
Gourde
1912
Ivoire, décor gravé et laqué or.
H. 0,150; D. base 0,032.
S. D. en creux sous la pièce :
C. MERE/1912

HIST. : Acquis au Salon de la Société des Artistes Décorateurs de 1912 pour le musée du Luxembourg; entré au musée du Luxembourg en 1913; reversement du musée national d'Art moderne au musée d'Orsay, 1978.

EXP. : 1912, Paris, Salon des Artistes Décorateurs.

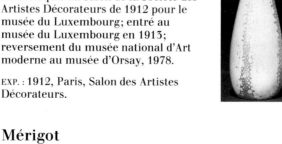

Mérigot
Voir **Manufacture Nationale de Sèvres**

Meyer Bernard-Alfred
Émailleur
Paris 1832 - Paris 1904

Lévy Émile
Peintre
Paris 1826 - Paris 1890.

OAO 1151
«Diane», émail peint
1865
D'après Émile Lévy, «Diane», exposé
au Salon de la Société des Artistes
français de 1865, n° 1360.
Émail translucide et opaque peint sur
cuivre repoussé, paillons d'or, rehauts
d'or; cadre de bois noirci et doré.
H. 0,675; l. 0,442; Ép. 0,043 (avec
cadre).
S.b.g. en or : *Alf./d'après E. Lévy/1865*

HIST. : Acquis par l'État au Salon de
1865; déposé au musée Crozatier du
Puy en 1869; attribué au musée
d'Orsay par le Fonds national d'Art
contemporain, 1983.

EXP. : 1865, Paris, Salon, n° 2659.

BIBL. : Maillet, 1898, p. 49.

Meyer Alfred
Paris 1832 - Paris 1904

OAO 200
«Louis IX console un lépreux», émail
peint
1897
D'après Albert Maignan, «Louis IX
console un lépreux», 1878 (musée
d'Angers).
Émail translucide et opaque, peint sur
cuivre repoussé, rehauts d'or; cadre de
bois.
H. 0,243; l. 0,178 (dim. apparentes de
la plaque).
H. 0,353; l. 0,275; Ép. 0,022 (avec
cadre).
S.b.g. en noir rehaussé d'or : *A. Meyer/
d'après/A. Maignan/1897*
Cartel ancien sur le cadre : A. MEYER/
d'après A. MAIGNAN; au revers, étiquette
ancienne : *Albert Maignan/Louis IX
console un lépreux./Émail d'Alfred
Meyer. 1897.*

HIST. : Acquis de l'artiste pour le musée
du Luxembourg, 1898; reversement du
musée national d'Art moderne, 1978.

BIBL. : A. Maillet, «Alfred Meyer», *L'Art
Décoratif Moderne*, mai 1898, p. 122.

Meyer-Heine
Voir **Froment-Meurice**

Michel Eugène
Lunéville 1848 - Paris 1904

OAO 977
Vase
Vers 1902-1904.
Cristal à trois couches, couche
inférieure craquelée, inclusions de
parcelles métalliques, décor gravé à la
roue.
H. 0,305; l. ouverture 0,120.
S. en creux sous la pièce : *E. Michel*

HIST. : Acquis dans le commerce d'art
parisien, 1984.

Michel
Voir également à **Léveillé**

Millet
Voir **Healy**

Maison Monbro
Ébénistes-antiquaires, Paris.
Maison dirigée par Georges Alphonse
Bonifacio Monbro (Paris 1807-Paris
1884).

Legost Achille
Émailleur

OAO 497
Bas d'armoire
1855
Ébène, bronze doré, émail champlevé
et émail peint sur cuivre, pierres de
couleurs.
H. 1,320; L. 0,860; P. 0,450.
Marque en creux au revers des
bronzes : MONBRO
S.b.d. du médaillon central : *Legost*

HIST. : Vente Monbro Aîné, Paris,
13 décembre 1859, n° 169-170 (paire
de meubles identiques); vente Monbro,
Paris 21 avril 1868, n°ˢ 202-203 (idem);
acquis en 1980.

EXP. : 1855, Paris, Exposition
Universelle, groupe V, classe 17.

BIBL. : Lacambre-Thiébaut, 1983, n° 528
p. 124, repr. p. 125.

Monod-Herzen Édouard
(Monod Alexandre-
Édouard-Gabriel, dit)
Paris 1873 - Paris 1963

DO 1977-22
Vase à parfum
1904
Argent repoussé, martelé et ciselé.
H. 0,098; D. 0,082.
Monogramme dans un cercle gravé
sous la pièce : *ME*

HIST. : Acquis au Salon de la Société
nationale des Beaux-Arts de 1904 pour
le musée du Luxembourg; dépôt du
musée national d'Art moderne au
musée d'Orsay, 1977.

EXP. : 1904, Paris, Salon de la Société
nationale des Beaux-Arts, vitrine
n° 2576.

BIBL. : Verneuil, 1904, p. 178; Monod-
Herzen, 1905, p. 138 et 139, repr.
p. 140.

DO 1977-21
Vase
1905-1906
Argent repoussé, martelé et ciselé,
incrusté de reliefs d'or ciselé et patiné.
H. 0,215; D. 0,082.
Monogramme dans un cercle gravé
sous la pièce : *ME*

HIST. : Commande de l'État en 1905
pour le musée du Luxembourg; acquis
en 1906; dépôt du musée national d'Art
moderne, au musée d'Orsay, 1977.

EXP. : 1906, Paris, Salon de la Société
nationale des Beaux-Arts, vitrine
n° 2407.

BIBL. : Monod-Herzen, 1905, p. 138,
repr. p. 138 (en cours d'exécution);
Verneuil, 1906, p. 191, repr. p. 189.

Moore
Voir **Tiffany & Cie**

Moreau
Voir **Christofle & Cie**

Moreau
Voir aussi Catalogue sommaire des
sculptures

Moreau-Nélaton Étienne
Paris 1859-Paris 1927

OAO 171
Vase
1907
Grès émaillé.
H. 0,183; D. ouverture 0,145.
Monogrammé en creux sous la pièce :
EMN (entrelacés).

HIST. : Acquis au Salon de la Société
nationale des Beaux-Arts de 1907 pour
le musée du Luxembourg;
reversement du musée national d'Art
moderne au musée d'Orsay, 1978.

EXP. : 1907, Paris, Salon de la Société
nationale des Beaux-Arts, vitrine
n° 2577.

OAO 170
Vase
1910
Grès émaillé, décor flambé.
H. 0,257; D. ouverture 0,122.
Monogrammé en creux sous la pièce :
EMN (entrelacés).

HIST. : Acquis au Salon de la Société
nationale des Beaux-Arts de 1910 pour
le musée du Luxembourg; entré au
musée du Luxembourg en 1916;
reversement du musée national d'Art
moderne au musée d'Orsay, 1978.

EXP. : 1910, Paris, Salon de la Société
nationale des Beaux-Arts, vitrine
n° 2515.

BIBL. : J. Rais, «Les Salons de 1910», *Art
et Industrie*, juillet 1910, repr.

Morel-Ladeuil
Voir **Gueyton**

Morris William
Walthamstow 1834 - Hammersmith
1896

Morris and Company
Décorateur et fabricant, Londres et
Mertor Abbay, 1861-1939

OAO 451
Partie d'une décoration murale
Vers 1880.
Bois et pierre à décor peint.
Éléments de frise : H. 0,870; L. 3,260;
2,980, 2,960, 2,710, 1,410.
Consoles : H. 0,890; l. 0,200; P. 1,210.
Corbeaux : H. 0,310; l. 0,230; P. 0,450.

HIST. : Ornait avec une suite de
peintures de Burne-Jones («Histoire de
Psyché», Musée de Birmingham) une
salle de la résidence du Comte de
Carlisle, 1 Palace Green, Londres; Coll.
David Style, Wateringbury Place, Kent;
Vente Christie's, Wateringbury Place,
25-26 septembre 1978, n° 940; The
Fine Art Society, Londres; acquis en
1979.

EXP. : 1979, Londres, n° 24.

BIBL. : «The Cupid and Psyche frieze by
Sir Edward Burne-Jones, at n° 1 Palace
Green», *The Studio*, Vol. XV, octobre
1898, p. 13, repr. p. 4 à 9; Th.
Henderson, *William Morris. His Life,
work and friends*, Londres, 1967,
p. 186-187 et 374; Ch. Gere et P.
Skipwith, «The Morris Movement»,
The Connoisseur, mai 1979, p. 35, repr.

OAO 453[1-2]
Tentures, modèle «Peacock» Modèle
dessiné en 1878.
Tissage de laine, armure sergé (chaîne
en laine retors, vert; trames en laine,
bleu foncé et bleu clair, et trames
lattées, ocre, orange, vert, brun et
bleu).
Motif (H. 1,120; l. 0,445) reproduit
4 fois dans la largeur, alternativement
inversé.
H. 2,900; l. 1,680 (les deux pièces
identiques).

HIST. : The Fine Art Society, Londres;
acquis en 1979.

EXP. : 1979, Londres, n° 29, repr.

BIBL. : *Morris and Company Ltd.*,
Catalogue, s.d., p. 65, repr. p. 71; P.
Floud, "Dating Morris Patterns", *The
Architectural Review*, juillet 1959,
pp. 14-20, pl. 10.

Morris & Co
Voir également **Webb**

Morris, Marshall, Faulkner & Co
Voir **Webb**

Alexander Morton & Co.
Voir **Voysey**

Moser Koloman
Vienne (Autriche) 1868 - Vienne 1918

E. Bakalowits & Sohne
Fabrique de verrerie et de cristallerie, Vienne.

OAU 545[1 a 6] à 549[1 a 3]
Éléments d'un service de verres
Modèle n° 100, créé vers 1899.
Verre incolore et verre teinté.

HIST. : Coll. famille Moser, Vienne; galerie Nebehay, Vienne; acquis en 1981.

EXP. : 1899-1900, *5ᵉ Secessionausstellung*, n° 261; 1900, Vienne, K.K. Oesterreichisches Museum für Kunst und Industrie, IIIᵉ Weihnachtsausstellung.

BIBL. : «Preisausschreibung für Entwürfe Kunstgewerblicher Objecte aus dem Hoftiteltaxfonde», *Kunst und Kunsthandwerk*, 1900, n° 3, p. 54, repr. p. 52; O. Gerdeil, «La Libre Esthétique, VIIIᵉ exposition», *L'Art décoratif*, mai 1901, p. 82, repr. p. 83; G. Kahn, «La verrerie», *Art et décoration*, 1901, t. 10, p. 136, repr. p. 133; Lacambre-Thiébaut, 1983, n° 529 à 537 p. 124 et 126, repr. p. 125 et 127.

OAO 545[1]
Carafe à vin
H. 0,205; D. 0,145.

OAO 545[2-6]
Cinq verres à vin
H. 0,150; D. 0,055.

OAO 546[1]
Carafe à liqueur
H. 0,185; D. 0,135.

OAO 546[2-7]
Six verres à liqueur
H. 0,092; D. 0,033.

OAO 547[1]
Pot à bière
H. 0,160; L. 0,180; D. 0,160.

OAO 547[2-7]
Six verres à bière
H. 0,510; D. 0,060.

OAO 548[1]
Cruche à eau
H. 0,150; L. 0,170; D. 0,145.

OAO 548[2-5]
Quatre verres à eau
H. 0,105; D. 0,072.

OAO 549[1-3]
Trois coupes à dessert
H. 0,075; D. 0,129.

Moser Koloman
Vienne (Autriche) 1868 - Vienne 1918

Wiener Werkstätte
Ateliers de création et d'artisanat,
Vienne.

OAO 1063
Corbeille
Vers 1904.
Tôle perforée laquée; pieds nickelés.
H. 0,295; D. 0,210.

HIST. : Coll. Asenbaum, Vienne; acquis
en 1986.

BIBL. : *Deutsche Kunst und Dekoration*,
Vol. XV, 1904–1905, p. 4 (modèle
analogue présenté dans une salle
d'exposition de la Wiener Werkstätte).

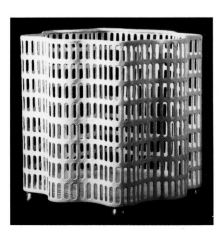

OAO 1044[1-2]
Encrier sur plateau
1905
Argent, verre.
Encrier : H. 0,067; L. 0,092; l. 0,055.
Plateau : H. 0,015; L. 0,227; l. 0,154.
Poinçons au revers de l'encrier et sur un des petits côtés du plateau : fabricant, Wiener Werkstätte (*ww*, rose); dessinateur, Koloman Moser, (monogramme *KM*); 3ᵉ titre, argent, Autriche-Hongrie (tête de Diane). Poinçons à l'intérieur du couvercle de l'encrier : *ww*, tête de Diane.

HIST. : Coll. Asenbaum, Vienne; acquis en 1986.

EXP. : 1979, Vienne, österreichisches Museum für angewandte Kunst, *Koloman Moser 1868-1918*, n° 124, repr. p. 132.

BIBL. : Archives de la Wiener Werkstätte (Vienne, österreichisches Museum für angewandte Kunst), W.W.F. 93, p. 27, S 545 (encrier) et 547 (plateau), et WW.MB.8, décembre 1905.

Moser Koloman (attribué à)
Jacob & Josef Kohn
Manufacture de bois courbé, Vienne.

OAO 895
Fauteuil
Hêtre courbé, contreplaqué, marqueterie (bois de rose, ébène, ?) garniture refaite d'après un modèle de J. Hoffmann, «Lampen», édité par Backhausen à partir de 1904.
H. 0,810; L. 0,685; P. 0,610.
Marque au fer au revers de la traverse frontale : *J & J KOHN HOLESC...* Étiquette au revers de la traverse de droite : *MADE IN/CZECHO-/SLOVAKIA/JACOB & JOSEF KOHN/MARQUE DEPOSEE/JJK/ SEMPER S SUM.*

HIST. : Vente galerie Wolfgang Ketterer, Munich, 14 mai 1982, n° 365, repr.; galerie Rodolphe Perpitch, Paris; acquis en 1983.

BIBL. : *Gebogenes Holz; Konstruktive Entwürfe. Wien, 1840-1910*, Munich, Villa Stuck, 1979, n° 65 (Vignette publicitaire de J. & J. Kohn).

Moser Koloman
(école de)

Josef Böck
Manufacture de céramique,
Vienne.

OAO 543-544
Assiette plate, assiette creuse
Faïence fine.
H. 0,020 (OAO 543); 0,035 (OAO 544);
D. 0,245.
Marque imprimée au revers : *SCHULE
PRF. KOLO MOSER*
Marques en creux au revers : *D 3/69*
(OAO 543), *A 3/CH/69* (OAO 544)

HIST. : Coll. famille Moser, Vienne;
galerie Nebehay, Vienne; acquis en
1981.

Moser
Voir aussi Catalogue sommaire des
dessins d'architecture et d'art décoratif

Mucha Alfons
Peintre et décorateur
Ivancive (Moravie) 1860-Prague 1939

Champigneulle Émmanuel-Marie-Joseph
Maître-verrier
Metz 1860-Bar-le-Duc ap. 1927

OAO 972
«Litanies de la Vierge», vitrail
1898
Verres gravés à l'acide et peints.
H. 5,900; L. 1,460.

HIST. : Provient d'une baie de la nef de
la chapelle assomptionniste Notre-
Dame-du-Salut, 8 rue François Ier à
Paris, construite en 1898-1899; don de
la Société Saint-Loup au musée
d'Orsay, 1984.

BIBL. : *Commission du vieux Paris*, 1980,
n° 5, p. 4-18.

Muller Edouard
Voir **Manufacture Desfossé**

Émile Muller et Cie
Voir **Dampt, Itasse**

Muller Théodor
Voir **Van de Velde**

Firme Mundus
Fabricant de meubles en bois courbé.
Fondée en 1907, Vienne.

OAO 929
Fauteuil de bureau.
Variante du modèle Thonet n° 6009,
créé vers 1873.
Hêtre courbé teinté, vernis teinté façon
acajou foncé.
H. 0,778; l. 0,570; P. 0,530.
A l'intérieur de la ceinture, étiquette
portant la marque de fabrique :
*MUNDUS/VIENNA AUSTRIA/ REGISTRIERTE
SCHUTZMARKE REGISTERED TRADEMARK.*

HIST. : Collection Georges Candilis;
acquis en 1984.

BIBL. : Thonet Frères, catalogue de
vente, [1904] n° 9/6009, repr.

Naudot Camille
Paris 1862 - Magny-Cours (Nièvre),
1938

OAO 172
Coupe
1903
Porcelaine tendre, émaux transparents
à jours et sur pâte, rehauts d'or en
relief.
H. 0,085; D. ouverture 0,108.
Monogramme en bleu sous la pièce :
CN (entrelacés).

HIST. : Acquis de l'artiste en 1904 pour
le musée du Luxembourg;
reversement du musée national d'Art
moderne au musée d'Orsay, 1978.

Néret
Voir **Guimard**

Nicolle
Voir **Manufacture Nationale
de Sèvres**

Niedecken George Mann
Milwaukee (Wisconsin, U.S.A.) 1878 -
Milwaukee 1945

Niedecken-Walbridge
Company
Architectes d'intérieur, Milwaukee.

Matthew Brothers
Manufacturing Company,
Milwaukee

OAO 1025
Table
Vers 1908-1910.
Chêne vernis.
H. 0,650; L. 0,760; l. 0,400.

HIST. : Modèle créé pour le vestibule du deuxième étage de la résidence de M et Mme Avery Coonley, Riverside, Illinois, construite par Frank Lloyd Wright (1907-1911); galerie Hirschl & Adler, New-York; galerie Fischer Fine Art, Londres; acquis en 1985.

EXP. : 1981, Chicago, Kelmscott Gallery, *Frank Lloyd Wright*, n° 11, repr. p. 18.

BIBL. : *Frank Lloyd Wright and Prairie School collection*, Milwaukee Art Museum, P.A. 1977. 2. 4 et 2. 15 (dessins préparatoires, inscrit sur l'un : *FLOWER TABLE FOR 2ND STORY HALL/MR & MRS AVERY COONLEY RES./NIEDECKEN WALBRIDGE CO INTERIOR ARCHITECTS*)

Niedecken
Voir aussi Catalogue sommaire des dessins d'architecture et d'art décoratif

O'Kin (Jubin Eugénie dite)
Yokohama 1880 - Nice 1948

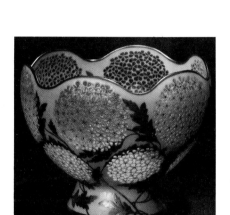

OAO 326
Boîte à thé
1910
Bois teinté rouge sculpté, couvercle en corne, clou d'or.
H. 0,115; D. 0,095.
Monogrammé en creux sous la pièce :
O Kin.

HIST. : Acquis au Salon de la Société des Artistes Décorateurs de 1910 pour le musée du Luxembourg; entré au musée du Luxembourg en 1912; reversement du musée national d'Art moderne au musée d'Orsay, 1978.

EXP. : 1910, Paris, Salon de la Société des Artistes Décorateurs, p. 54.

BIBL. : 1910, Saunier, p. 130.

OAO 251
Bonbonnière
1912
Ivoire sculpté, gravé et peint, clous d'or.
H. 0,026; D. 0,055.
Monogrammé en creux sous la pièce :
O Kin.

HIST. : Acquis au Salon de l'Éclectique de 1912 pour le musée du Luxembourg; entré au musée du Luxembourg en 1913; reversement du musée national d'Art moderne au musée d'Orsay, 1978.

EXP. : 1912, Paris, Salon de l'Éclectique, n° 297.

BIBL. : Verneuil, 1913, p. 98.

OAO 250
«Bouton de lotus», vase
1914
Ivoire sculpté, gravé et peint, clous
d'or.
H. 0,126; D. 0,076.
Monogrammé en creux sous la pièce :
O Kin.

HIST. : Acquis au Salon de la Société des
Artistes Décorateurs de 1914 pour le
musée du Luxembourg; entré au
musée du Luxembourg en 1920;
reversement du musée national d'Art
moderne au Musée d'Orsay, 1978.

EXP. : 1914, Paris, Salon de la Société
des Artistes Décorateurs, n° 126.

OAO 249
«Fleur de pavot», coupe
Avant 1919.
Ivoire sculpté, gravé et peint; anneaux
de jade, clous d'argent.
H. 0,071; L. 0,145; l. 0,101.
Monogrammé en creux sous la pièce :
O Kin.

HIST. : Acquis au Salon de la Société des
Artistes Décorateurs de 1919 pour le
musée du Luxembourg; entrée au
musée du Luxembourg en 1920;
reversement du musée national d'Art
moderne, 1978.

EXP. : 1919, Paris, Salon de la Société
des Artistes Décorateurs, n° 133.

Ory-Robin Blanche
Rouen 1862 - Paris (?) 1942

OAO 276
Tenture brodée
Vers 1910-1912.
Broderie en application sur fond de
toile de lin (drap et satin de laine, toile
de lin, bourrette de chanvre ou lin,
ficelles de lin, tiges végétales, filets
d'or et d'argent) et broderie de laine;
broderie en application de ficelles de
lin et de perles de verre sur fond lamé
or pour la bordure.
H. 3,100; L. 3,680.
S.b.d. : *ORY ROBIN.*

HIST. : Coll. Charles Stern; don de
Madame Stern au musée du
Luxembourg, 1914; reversement du
musée national d'Art moderne au
musée d'Orsay, 1978.

EXP. : 1912, Paris, Salon de la Société
des Artistes Décorateurs.

BIBL. : Mourey, 1912, p. 113-114.

Oudinot Eugène (attribué à)
Alençon 1827 - Paris 1889

OAP 263
«Le comte Abraham de Camondo
recevant de l'architecte Destors les
plans de son hôtel», vitrail
1879
Verre peint à la grisaille.
H. 4,200; l. 3,100.
Monogrammé et D.b.g. : *F [?] EO 1879*

HIST. : Provient de l'escalier de l'hôtel de
Camondo, 61 rue Monceau à Paris,
construit en 1875 par l'architecte
Denis-Louis Destors (1816-1882); don
de l'Union des Assurances de Paris au
musée du Louvre, 1978; affecté au
musée d'Orsay, 1982.

Pankok Bernhard
Munster 1872 - Munich 1943

OAO 515
Miroir mural
Vers 1901-1904.
Cerisier, métal argenté et nacre.
H. 0,960; l. 0,675; P. 0,200.

HIST. : Acquis dans le commerce d'art
parisien, 1980.

BIBL. : Lacambre-Thiébaut, 1983, n° 541
p. 126, repr. p. 127.

Pannier Frères
Éditeurs-propriétaires de la Maison de
l'Escalier de Cristal

Fétu
Bronzier, Paris.

OAO 513
Vase
Modèle présenté à l'Exposition
Universelle de Paris, 1900.
Cristal à trois couches, décor gravé à la
roue, monture en bronze doré et
argenté.
H. 0,423; L. 0,350; l. 0,255.

HIST. : Coll. Sir Valentin Abdy; acquis en
1980.

BIBL. : Lacambre-Thiébaut, 1983, n° 546,
p. 128, repr.

Pannier-Lahoche
Voir **Gallé**

Pâris Armand
Né à Nantes, connu à partir de 1903.

OAO 1109
«Barques et algues», vitrail
1905
Verres doublés gravés à l'acide, verres
«américains».
H. 0,710; L. 1,335.

HIST. : Acquis en 1910 à l'Exposition
permanente d'art appliqué du musée
Galliéra pour le musée du
Luxembourg; reversement du musée
national d'Art moderne au musée
d'Orsay, 1978.

EXP. : 1905-1910, Paris, musée Galliéra,
Exposition permanente d'art appliqué.

Pelseneer
Voir **Horta**

Peyre
Voir **Manufacture Nationale de Sèvres**

Pillet Charles-Philippe Germain Aristide
Paris 1869 - Paris (?) 1960

OAO 72
«Floréal», applique
Après 1895-1896.
Bronze, patine brune.
H. 0,055; l. 0,078; Ép. 0,009.
S.b.d. : *[C] H. PILLET.*

HIST. : Don de la Médaille française
contemporaine - collection Liard au
musée du Luxembourg en 1936; entré
au musée du Luxembourg, 1937;
reversement du musée national d'Art
moderne au musée d'Orsay, 1978.

OAO 73
«La Nuit», applique
Après 1895-1896.
Bronze, patine brune.
H. 0,051; l. 0,089; Ép. 0,008.
S.b.g. : *CH. PILLET.*

HIST. : Don de la Médaille française
contemporaine - collection Liard au
musée du Luxembourg en 1936 entré
au musée du Luxembourg, 1937;
reversement du musée national d'Art
moderne au musée d'Orsay, 1978.

Point Armand
Alger 1861 - Naples 1932

Association Haute-Claire
Fondée en 1896 à Marlotte
(Seine et Marne)

OAO 1070
«Coffret aux serpents»
1897-1899
Bois, bronze ciselé et doré, émaux
champlevés et cloisonnés polychromes
sur fond émaillé vert foncé, rehauts
d'or.
H. 0,323; l. 0,305; P. 0,226.
S. sur la face arrière : *HAUTE
CLAIRE/A.P.* de part et d'autre de
l'emblème de l'atelier Haute-Claire.

HIST. : Acquis en 1899 à la galerie
Georges Petit pour le musée du
Luxembourg; déposé au musée des
Beaux-Arts de Marseille en 1904;
attribué au musée d'Orsay par le Fonds
national d'Art contemporain, 1986.

EXP. : 1899, Paris, galerie Georges Petit.

BIBL. : Rambaud, *Le Journal*, 6 avril
1899, «Armand Point»; Forthuny, 1899,
repr. p. 245; Mauclair, 1900, p. 367 et
369, repr. p. 361.

OAO 201
«Coffret d'Ophélie», coffret sur socle
Avant 1903.
Bois; bronze ciselé et doré; émaux
champlevés et cloisonnés opaques,
translucides et sur paillons,
polychromes sur fond émaillé vert
sombre; ivoire; cabochons de pierres
de couleur et demi-perles.
H. 0,210; L. 0,160; l. 0,102.
Monogramme et inscription gravés sur
le dessus du socle : *AP* dans un écu orné
de l'emblème de l'atelier Haute-Claire
et *HAUTE=CLAIRE .*

HIST. : Acquis en 1903 à la galerie
Georges Petit pour le musée du
Luxembourg; reversement du musée
national d'Art moderne au Musée
d'Orsay, 1978.

EXP. : 1903, Paris, Galerie Georges Petit,
n° 42.

Poisson
Voir **Habert-Dys**

Popelin Claudius
Paris 1825 - Paris 1897

Gagneré
Émailleur

DO 1983-70
«Napoléon III», cadre d'émaux
1865
Émail peint sur cuivre, bois noirci.
H. 0,950; L. 0,743; Pr. 0,075

S. en lettres d'or sur la plaque centrale
et la plaque horizontale inférieure :
Claudius Popelin; sur la plaque
verticale de gauche : *Cl. P.*
Au sommet du cadre, écu émaillé aux
armes des Fialin de Persigny, sous
couronne ducale et surmontant la
devise : *JE SERS*. Inscriptions : sous la
plaque centrale : *Napoleo tertius;* sur
les quatre plaques rondes : *CAROLUS
MAG. FRANC. IMP./NAPOLEO MAG. FRANC.
IMP./CLODOVICUS REX CRINITUS/HUGO
CAPET REX FRANC.;* sur la plaque
horizontale supérieure : *AFRICA/ITALIA/
COXINSINA/RUSSIA/SYRIA/SINA/MEXICUM;*
sur la plaque horizontale inférieure :
*MAGENTA/SOLFERINO/VITA J. CAESARIS/
OPERA VARIA/EX UTROQUE CAESAR;* sur
les quatre plaques horizontales du
centre : *GENEROSITAS/FORTITUDO/
SAPIENTIA/JUSTITIA*

HIST. : Commandé par Jean-Gilbert-
Victor Fialin, comte puis duc (1863) de
Persigny (1808-1872), ministre de
l'Intérieur en 1852-54 et 1860-63; coll.
Frédéric Masson, Paris; dépôt de la
fondation Dosne, 1983.

EXP. : 1865, Paris, Salon, n° 2733; 1893,
Paris, Palais de l'Industrie, *Exposition
des œuvres de Claudius Popelin*, n° 3.

BIBL. : L. Falize, «Claudius Popelin et la
Renaissance des émaux peints»,
Gazette des Beaux-Arts, 1893, t. IX,
p. 514-516, repr. p. 513 (dessin
préparatoire).

OAO 869
«Gallia», cadres d'émaux
1867
Émail peint en camaïeu opaque et
émail translucide polychrome avec
paillon, sur argent (?) et sur cuivre,
bois noirci.
H. 0,685; L. 0,530; P. 0,115.
S.b.d. sur la plaque centrale, b.g. et b.d.
sur les plaques latérales : *C P* (en
lettres d'or ou liées)
S.D. au revers des deux plaques
supérieures : *Claudius Popelin, 1867*
Inscriptions émaillées au fronton :
GALLIA; sous le fronton sur deux
banderoles : *AQUILA IOVIS OMNIA
VINCIT LILIA NON LABORANT NEQUE
NENT.,* au-dessus d'un écu écartelé aux
armes des Caroligiens, des Capétiens,
de Bourbon et de Navarre, avec l'aigle
impérial brochant sur le tout; sur la
plaque centrale : *EX ARDORE SPLENDOR;*
sur les deux plaquettes latérales
supérieures : *SAT MAGNA PEREGI* (à
gauche) *CLAUDENTUR BELLI PORTAE* (à
droite); sur les plaquettes horizontales
inférieures : *LUX ALTERA MUNDI DEO
MILITAT.*
Inscriptions au crayon, au revers du
fronton : *ALTRIN BELLORUM
BELLATORUMQUE VIRGRUMTELLUS;* au
revers de la plaque centrale : *BELLO
TOGAQUE PRAECIPUUM.*

HIST. : Vente à Étampes, le 22 mars 1981 ; acquis en vente publique à Paris, Hôtel Drouot, 31 janvier 1983, n° 38 repr.

EXP. : 1867, Paris, Salon, n° 2020

BIBL. : *Gazette de l'Hôtel Drouot,* 13 mars 1981 p. 83 repr. ; Lacambre - Thiébaut, 1983, n° 542 p. 126, repr. p. 127.

OAO 6005
«Le Baron Larrey», cadre d'émaux
Félix-Hippolyte Larrey (1808-1900), chirurgien, professeur, membre de l'Institut.
1890
Émail peint en camaïeu d'or sur cuivre, bois noirci.
Plaque centrale : H. 0,195 ; L. 0,160.
Cadre : H. 0,550 ; L. 0,520.
S. m. d. sur la plaque centrale : *CP* (lettres liées).
Monogramme émaillé dans les écoinçons : *HL* (lettres liées).
Inscription b.m. sur une plaquette émaillée : *BARONIS HIPPOLYTI LARREY effigiem/ad vivum pingebat amicissime/CLAUDIUS POPELIN anno M.D.CCC.XC.*

HIST. : Legs de la Princesse Mathilde, 1904 ; Musée du Louvre ; affecté au Musée d'Orsay, 1982.

EXP. : 1893, Paris, Palais de l'Industrie, *Exposition des œuvres de Claudius Popelin,* n° 28.

BIBL. : L. Falize, «Claudius Popelin et la Renaissance des émaux peints», *Gazette des Beaux-Arts,* t. X, 1893, 3° article, p. 72 et 74.

Popelin
Voir aussi Catalogue sommaire des dessins d'architecture et d'art décoratif

Post
Voir **Grueby Faïence Company**

Poussielgue-Rusand
Voir **Corroyer**

Préaubert
Voir **Laboureur**

Primo
Voir **Fourdinois**

Pugin Auguste Welby Northmore (attribué à)
Londres 1812 - Ramsgate (Kent) 1852

OAO 979
Table
Sapin, laiton.
H. 0,700; L. 1,100; l. 0,580.

HIST. : Provient d'Adare Manor (Ireland), décoré, en partie, par A.W.N. Pugin pour le Comte Dunraven vers 1846-1850; vente Londres, Christie's, 10 juin 1982, n° 800; Christopher Gibbs, Londres; The Fine Art Society, Londres; acquis en 1984.

BIBL. : The Knight of Glin, *Adare Manor*, Christie's, 9-10-juin 1982, p. 10.

Pugin Edward Welby
Ramsgate (Kent) 1834- Londres 1875

OAO 981
Chaise
1870
Chêne teinté et verni, ébène, bronze.
H. 0,810; L. 0,510; P. 0,510.
Marque de dépôt de brevet sur l'un des montants arrière : *II/I/17/C/B/R^D* [17 octobre 1870]
Inscrit sous le siège : *1256*

HIST. : Modèle créé pour l'hôtel Granville construit par E.W. Pugin à Ramsgate; galerie Haslam & Whiteway, Londres; acquis en 1984.

BIBL. : *Truth, Beauty and Design. Victorian, Edwardian and later decorative art*, Fischer Fine Art Limited, Londres, 1986, p. 32, n° 50, repr.

OAO 982
Chaise
Chêne, bronze, velours.

H. 0,860; L. 0,510; P. 0,530.

HIST. : Galerie Haslam & Whiteway, Londres; acquis en 1984.

BIBL. : C(harles) and R(ichard) Light, *Cabinet Furniture : Designs and Catalogue of Cabinet and Upholstery Furniture, Looking-Glasses, etc*, Londres, 1880.

Purday
Voir **Dufresne de Saint-Léon**

Quillard
Voir **Fourdinois**

Société des produits céramiques de Rambervillers
Voir **Cayette**

Ranson Paul-Élie
Limoges 1861-Paris 1909

Ranson France
Paris 1867-Paris 1952

OAO 277
«Femmes en blanc», tapisserie
1894
Laine sur canevas, tapisserie à l'aiguille au petit point.
Carton de Paul Ranson (1890); exécuté en 1894 par France Ranson, son épouse.
H. 1,500; L. 0,980.
Monogramme h. d. : *PR* entrelacés.

HIST. : Acquis en 1949 par les Musées Nationaux; reversement du musée national d'Art moderne au musée d'Orsay, 1978.

BIBL. : A. Humbert, *Les nabis et leur époque*, Genève 1954, p. 90, repr. pl. 25.

Rault Louis-Armand
Saint-Calais 1847 - Paris (?) 1903

OAO 50
«Le Crabe et la Sirène», coquille
1893
Or repoussé et ciselé, patine rouge.
L. 0,058; l. 0,020; P. 0,007.
S. D. au revers : *OR FIN REPOUSSE RAULT 1893*.

HIST. : Acquis au Salon de la Société des Artistes français de 1893 pour le musée du Luxembourg; reversement du musée national d'Art moderne au musée d'Orsay, 1978.

EXP. : 1893, Paris, Salon de la Société des Artistes français, n° 3529.

BIBL. : Maillet, 1894, p. 280, repr. p. 279.

Reiber Émile-Auguste
Dessinateur industriel
Sélestat 1826 - Paris 1893

Christofle & Cie
Orfèvre, Paris.

Tard Antoine
Émailleur

OAO 656[1-2]
Paire de candélabres
Vers 1872-1873.
Bronze et cuivre galvanique, patinés et
partiellement dorés, émail bleu et
émaux cloisonnés polychromes.
H. 0,560; L. 0,315; P. 0,315.
Marque de fabricant sur un côté de la
base : *CHRISTOFLE & CIE*
Numéros de fabrication, sur un bord,
au revers de la base : *849273* et *849274*

HIST. : Galerie Didier Aaron, New York;
acquis en 1982.

EXP. : 1983, Paris, Palais de Tokyo,
*Nouvelles acquisitions du Musée
d'Orsay.*

BIBL. : *L'Illustration,* 4 octobre 1873,
p. 229, repr. (vue dessinée du stand
Christofle à l'Exposition Universelle de
Vienne); Lacambre-Thiebaut, 1983,
n° 389 p. 92, repr. p. 93.

Reiber Émile-Auguste
Dessinateur industriel
Sélestat 1826 - Paris 1893

Christofle & Cie
Orfèvre, Paris.

OAO 998
Flambeau
Vers 1869-1870.
Cuivre, décor partiellement patiné en
rouge et argenté, patiné en noir et doré
sur patine noire.
H. 0,276; D. 0,121.
Marque de fabricant gravée à la base
du fût : *CHRISTOFLE & CIE;* numéro de
fabrication, au revers de la base :
677297

HIST. : Coll. P. Barbé, Paris; acquis en
1985.

BIBL. : H. Bouilhet, *150 ans d'orfèvrerie.
Christofle,* Genève, 1981, p. 162, repr.

OAO 1054
Vase
Vers 1870-1871.
Cuivre à décor partiellement argenté
et patiné en noir, bronze doré.
H. 0,260; D. 0,107.
Marque, poinçon et numéro de
fabrication insculpés sous la base :
CHRISTOFLE; fabricant, métal, argenté
Christofle et *687120*

HIST. : Galerie B. & B., Paris; acquis en
1986.

OAO 1017
Jardinière
Vers 1878-1880.
Cuivre galvanique à décor
partiellement doré, argenté et patiné
en noir, sur fond patiné en rouge;
poignées et pieds rapportés en cuivre
doré; doublure en tôle peinte.
H. 0,130; L. 0,320; l. 0,256.
Marque de fabricant gravée près d'un
des pieds : *CHRISTOFLE & CIE*
Numéro de fabrication : *960641*
Marque sous l'un des pieds : *P*

HIST. : Galerie B & B, Paris; acquis en
1985.

BIBL. : E. Bergerat, *Les chefs-d'œuvre
d'Art à l'Exposition universelle 1878*,
Paris, 1878, t. II, p. 35, repr.

OAO 1012
Théière
Vers 1882-1883.
D'après un bronze japonais (?) de la
collection Cernuschi.
Métal argenté, ivoire.
H. 0,128; L. 0,248; l. 0,134.
Marque de fabricant gravée sur le
fond : *CHRISTOFLE & CIE*
Marque et numéro de fabrication sous
le pied antérieur droit : *CHRISTOFLE*
(partiellement lisible) *891218*

HIST. : Galerie B & B, Paris; acquis en
1985.

Renoir Auguste
Peintre et sculpteur
Limoges 1841 - Cagnes-sur-Mer 1919

Guino Richard
Sculpteur
Gerone (Espagne) 1890 - Antony 1973

Bisceglia
Fondeur, Paris

OAO 567
« Hymne à la Vie », pendule
Modèle créé en 1914.
Bronze, fonte à la cire perdue.
H. 0,710; l. 0,512; P. 0,275.
S.D. au dos du socle : *RENOIR/1914 N.
1 CIRE PERDUE/BISCEGLIA A/PARIS;* à
gauche : *C ALFRED DABER PARIS*

HIST. : Don de M. Alfred Daber, 1981.

BIBL. : Lacambre-Thiébaut, 1983, n° 543
p. 126, repr. p. 127.

Renoir
Voir aussi Catalogue sommaire des
sculptures

Richet
Voir **Fontenay**

Ringel d'Illzach Jean-Désiré
Sculpteur
Illzach 1846 - Strasbourg 1916

Chaplet Ernest
Céramiste
Sèvres 1835 - Choisy-le-Roi 1909

OAO 865
Boîte
1900
Grès émaillé.
H. 0,220; L. 0,330; l. 0,220.
S.D. en creux sur la pancarte portée
par le deuxième personnage à gauche :
RINGEL/D'/ILLZACH/1900.
Inscriptions et chiffres en creux sur les
différents personnages : *15/20;
14/18/TOUT POUR RIEN; CHAUVES/200;
GRÈS/ART/MODERNE; 3/FRAN/COIS/100;
8/8/3/8; LA FORTUNE À TOUT*

HIST. : Acquis en 1982.

EXP. : 1901, Dresde, Internationale
Kunstausstellung, n° 1791.

BIBL. : Lacambre-Thiébaut, 1983, n° 544
p. 126, repr. p. 127.

Roche Pierre
(Massignon Fernand, dit)
Paris 1855 - Paris 1922

OAO 74
Plaque de serrure
1894
Bronze, patine verte et orange.
H. 0,192; l. 0,143; Ép. 0,007.

HIST. : Don de la Médaille française
contemporaine - collection Liard au
musée du Luxembourg, 1936; entré au
musée du Luxembourg en 1937;
reversement du musée national d'Art
moderne au musée d'Orsay, 1978.

EXP. : 1894, Paris, Salon de la Société
nationale des Beaux-Arts, n° 480 (?).

BIBL. : Vitry, 1904, p. 123.

Rohaut
Voir **Manufacture nationale
de tapisseries de Beauvais**

Rollince Jeanne
Paris ? - ?

OAO 327
Projet de reliure
1908
Carton, encre de Chine, laque (?)
rouge et jaune sur fond métallisé or,
vernis; cadre de cuir estampé et doré.
H. 0,422; l. 0,302; Ép. 0,009.
S.D.b.g. : *Rollince 1908.*
Étiquette au revers : *2265/Panneau
décoratif/de Me Rollince*

HIST. : Acquis au Salon des Amis des
Arts de Versailles de 1909 pour le
musée du Luxembourg; entré au
musée du Luxembourg en 1910;
reversement du musée national d'Art
moderne au musée d'Orsay, 1978.

EXP. : 1909, Paris, École des Beaux-Arts,
*Exposition des Acquisitions et des
commandes de l'État livrées en 1909,*
n° 422.

Rookwood Pottery
Company
Manufacture de céramique,
Cincinnati.
Fondée en 1880 par Maria Longworth-
Nichols-Storer

OAO 173
Vase
1900
Faïence, décor gravé sous couverte
transparente.
H. 0,215; D. ouverture 0,067.
Marque en creux sous la pièce dans un
cercle constitué de 14 flammes : *RP 589*

E; étiquette ancienne imprimée :
Rookwood Pottery Cincinnati USA
Universal Exposition Paris 1900;
monogramme en creux du décorateur :
[E. dward] T. [imothy] H. [arley]

HIST. : Acquis en 1901 à la galerie Bing
pour le musée du Luxembourg;
reversement du musée national d'Art
moderne au musée d'Orsay, 1978.

EXP. : 1900, Paris, Exposition
Universelle, groupe XII, classe 72.

BIBL. : *L'Art pour tous,* n° 986, 15 juillet
1901, fig. 9900.

OAO 174
Vase
1900
Faïence, décor peint.
H. 0,217; D. base 0,070.
Marque en creux sous la pièce dans un
cercle constitué de 14 flammes :
RP V 989 C; monogramme en creux du
décorateur : *H. [arriet] E. [lizabeth] W.
[ilcox]*

HIST. : Acquis à la galerie Bing en 1901
pour le musée du Luxembourg;
reversement du musée national d'Art
moderne au musée d'Orsay, 1978.

EXP. : 1900, Paris, Exposition
Universelle, groupe XII, classe 72.

Rosa
Voir **Fourdinois**

Roty Louis-Oscar
Paris 1846 - Paris 1911

OAO 51
« Le Printemps », modèle de bracelet
Vers 1891.
Cuivre doré, procédé galvanique.
Plaquette avec médaillon : L. 0,113;
l. 0,034; Ép. 0,003.
Seconde plaquette : L. 0,113; l. 0,021;
Ép. 0,003.
Bracelet exposé au Salon de la Société
des Artistes français de 1891, cadre
n° 3003, n° 6.

HIST. : Don de l'artiste au musée du
Luxembourg en 1892; reversement du
musée national d'Art moderne au
musée d'Orsay, 1978.

BIBL. : Meusnier, 1901, repr. pl. I, n°s 2
et 6.

OAO 273
« Art », maquette de plaquette
Vers 1892.
Maquette pour la partie droite de la
plaquette commémorative du
Cinquantenaire de la fondation de la
Maison Christofle, en 1892.
Cire brune sur ardoise; cadre de bois
noirci.
H. 0,484; L. 0,350; P. 0,017 (hors
cadre).
Inscription h.g. : ART (deux fois et
superposée).

HIST. : Musée du Luxembourg, entré en
1909 (?); reversement du musée
national d'Art moderne au musée
d'Orsay, 1978.

EXP. : 1893, Paris, Salon de la société des
Artistes français, n° 3530, n° 5.

BIBL. : Fourcaud, 1893, p. 382
(plaquette); Champier, 1895, pp. 525,
526, 529, (plaquette repr. pl. hors
texte).

Roudillon
Tapissiers-ébénistes et décorateurs,
Paris.
Ancienne maison Ringuet-Leprince,
dirigée à partir de 1853 par Étienne
Roudillon (1820-1891).

Thirard (?)
Ébéniste

DO 1983-85
Meuble à deux corps : vitrine sur bas
d'armoire
1867
Ébène, acier, verre.
H. 2,400; L. 1,120; P. 0,530.

HIST. : Livré pour le Salon d'études du
Prince Impérial au Palais des Tuileries,
1867; dépôt du Mobilier national, 1983.

EXP. : 1867, Paris, Exposition
Universelle, groupe III, classe 14.

BIBL. : Dieterle et Pollen, « Meubles de
luxe », *Exposition Universelle de 1867 à
Paris. Rapports du Jury International,*
Paris, 1868, vol. III, p. 21-22.

Rouillard
Voir **Cavaillé-Coll**

Rousseau François-Eugène
Éditeur
Paris 1827-Paris 1890

Appert Frères
Maîtres de verrerie, Clichy.

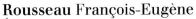

OAO 1055
Vase (modèle «à larmes»)
Modèle créé vers 1875-1878.
Verre teinté, applications.
H. 0,250; L. ouverture 0,176; l.
ouverture 0,050.
S. en creux sous la pièce : *E. Rousseau/
Paris.*

HIST. : Don Hugues Autexier et François
Braunschweig, 1986.

OAO 978
Vase (modèle «à larmes»)
Modèle créé vers 1875-1878.
Verre teinté, applications, décor gravé,
peint, émaillé et doré.
H. 0,258; L. 0,230; l. 0,055.
S. en creux sous la pièce : *E. Rousseau/
Paris.*

HIST. : Acquis dans le commerce d'art
parisien, 1984.

OAO 970
Vase
Modèle créé vers 1875-1878.
Verre teinté, applications, décor gravé
et peint.
H. 0,158; L. ouverture 0,075; l.
ouverture 0,038.
S. en creux sous la pièce : *E. Rousseau/
Paris.*

HIST. : Acquis dans le commerce d'art
parisien, 1984.

OAO 967
Vase
Modèle créé vers 1875-1878.
Verre, décor gravé à la roue, émaillé et
doré.
H. 0,182; D. ouverture 0,103.
S. en blanc sous la pièce : *E. Rousseau/
Paris.*

HIST. : Acquis dans le commerce d'art
parisien, 1984.

OAO 968
Vase
Modèle présenté à l'Exposition
Universelle de Paris, 1878.
Cristal, décor gravé à la roue, peint,
émaillé et doré.
H. 0,227; l. 0,145.
S. à l'or sous la pièce : *Escalier de
Cristal/Paris;* en creux : *L'Escalier de
Cristal* et *E. Rousseau.*

HIST. : Acquis dans le commerce d'art
parisien, 1984.

OAO 965
Vase (modèle «bambou»)
Modèle présenté à l'Exposition
Universelle de Paris, 1878.
Verre teinté, décor gravé, émaillé et
doré.
H. 0,283; l. ouverture 0,079.

HIST. : Acquis dans le commerce d'art
parisien, 1984.

DO 1983-89[1-2]
Paire de présentoirs
1884
Cristal à trois couches, couche
intermédiaire partiellement craquelée,
inclusions, paillons d'or, décor gravé,
mascarons moulés appliqués sur
feuille d'or.
H. 0,185; L. 0,320; l. 0,196.
S.D. en blanc sous la pièce :
E. Rousseau/Paris 1884.

HIST. : Dépôt du Mobilier national, 1983.

EXP. : 1884, Paris, *VIIIe Exposition de
l'Union centrale des Arts décoratifs,*
3e groupe, 2e section.

BIBL. : *Revue des Arts décoratifs,* janvier
1885, repr. hors-texte.

DO 1983-88
Jardinière
1884
Verre à deux couches, couche
inférieure craquelée, inclusions,
paillons d'or.
H. 0,128; L. ouverture 0,170; l.
ouverture 0,112.
S.D. en blanc sous la pièce :
E. Rousseau 1884/Paris.

HIST. : Dépôt du Mobilier national, 1983.

EXP. : 1884, Paris, *VIIIe Exposition de
l'Union centrale des Arts décoratifs,*
3e groupe, 2e section.

Rousseau
Voir également à **Bracquemond**

Rousseau Eugène
Éditeur
Paris 1827 - Paris 1890

Léveillé Ernest
Éditeur
Paris 1841 - Vaucresson 1913

Appert Frères
Maîtres de verrerie, Clichy.

OAO 715
Vase
1889
Cristal teinté à trois couches, couche
inférieure craquelée, inclusions, décor
gravé à la roue.
H. 0,261; L. ouverture 0,131;
l. ouverture 0,086.
S.D. en creux sous la pièce :
*E. Leveille/E. Rousseau/Paris/octobre
1889.*

HIST. : Acquis dans le commerce d'art
parisien, 1982.

BIBL. : Lacambre-Thiébaut, 1983, n° 545
p. 128, repr.

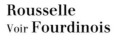

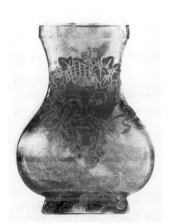

Rousselle
Voir **Fourdinois**

Rudolphi
Orfèvre-bijoutier, Paris.
Ancien atelier de Charles Wagner,
repris par Frédéric-Jules Rudolphi en
1842 (?).
Leroy
Sculpteur (?).

OAO 601[1-4]
**Parure : bracelet, broche, pendants
d'oreilles,**
Vers 1851.
Argent oxydé.
Bracelet : H. 0,045; D. 0,065.
Broche : H. 0,042; L. 0,042.
Pendants d'oreilles : H. 0,045; L. 0,025.
Poinçons : petite garantie, argent,
Paris; fabricant, argent, Rudolphi.
Dans un écrin marqué à l'intérieur du
couvercle : R. Nve des Pts Champs 79/
SOBOLEWSKI FT/PARIS; sur le couvercle :
C.L.

HIST. : Coll. de la Blanchardière (?); coll.
P. Barbé, Paris; acquis en 1981.

EXP. : 1851, Londres, Exposition
Universelle, classe XXIII; 1900, Paris,
Exposition centennale.

BIBL. : *Exhibition of the Works of
industry of all Nations,* 1851, *Reports of
the Juries,* Londres, 1852, p. 513;
H. Vever, *La bijouterie française au
XIXᵉ siècle,* Paris, 1908, t. I, p. 190-191,
repr. p. 158 (broche) et 191 (bracelet);
Lacambre-Thiébaut, 1983, n° 547
p. 128, repr. p. 129.

Ruprich-Robert Victor
Marie Charles
Architecte
Paris 1820 - Cannes 1887
L. Bachelet
Orfèvre-bronzier, Paris.

OAO 538
**Élément d'une couronne de
suspension**
1865
Bronze doré, émail champlevé, verre
coloré.
H. 0,272; L. 0,267.
Modèle d'un des éléments de la grande
couronne de suspension offerte en
1865 par Napoléon III à l'abbaye
d'Einsiedeln (Suisse), inscrite : *1865
RUPRICH-ROBERT ARCH. / L. BACHELET
ORF. BRONZ. A PARIS.*

HIST. : Provient du cabinet de
l'architecte V. Ruprich-Robert, 10 rue
d'Assas à Paris; don de la famille
Ruprich-Robert, 1981.

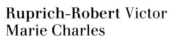

BIBL. : A. Kuhn, *Der jetzige Stiftsbau Maria Einsiedeln*, 1913, p. 117-118, repr. f. 44, p. 116; Lacambre-Thiébaut, 1983, n° 548 p. 128, repr. p. 129.

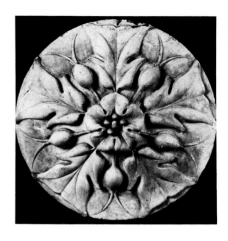

Ruprich-Robert Victor Marie Charles
Paris 1820 - Cannes 1887

OAO 588
Meuble à deux corps : bibliothèque - meuble à plans
Chêne, sapin, verre, fer.
H. 2,150; l. 1,320; P. 0,760.

HIST. : Provient du cabinet de l'architecte V. Ruprich-Robert dans un immeuble qu'il avait construit 10 rue d'Assas, Paris; don de la famille Ruprich-Robert, 1981.

EXP. : 1986, Paris, Musée d'Orsay, *La carrière de l'architecte au XIX᷎ siècle*, H.C.

BIBL. : Lacambre-Thiébaut, 1983, n° 549 p. 128, repr. p. 129.

OAO 590
Maquette de charpente d'un clocher
Chêne teinté, bois tourné et peint en doré.
H. 1,025; L. 0,413; P. 0,290.

HIST. : Provient du cabinet de l'architecte Victor Ruprich-Robert dans un immeuble qu'il avait construit 10, rue d'Assas, à Paris; don de la famille Ruprich-Robert, 1981.

BIBL. : Lacambre-Thiébaut, 1983, n° 550 p. 128, repr. p. 129.

OAO 592 à 596
Moulages en plâtre

HIST. : Proviennent du cabinet de l'architecte V. Ruprich-Robert, dans un immeuble qu'il avait construit 10, rue d'Assas, Paris; don de la famille Ruprich-Robert, 1981.

BIBL. : Lacambre-Thiébaut, n° 551 à 555 p. 128, repr. p. 129.

OAO 592
Rosace florale : fleurs de pomme de
terre et tulipier de Virginie
D. 0,530; P. 0,095.
Correspondant à la planche 119 de la
Flore Ornementale de Ruprich-Robert.

OAO 596
Motif floral
D. 0,174; P. 0,069.

Ruprich-Robert
Voir aussi Catalogue sommaire des
dessins d'architecture et d'art décoratif

Fonderies de Saint-Dizier
Voir **Guimard**

Sandoz Alphonse
Voir **Manufacture Nationale
de Sèvres**

OAO 593
Console
H. 0,362; l. 0,355; P. 0,267.

Sandoz Gustave
Éditeur d'objets d'art, Paris.

D.O. 1983-71
Cartel mural.
Émail peint sur cuivre, cuivre doré,
acier, verre, bois noirci.
H. 0,543; D. 0,455; P. 0,155.
Marque de fabricant à l'intérieur sur le
mouvement : *GVE SANDOZ / PARIS/PALAIS
ROYAL 147/232*

HIST. : Collection Adolphe Thiers?,
Paris; Dépôt de la fondation Dosne,
1983.

OAO 594
Motif floral sur une section de
bandeau
D. 0,119; P. 0,110.

Sainsaulieu Max
Péronne 1870-Reims ?

OAO 655
Pendule
Vers 1900.
Merisier, cuir repoussé et doré.
H. 0,897; l. 0,486; P. 0,186.
Inscription gravée sous le cadran : *LES
HEURES PASSENT/LES ŒUVRES RESTENT.*

HIST. : Don de M. Jean Sainsaulieu, fils
de l'artiste, 1982.

BIBL. : Lacambre-Thiébaut, 1983, n° 558
p. 130, repr. p. 131.

OAO 595
Motif floral sur une section de
bandeau
H. 0,137; l. 0,132; P. 0,103.

Sauvage Henri
Architecte
Rouen 1873-Paris 1932

Bigot Alexandre
Céramiste
Mer 1862-Paris 1924

OAO 1064[1-4]
Carreaux de frise murale
Modèle créé vers 1900-1902.
Grès émaillé.
H. 0,330; l. 0,330; Ep. 0,050 chaque
carreau.

HIST. : Don de Mme Maria de Beyrie,
1986.

BIBL. : *Les grès de Bigot*, Paris, 1902,
fig. 74, p. 14.

Sauvrezy Auguste Hippolyte
Laon 1815 - Paris 1884

OAO 717
Cabinet
Noyer sculpté, marqueterie de bois de
corail, amarante, palissandre et
Wacagou; marbre; bronze doré.
H. 1,650; L. 0,910; P. 0,500.
Signature gravée en haut, au revers du
vantail central : *SAUV re ZY/*
Marque de fabricant sur les serrures :
THEAU/SERRURIER/PARIS

HIST. : Galerie La Cour de Varenne,
Paris; acquis en 1982.

EXP. : 1983, Paris, Palais de Tokyo,
*Nouvelles acquisitions du Musée
d'Orsay.*

BIBL. : Lacambre-Thiébaut, 1983, n° 557
p. 130, repr. p. 131.

Maison Sauzin
Voir **Guimard**

Schilt
Voir **Manufacture Nationale
de Sèvres**

Schmidt
Voir **Loos**

Schneider
Voir **Sullivan**

Schulz
Voir **Eckmann**

Sédille
Voir **Fourdinois**

Serrurier-Bovy Gustave
Liège 1858-Anvers 1910

OAO 973-976
Mobilier de chambre à coucher
Modèle créé en 1899.
Acajou ciré, laiton, panneaux de soie
originaux brodés et peints au pochoir,
avec broderies d'application.

HIST. : Acquis à Bruxelles, 1984.

EXP. : 1980-1981, Bruxelles, Palais des
Beaux-Arts, *Art Nouveau, Belgique*, n°s
94-97 p. 255-256, repr.

BIBL. : G. Soulier, «L'art dans
l'habitation», *Art et Décoration*, t. 7,
1900, repr. p. 107; J.-G. Watelet,
«Serrurier-Bovy au musée d'Orsay. Le
constructivisme d'un décorateur Art
Nouveau», *La revue du Louvre et des
Musées de France*, 1987, n° 4,
p. 290-296.

OAO 973
Lit
H. 2,790; L. 2,110; l. 2,400.
Marque au fer au dos de la tête :
SERRURIER/LIEGE

OAO 974
Armoire en deux éléments.
H. 2,220; l. 0,900; P. 0,550 chaque
élément.

OAO 975
Coiffeuse
H. 1,880; l. 1,370; P. 0,570.

OAO 976
Psyché
H. 2,220; l. 1,000; P. 0,440.

OAO 500
Banquette
Vers 1910.
Frêne, incrustation et marqueterie de
bois teintés, laiton, cannage.
H. 1,070; l. 1,250; P. 0,495.

HIST. : Acquis dans le commerce d'art
parisien, 1980.

BIBL. : Lacambre-Thiébaut, 1983, n° 558
p. 130, repr. p. 131.

Servat
Voir **Carabin**

Sévin Louis-Constant
Dessinateur industriel
Versailles 1821 - Paris 1888

Maison F. Barbedienne
Bronzes d'art, Paris.

Attarge Désiré
Ciseleur (1820-1878).

OAO 961
Coupe
1866
Bronze et cuivre galvanique argentés.
H. 0,220; L. 0,190; D. 0,128.
S.D. derrière les anses, d'un côté : *D.
Attarge F^{vt}*; de l'autre côté : MAISON F.
BARBEDIENNE. PARIS/C. Sévin. Inv. 1866

HIST. : Coll. Patrick Serraire, Paris;
Galerie Catan, Paris; acquis en 1984.

EXP. : 1867, Paris, Exposition Universelle, groupe III classe 21.

BIBL. : The Illustrated Catalogue of the
Paris Universal Exhibition, *The Art-
Journal*, Londres, 1867, p. 198, repr.

Sévin Louis-Constant

(attribué à)
Dessinateur industriel
Versailles 1821 - Paris 1888

Maison F. Barbedienne
Bronzes d'art, Paris.

OAO 962
Coupe
Vers 1862-1867.
Bronze doré.
H. 0,066; L. 0,154; D. 0,099.
Marque de fabricant gravée au bord
près d'une des anses : *F. BARBEDIENNE*

HIST. : Coll. Patrick Serraire, Paris;
Galerie Catan, Paris; acquis en 1984.

BIBL. : "The illustrated Catalogue of the
Paris universal Exhibition", *The Art-
Journal*, Londres, 1867, vol. p. 171,
repr.; 1979, Paris, n° 75 p. 164-165,
repr. p. 165.

Manufacture Impériale de Céramique de Sèvres

Schilt Louis Pierre
Peintre sur porcelaine
Paris 1790 - Sèvres 1859

OAO 657
Guéridon
1850
Porcelaine à décor peint, bronze doré,
tôle.
H. 0,710; D. 0,870.
S.D. au centre du plateau : *L.P. Schilt
1850*
S. au bord du plateau : *L.P. Schilt*
Marques au revers du plateau :
RF S.50 (marque ronde imprimée deux
fois), *D. 42-3* (marque en creux), lettre
A (au crayon)
Inscription gravée sur un cartel, dans
la bordure du plateau : *Offert à
Madame la DUCHESSE D'HAMILTON,/par
SA MAJESTÉ L'IMPÉRATRICE EUGÉNIE/
Sèvres. le 4 avril 1853.*

HIST. : Coll. Marie de Bade, Duchesse de
Hamilton; coll. Duke of Montrose;
Good continental Ceramics, Londres,
Sotheby's Belgravia, 26 mars 1981,
n° 25, repr.; galerie Jacques Kugel,
Paris; acquis en 1982.

EXP. : 1983, Paris, Palais de Tokyo,
*Nouvelles acquisitions du Musée
d'Orsay.*

BIBL. : Lacambre-Thiébaut, 1983, n° 657
p. 130, repr. p. 131; *French
Connections. Scotland and the Arts of
France*, Edimbourg, 1985, p. 92.

Manufacture Impériale de Sèvres

Gély Léopold-Jules-Joseph
Sculpteur, modeleur.
Actif à la manufacture de 1850 à 1889.

Maison F. Barbedienne
Bronzes d'art, Paris

G.M.L. 181
Paire de «Vases Balustres pour
torchères»
1862
Porcelaine dure, décor en pâtes
d'application; monture en bronze doré.
H. 1,365; D. ouverture 0,255.
Marque de fabricant gravés sur une
plaque au sommet du col :
F. BARBEDIENNE. PARIS et *n° 9* inscrit en
noir.

HIST. : Livré au garde-meuble et envoyé
au Palais impérial de Compiègne en
1863; dépôt du Mobilier national au
musée d'Orsay, 1986.

Manufacture Nationale de Sèvres

OAO 179
«Coupe de Tarente», pièce d'essai
1881
Le pied manque
Porcelaine nouvelle, couverte flammée
de grand feu.
H. 0,056; D. 0,213.
Marque en creux sous la pièce :
M.81.9.LV; marque en vert : *SIAS*

HIST. : Attribué au musée du
Luxembourg par la Manufacture
nationale de Sèvres, 1893.

OAO 176
Jatte
1885
Porcelaine nouvelle couverte flammée
de grand feu.
H. 0,077; D. ouverture 0,107.
Marque en creux sous la pièce :
M.85.6.LV; marque rectangulaire
imprimée en bleu sous couverte : *S.85*

HIST. : Attribué au musée du
Luxembourg par la Manufacture
nationale de Sèvres, 1893.

OAO 177
Jatte
1885
Porcelaine nouvelle, couverte flammée
de grand feu
H. 0,077; D. 0,107.
Marque en creux sous la pièce :
M.85.6.LV; marque rectangulaire
imprimée en bleu sous couverte : *S.85*

HIST. : Attribué au musée du
Luxembourg par la Manufacture
nationale de Sèvres, 1893.

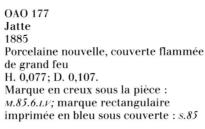

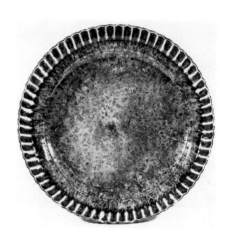

OAO 178
«Coupe de Tarente», pièce d'essai
1886
Le pied manque.
Porcelaine nouvelle, couverte flammée
de grand feu.
H. 0,062; D. 0,217.
Marque en creux sous la pièce : *JB 86
10 PN;* marque en vert : *SI AS*

HIST. : Attribué au musée du
Luxembourg par la Manufacture
nationale de Sèvres, 1893.

OAO 571
Vase
1895
Porcelaine dure nouvelle, couverte
cristallisée de grand feu; monture en
argent.
H. 0,180; l. 0,125.
Marque en bleu sous couverte :
V.S. SEVRES 3-8-95 259; poinçon de
fabricant illisible.

HIST. : Collection Marcel Guilleminault
(1882-1966) architecte; don sous
réserve d'usufruit de sa fille,
Mlle Simone Guilleminault, 1981.

OAO 180
«Vase de Chorey A»
Modèle créé vers 1895-1897.
Porcelaine nouvelle, couverte
cristallisée de grand feu.
H. 0,105; D 0,138.
Marque en creux dans un cartel
rectangulaire sous la pièce : *SEVRES*

HIST. : Attribué au musée du
Luxembourg par la Manufacture
nationale de Sèvres, 1898.

OAO 181
«Vase de Chorey B»
1895
Porcelaine nouvelle, couverte
cristallisée de grand feu.
H. 0,140; D. 0,135.
Marque en creux dans un cartel sous la
pièce : SEVRES; en vert : 2.399.95

HIST. : Attribué au musée du
Luxembourg par la Manufacture
nationale de Sèvres, 1898.

OAO 175
«Vase de Neuilly A»
1897
Porcelaine dure nouvelle, couverte
cristallisée de grand feu.
H. 0,127; l. 0,085.
Marque en creux sous la pièce :
97.2.P.N.; marque rectangulaire
imprimée en noir sous couverte : s 97;
en vert : N 79

HIST. : Attribué par la Manufacture
nationale de Sèvres au musée du
Luxembourg, 1898.

Manufacture Nationale de Sèvres
Gély Léopold Jules-Joseph
Sculpteur-modeleur
Actif à la manufacture de 1850 à 1889.

DO 1983-72
Vase «Bijou»
1871
Porcelaine dure, décor en pâtes
d'application, rehauts d'or.
H. 0,195; l. 0,125.
S.D. en pâte sous les anses gauche et
droite : J GELY 1871; marque
rectangulaire imprimée en vert sous la
pièce : s.71; marque circulaire
imprimée en rouge : R.F. s.71; marque
en creux sous couverte : A D 62 9
Inscriptions en pâte dans les
banderoles accompagnant les
médaillons : HISTORIA ELOQUENTIA LEX

HIST. : Collection Adolphe Thiers, Paris;
dépôt de la fondation Dosne, 1983.

Manufacture Nationale de Sèvres
Peyre Jules-Constant
Dessinateur
Actif à la manufacture de 1845 à 1848
et de 1856 à 1871.

Sill Henri
Décorateur
Actif à Sèvres de 1881 à 1890.

OA 3338
Jatte à laver
1886
Porcelaine nouvelle, lustre de cuivre.
H. 0,075; D. ouverture 0,183.
S. en lustre sous la pièce : H.S.; marque
rectangulaire imprimée en noir : s.85;
marque circulaire imprimée en noir :
Décor à Sèvres RF 86

HIST. : Attribué au musée du
Luxembourg par la Manufacture
nationale de Sèvres, 1893.

Manufacture Nationale de Sèvres
Mérigot Maximilien-Ferdinand
Peintre
Actif à la manufacture de 1845 à 1872
et de 1879 à 1892.

G.M.L. 5866
Vase «Potiche ovoïde allongée»
1887
Pâte Lauth-Vogt, décor de grand feu
sur et sous couverte.
H. 1,340; D. ouverture 0,340.
S. à la base de la pièce : MÉRIGOT;
marque circulaire imprimée en rouge
à l'intérieur du col : DÉCORE A
SÈVRES RF 87; marque rectangulaire
imprimée en bleu : SEV.

HIST. : Dépôt du Mobilier national au
musée d'Orsay, 1986.

Manufacture Nationale de Sèvres

Nicolle Joseph
Chef des travaux d'art
Actif à la manufacture de 1856 à 1871.

Archelais Jules
Décorateur et modeleur.
Actif à la manufacture de 1865 à 1902.

Gobert Alfred-Thompson
Peintre et directeur des travaux d'art.
Actif à la manufacture de 1849 à 1891.

G.M.L. 9447
« Vase de Neptune »
1889
Porcelaine dure, fond céladon vert
pâle, décor gravé sous couverte;
monture en bronze doré.
H. 1,475; D. ouverture 0,585.
Marque rectangulaire imprimée en
noir à l'intérieur du col : *s. 89;* marque
en creux sous couverte : *GR 886 - 12 X*

HIST. : Dépôt du Mobilier national au
musée d'Orsay, 1986.

G.M.L. 9448
« Vase de Neptune »
1889
Porcelaine dure, fond céladon marron
clair, décor gravé sous couverte;
monture en bronze doré.
H. 1,475; D. ouverture 0,585.
Marque circulaire imprimée en vert à
l'intérieur du col : *MANUFACTURE
NATIONALE SEVRES;* marque
rectangulaire imprimée en vert : *s. 89.*

HIST. : Dépôt du Mobilier national au
musée d'Orsay, 1986.

Manufacture Nationale de Sèvres

Sandoz Alphonse
Sculpteur-modeleur
Actif à la manufacture de 1881 à 1920.

OAO 182
« Gourde de Champrosay »
1896
Porcelaine nouvelle, couverte flammée
de grand feu.
H. 0,240; D. 0,128.
Marque rectangulaire imprimée en
vert sous la pièce : *s.96*

HIST. : Attribué au musée du
Luxembourg par la Manufacture de
Sèvres, 1898.

Manufacture Nationale de Sèvres
Vogt Georges
Directeur des travaux techniques
Actif à la manufacture de 1879 à 1909.

Henri Lasserre
Décorateur
Actif à la manufacture de 1883 à 1932.

OAO 164
« Vase d'Igny B »
1897
Porcelaine dure, décor de grand feu
sous couverte.
H. 0,125; D. 0,078.
Marque rectangulaire imprimée en
vert sous la pièce : s 97

HIST. : Attribué au musée du
Luxembourg par la Manufacture
nationale de Sèvres, 1898.

OAO 165
« Vase d'Igny B »
1897
Porcelaine dure, décor de grand feu
sous couverte.
H. 0,125; D. 0,078.
S.D. en noir sous la pièce : *H. Lasserre
1898;* marque rectangulaire imprimée
en vert : s 97

HIST. : Attribué au musée du
Luxembourg par la Manufacture
nationale de Sèvres, 1898.

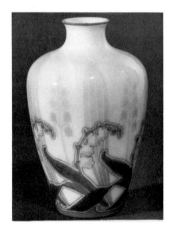

Manufacture Nationale de Sèvres
Bieuville Horace
Décorateur
Actif à la manufacture de 1879 à 1925.

DO 1986-85.
« Vase de Beauvais »
1912
Porcelaine dure, couverte cristallisée
de grand feu; socle en grès céramé.
H. 2,000; l. 0,780; P. 0,780.

HIST. : Concédé au Musée de l'École
nationale des Arts industriels de
Roubaix par la Manufacture nationale
de Sèvres, 1912; affecté au musée
d'Orsay, 1986.

Manufacture nationale de Sèvres
Voir également à
Gardet, Thesmar

Sika Jutta
Linz (Autriche) 1877 - Vienne 1964
Josef Böck
Manufacture de céramique, Vienne.

OAO 545 [1-6]
Trois tasses et soucoupes
Vers 1902.
Porcelaine blanche.
Tasses : H. 0,048; L. 0,073; D. 0,060.
Soucoupes : H. 0,016; D. 0,115.

HIST. : Coll. famille Moser, Vienne;
galerie Nebehay, Vienne; acquis en
1981.

BIBL. : *Das Interieur,* III, 1902, p. 103;
*Dokumente des Modernen
Kunstgewerbes,* Série A, t. 1, septembre
1902, p. 13; *Koloman Moser,* Vienne
Österreichisches Museum für
angewandte Kunst, Vienne, 1979, nº 82
a b, repr. p. 102 (photographies
contemporaines : *«Wiener Porzellan-
Manufaktur Jos. Böck. Form Sika»*).

Sill
Voir **Manufacture Nationale de Sèvres**

Simmen Henri
Montdidier (Somme) 1879-Nice 1963

DO 1981-33
Vase
1910
Grès au sel partiellement émaillé.
H. 0,300.
S. en creux sous la pièce : *H SIM III.*

HIST. : Acquis en 1911 à la Galerie d'Art
Décoratif pour le musée du
Luxembourg; entré au musée du
Luxembourg en 1916; dépôt du musée
national d'Art moderne au musée
d'Orsay, 1981.

EXP. : 1910-1911, Paris, Galerie d'Art
Décoratif, *Exposition Simmen,* nº 2.

Siot
Voir **Larche**

Francis Smith & Son
Voir **Mackintosh**

Sollier
Voir **Froment-Meurice**

Sullivan Louis Henry
Architecte
Boston 1856 - Chicago 1924.

Adler & Sullivan
Architectes associés, Chicago,
1881-1895.

Elmslie George Grant
Architecte (1871-1952).

Schneider Kristian
Sculpteur

OAO 892
Plaque
1894
Fonte cuivrée patinée.
H. 0,460; L. 1,330.

HIST. : Élément de la frise supérieure
qui ornait les grilles des cages
d'ascenseurs à la Bourse de Chicago,
La Salle Street, construite par Adler &
Sullivan en 1893-1894, démolie en
1972; acquis en 1984.

BIBL. : J. Vinci, *The Art Institute of
Chicago : The Stock Exchange Trading
Room*, Chicago, 1977, p. 22.

OAO 960
Section d'un chapiteau octogonal
1894
Plâtre moulé, traces de dorure.
H. 0,580; L. 0,770; P. 0,350.

HIST. : Fragment d'un des quatre
chapiteaux de la galerie supérieure, au
fond de la salle des cotations à la
Bourse de Chicago, La Salle Street,
construite par Adler & Sullivan en
1893-1894, démolie en 1972; don de
l'Art Institute de Chicago, 1984.

BIBL. : J. Vinci, *The Art Institute of
Chicago : The Stock Exchange Trading
Room*, Chicago, 1977, p. 29, 44, 46; P.E.
Sprague, *The drawings of Louis Henry
Sullivan*, Princeton, 1979, p. 47, n° 62
repr. (dessin préparatoire daté,
19 mars 1894, Avery Architectural
Library, Columbia University).

OAO 1018
Face d'un chapiteau octogonal
1894
Plâtre moulé et doré.
H. 0,864; L. 0,813; P. 0,152.

HIST. : Fragment d'un des quatre
chapiteaux monumentaux de la salle
des cotations à la Bourse de Chicago,
La Salle Street, construite par Adler &
Sullivan en 1893-1894, démolie en
1972; The Art Institute, Chicago;
acquis en 1985.

BIBL. : J. Vinci, *The Art Institute of
Chicago : The Stock Exchange Trading
Room*, Chicago, 1977, p. 2, 30-31, 38,
46-47; P.E. Sprague, *The drawings of
Louis Henry Sullivan*, Princeton, 1979,
p. 46-47, n° 60 repr. (dessin
préparatoire daté, 1er février 1894,
Avery Architectural Library) et fig. 37.

OAO 1019
Fragment de frise
1894
Plâtre moulé, peint et doré.
H. 0,318; L. 0,920; P. 0,038.

HIST. : Fragment de la frise à éclairage
électrique incorporé, placée au bas des
poutres maîtresses dans la salle des
cotations de la Bourse de Chicago, La
Salle Street, construite par Adler &
Sullivan en 1893-1894, démolie en
1972; The Art Institute of Chicago;
acquis en 1985.

BIBL. : J. Vinci, *The Art Institute of
Chicago : The Stock Exchange Trading
Room*, Chicago, 1977, p. 2, 38, 46.

Sullivan Louis Henry
Architecte
Boston 1856 - Chicago 1924.

Elmslie Georges Grant
Architecte (1871-1952)

Schneider Kristian
Sculpteur

Winslow Brothers Company
Fondeurs, Chicago.

OAO 1020
Balustre de rampe d'escalier
Vers 1904.
Fonte cuivrée, à patine verte.
H. 0,990; L. 0,228; P. 0,038.

HIST. : Provient des grands magasins
Carson Pirie Scott & Company
(initialement Schlesinger & Mayer
Department Store), construits par
Sullivan, 1 South State Street, à
Chicago (1899, 1903-1904); The Art
Institute, Chicago; acquis en 1985.

BIBL. : B.A. Spencer, *The Prairie School
Tradition*, New-York, 1977, p. 35, repr.;
Linda Legner, *Carson Pirie Scott & Co.
Building*, Chicago, 1983, p. 7 et 9.

Susse Frères
Voir **Levillain**

Tard
Voir **Christofle & Cie, Falize**

Thesmar André-Fernand
Châlon-sur-Saône 1843 - Neuilly-sur-
Seine 1912

OA 3288
Tasse
1891
Émaux transparents : émaux
cloisonnés d'or à jour, translucides et
opaques polychromes; bordure et talon
en or.
Cet objet a conservé son écrin.
H. 0,050; D. 0,093.
Monogrammé et daté sous la pièce :
1891/FT.

HIST. : Acquis par le Salon de la Société
nationale des Beaux-Arts de 1891;
attribué au musée du Luxembourg;
affecté au musée d'Orsay, 1983.

EXP. : 1891, Paris, Salon de la Société
nationale des Beaux-Arts, n° 6 (?) de la
vitrine n° 87.

BIBL. : Fourcaud, 1892, p. 12, repr.
hors-texte entre p. 14-15 (même
modèle); *L'Art pour tous*, 1902, n° 999,
p. 4096, fig. 10.102.

OA 3289
Lampe de mosquée
1891
Émaux transparents : émaux
cloisonnés d'or à jour, translucides et
opaques polychromes; bordure et talon
en or.
Cet objet a conservé son écrin.
H. 0,065; D. 0,092.
Monogrammé et daté sous la pièce :
1891/FT.

HIST. : Acquis de l'artiste et attribué au
musée du Luxembourg, 1892; affecté
au musée d'Orsay, 1983.

OAO 204
Tasse
1892
Émaux transparents : émaux
cloisonnés d'or à jour, translucides et
opaques polychromes.
Cet objet a conservé son écrin.
H. 0,049 ; D. 0,092.
Monogrammé et daté à la base :
1892/FT

HIST. : Acquis au Salon de la Société
nationale des Beaux-Arts de 1893 pour
le musée du Luxembourg ;
reversement du musée national d'Art
moderne au musée d'Orsay, 1978.

EXP. : 1893, Paris, Salon de la Société
nationale des Beaux-Arts, vitrine
n° 403, n° 7.

OAO 205-206
« Pissenlits », tasse et soucoupe
1902-1903
Émaux transparents : émaux
cloisonnés d'or à jour, translucides,
opaques et sur paillons, polychromes ;
talon en or sous chaque pièce.
Tasse : H. 0,053 ; D. 0,094.
Soucoupe : H. 0,015 ; D. 0,142.
Monogrammé et daté sous la base de la
tasse : *1902 FT* et au milieu de la
soucoupe : [190]*3/FT*.

HIST. : Acquis aux Salons de la Société
nationale des Beaux-Arts de 1902
(tasse) et 1903 (soucoupe) pour le
musée du Luxembourg ; reversement
du musée national d'Art moderne au
musée d'Orsay, 1978.

EXP. : 1902, Paris, Salon de la Société
nationale des Beaux-Arts, vitrine
n° 214, n° 3 (tasse) et 1903, Paris, Salon
de la Société nationale des Beaux-Arts,
n° 242 (soucoupe).

BIBL. : Pénicaud, 1902, p. 167, repr.
p. 165.

Thesmar André-Fernand

Châlon-sur-Saône 1843-Neuilly-sur-Seine 1912

Manufacture Nationale de Sèvres

OAO 203
« Vigne vierge et papillons », vase
1893
Porcelaine tendre de Sèvres (vase
« Saïgon »), émaux translucides
cloisonnés d'or et sur paillons, émaux
opaques polychromes.
H. 0,196; D. 0,105.
Monogrammé et daté près de la base :
1893/FT; sous la pièce, marque en
creux du tourneur : *E (?) 93 2 PT No 2*

HIST. : Dépôt de la Manufacture
nationale de céramique de Sèvres au
musée du Luxembourg, 1893.

EXP. : 1893, Paris, Salon de la Société
nationale des Beaux-Arts, vitrine
n° 403, n° 2.

BIBL. : *Revue des Arts Décoratifs,* juin
1893, pl. hors texte p. 380-381;
Champier, 1896, p. 381.

OAO 202
« Fuchsias », vase
1907
Porcelaine tendre de Sèvres (vase
« Saïgon »), émaux translucides
cloisonnés d'or et opaques
polychromes.
H. 0,232; D. 0,115.
Monogrammé et daté sous la base :
1907/FT, et marque en creux du
tourneur : *AV 94 4 PT 2F.*

HIST. : Acquis au Salon de la Société
nationale des Beaux-Arts de 1907 pour
le musée du Luxembourg; entré au
musée du Luxembourg en 1912;
reversement du musée national d'Art
moderne au musée d'Orsay, 1978.

EXP. : 1907, Paris, Salon de la Société
nationale des Beaux-Arts, n° 2633.

BIBL. : Verneuil, 1907, p. 168.

Thiébaut Frères
Voir **Aubé**

Thirard
Voir **Maison Roudillon**

Thonet Frères

Manufacture de bois courbé,
Fondée à Vienne en 1853.

OAO 940
Chaise n° 4
Modèle dessiné en 1849 par Michael
Thonet père et acquis par le café
Daum à Vienne en 1850
Exemplaire fabriqué entre 1881 et
1890.
Hêtre courbé, teinté acajou.
H. 0,935; l. 0,420; P. 0,520.
A l'intérieur de la ceinture, estampillé :
THONET, et deux étiquettes, l'une
portant la marque de fabrique : *GT*
(monogramme et lettres entrelacées)
K.K. [...]/massiv [...] GT (monogramme
et lettres entrelacées); l'autre : *Pour
conserver nos Meubles en bon/état,
prière de resserrer les Vis et/Écrous (?)
trois ou quatre fois par an./THONET
Frères, 15, Boulevard Poissonnière/
PARIS.*

HIST. : Collection Georges Candilis;
acquis en 1984.

EXP. : 1867, Paris, Exposition
Universelle, groupe III, classe 14,
n° 35.

BIBL. : Thonet Frères, affiche-catalogue,
[1859]; Mang, 1982, p. 62.

OAO 937
Chaise n° 1
Modèle créé en 1850 pour le Palais
Schwarzenberg à Vienne par Michael
Thonet père; exemplaire fabriqué
entre 1881 et 1890.
Hêtre courbé, teinté noir et verni noir,
cannage.
H. 0,905; l. 0,423; P. 0,540.
A l'intérieur de la ceinture, estampillé :
THONET et numéros de montage
estampillés : *5* (deux fois) et *B;*
étiquette : *Pour conserver nos Meubles
en bon/[...] resserrer les vis trois/[...]
par an./THONET Frères, 15, Boulevard
Poissonnière/PARIS.*

HIST. : Collection Georges Candilis;
acquis en 1984.

EXP. : 1867, Paris, Exposition
Universelle, groupe III, classe 14,
n° 35.

BIBL. : Thonet Frères, affiche-catalogue,
[1859].

OAO 938
Chaise n° 2
Modèle créé vers 1850 par Michael
Thonet père; exemplaire édité entre
1881 et 1891.
Hêtre courbé teinté brun, cannage.
H. 0,928; l. 0,423; P. 0,527.
A l'intérieur de la ceinture, estampille :
THONET et étiquette portant la marque
de fabrique : *GT* (monogramme) par
trois fois, le reste étant illisible.

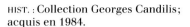

EXP. : 1867, Paris, Exposition Universelle, groupe III, classe 14,

BIBL. : Thonet Frères, affiche-catalogue, [1859].

OAO 939
Chaise n° 3
Modèle créé vers 1850 par Michael Thonet père; exemplaire édité après 1888.
Hêtre courbé, teinté façon noyer
H. 0,905; l. 0,430; P. 0,556.
Estampillé *THONET* à l'intérieur de la ceinture.
Deux étiquettes à l'intérieur de la ceinture : *GT* (monogramme)/ *THONET / WIEN/GT* (monogramme) et *En resserrant quelquefois les vis avec lesquelles/ nos sièges sont assemblés, on contribue à en augmenter/la durée et la solidité./THONET FRERES/15, Boulevard Poissonnière, PARIS* .

HIST. : Collection Georges Candilis; acquis en 1984.

BIBL. : Thonet Frères, affiche-catalogue, [1859].

OAO 942
Chaise n° 6
Modèle créé vers 1850 par Michael Thonet père.
Hêtre courbé teinté façon noyer.
H. 0,944; L. 0,428; P. 0,563.
Estampillé à l'intérieur de la ceinture : *THONET AUSTRIA.*
Traces d'étiquette portant la marque de fabrique.

HIST. : Collection Georges Candilis; acquis en 1984.

EXP. : 1887, Londres, Queen Victoria's Jubilee.

BIBL. : Thonet Frères, affiche-catalogue, [1859].

OAO 921
Canapé n° 1
Modèle créé avant 1859 par Michael Thonet père; exemplaire édité entre 1881 et 1888.
Hêtre courbé teinté merisier et verni, cannage.
H. 0,995; l. 1,170; P. 0,600.
A l'intérieur de la ceinture, étiquette portant la marque de fabrique : *GT* (monogramme)/*K.K. ausschl. priv.u.landesbef. Fabriken/ massivgebogener Holz Arbeiten/GT* (monogramme) *von Gebrüd [er Thonet in Wien/] GT/*(monogramme).

HIST. : Collection Georges Candilis ;
acquis en 1984.

BIBL. : Thonet Frères, affiche-catalogue,
[1859].

OAO 949
Fumeuse
Variante d'un modèle créé vers 1860
par Michael Thonet père ; exemplaire
édité avant 1881.
Hêtre courbé, vernis teinté façon
acajou, cannage (moderne pour le
siège), velours.
H. 0,835 ; l. 0,403 ; P. 0,607.
A l'intérieur de la ceinture, estampille :
THONET/et deux étiquettes : l'une
portant la marque de fabrique : [...] *GT*
(monogramme trois fois)/[...] *Gebrüder
Thonet* [...], l'autre : *En resserrant
[quelquefois] les vis avec lesquelles/nos
sièges sont assemblés, on contribuera [à
en augmenter/la durée et la solidité/].
THONET FRERES/15, Boulevard
Poissonnière, PARIS.*

HIST. : Collection Georges Candilis ;
acquis en 1984.

BIBL. : Thonet Frères, catalogue de
vente, [1888], repr. p. 9, réf. M. 14.

OAO 925
Fauteuil pliant n° 1
Modèle créé entre 1859 et 1866 par
Michael Thonet père.
Hêtre courbé teinté merisier et verni,
cannage.
H. 1,110 ; l. 0,570 ; P. 1,470.
A l'intérieur de la ceinture, estampille :
THONET.

HIST. : Collection Georges Candilis ;
acquis en 1984.

BIBL. : Thonet Frères, affiche-catalogue,
[1866].

OAO 955
Fauteuil pliant n° 2
Modèle créé vers 1860 par Michael
Thonet père.
Hêtre courbé teinté façon noyer foncé
et verni, garniture moderne.
H. 0,970 ; l. 0,640 ; P. 0,800.
Estampillé : *THONET*

HIST. : Don de M. Georges Candilis,
1984.

EXP. : Modèle présenté à l'Exposition
Universelle de Paris, 1867, groupe III,
classe 14 (variante à bascule), n° 35.

BIBL. : Thonet Frères, affiche-catalogue
[1866].

OAO 910
**Piètement de jardinière ou de table
de toilette**
Modèle créé entre 1860 et 1866 par
Michael Thonet père.
Plateau rapporté
Hêtre courbé teinté noir et verni noir.
H. 0,695 ; l. 0,500 ; P. 0,500.

HIST. : Collection Georges Candilis ;
acquis en 1984.

BIBL. : Thonet Frères, affiche-catalogue,
[1866].

OAO 911
**Piètement de table de salon (variante
du n° 4)**
Modèle créé entre 1860 et 1866 par
Michael Thonet père.
Hêtre courbé et tourné, teinté noyer et
verni.
Plateau rapporté
H. 0,750 ; l. 1,085 ; P. 0,760.

HIST. : Collection Georges Candilis ;
acquis en 1984.

BIBL. : Thonet Frères, affiche-catalogue,
[1866].

OAO 928
Fauteuil de bureau n° 1
Modèle créé avant 1866 par Michael
Thonet père ; exemplaire édité après
1890.
Hêtre courbé, teinté façon acajou et
verni, cannage (moderne pour le
siège).
H. 0,770 ; l. 0,600 ; P. 0,470.
A l'intérieur de la ceinture, estampille :
THONET et traces de l'étiquette portant
la marque de fabrique : [...THON] *ET*
[...]

HIST. : Collection Georges Candilis ;
acquis en 1984.

BIBL. : Thonet Frères, affiche-catalogue,
[1866].

OAO 943
Chaise n° 17
Modèle dessiné vers 1860, par Michael
Thonet père ; exemplaire édité après
1890.
Hêtre courbé, teinté façon noyer,
cannage.
H. 1,173 ; l. 0,455 ; P. 0,517.
A l'intérieur de la ceinture, estampille :
THONET et étiquette portant la marque
de fabrique *GT* (monogramme)/
THONET/WIEN/GT (monogramme).

HIST. : Collection Georges Candilis;
acquis en 1984.

EXP. : 1862, Londres, Exposition
Universelle, classe 30, n° 1221.

BIBL. : Thonet Frères, affiche-catalogue,
[1866].

OAO 922
Canapé (variante du n° 14)
Hêtre courbé, teinté façon acajou et
verni, cannage.
H. 0,970; l. 1,170; P. 0,610.

HIST. : Collection Georges Candilis;
acquis en 1984.

OAO 945
Chaise n° 22
Modèle créé avant 1873; exemplaire
édité avant 1890.
Hêtre courbé verni teinté façon acajou,
cannage.
H. 0,975; l. 0,433; P. 0,550.
A l'intérieur de la ceinture, deux
étiquettes : une portant la marque de
fabrique : *GT* (monogramme)/*K.K.*
ausschl. priv. u. landes bef. Fabriken/
massiv-gebogener Holz Arbeiten/GT
(monogramme)/*von Gebrüder Thonet*
in Wien/GT (monogramme) et *Pour*
conserver nos meubles en bon/état,
prière de resserrer les vis trois/ou
quatre fois par an/THONET Frères, 15,
boulevard Poissonnière/PARIS.

HIST. : Collection Georges Candilis;
acquis en 1984.

BIBL. : Thonet Frères, affiche-catalogue,
[1873].

OAO 908
Lit n° 2
Modèle créé entre 1873 et 1884.
Hêtre courbé teinté façon acajou clair
et verni.
Tête et pied : H. 0,780; L. 0,950; l.
0,070.
Côtés : H. 0,560; L. 1,830; l. 0,060.
N°s de montage estampillés sur les
parois internes : tête et pied : *39/1/37*
et *38/1/40;* côtés : *37/1/38* et *39/1/40*

HIST. : Collection Georges Candilis;
acquis en 1984.

BIBL. : Thonet Frères, catalogue de
vente, [1884].

OAO 909
Table de lecture
Modèle créé entre 1873 et 1888.
Hêtre courbé teinté noir et verni noir,
contreplaqué, fausse marqueterie
imprimée.
H. 0,830; D. 0,466.

HIST. : Collection Georges Candilis;
acquis en 1984.

BIBL. : Thonet Frères, catalogue de
vente, [1888], repr. p. 17, réf. M. 20.

OAO 917
Casier à musique
Modèle créé entre 1873 et 1888;
exemplaire édité après 1890.
Hêtre courbé et contreplaqué teintés
noir et vernis noir.
H. 0,600; l. 0,496; P. 0,425.
Étiquette sous le plateau portant la
marque de fabrique : *GT*
(monogramme)/*THONET/WIEN/GT*
(monogramme).

HIST. : Collection Georges Candilis;
acquis en 1984.

BIBL. : Thonet Frères, catalogue de
vente, [1888], repr. p. 26, réf. M. 19.

OAO 905
Pupitre à musique double
Modèle créé entre 1873 et 1888.
Hêtre courbé noirci, vernis teinté noir,
contreplaqué, fausse marqueterie
imprimée à chaud
H. 1,175; l. 0,975; P. 0,470.

HIST. : Collection Georges Candilis;
acquis en 1984.

EXP. : 1887, Londres, Queen Victoria's
Jubilee.

BIBL. : Thonet Frères, catalogue de
vente, [1888], repr. p. 27, réf. M. 28.

OAO 954
Chaise n° 51
Modèle créé entre 1873 et 1888 par
August Thonet.
Hêtre courbé teinté noir et verni noir,
cannage.
H. 0,913; l. 0,415; P. 530.
A l'intérieur de la ceinture, estampille :
THONET, et traces de l'étiquette portant
la marque de fabrique.

HIST. : Don de M. Georges Candilis,
1984.

BIBL. : Thonet Frères, catalogue de
vente, [1888], repr. p. 7, réf. n° 51,
M. 14.50.

OAO 918
Tabouret de salon n° 5
Modèle créé entre 1873 et 1888.
Hêtre courbé teinté noir et verni noir,
garniture moderne.
H. 0,455; l. 0,378; P. 0,378.

HIST. : Collection Georges Candilis;
acquis en 1984.

BIBL. : Thonet Frères, catalogue de
vente, [1888], repr. p. 23, réf. M. 18.

OAO 946
Chaise n° 30
Modèle créé avant 1888; exemplaire
édité après 1890.
Hêtre courbé, vernis teinté merisier;
cannage.
H. 0,895; l. 0,435; P. 0,532.
A l'intérieur de la ceinture, estampille :
THONET et deux étiquettes : une
portant la marque de fabrique : *GT*
(monogramme)/*THONET/WIEN/GT*
(monogramme) et *En resserrant
quelquefois les vis avec lesquelles/nos
sièges sont assemblés, on contribue à en
augmenter/la durée et la solidité
/THONET FRERES/15, Boulevard
Poissonnière, PARIS.*

HIST. : Collection Georges Candilis;
acquis en 1984.

BIBL. : Thonet Frères, catalogue de
vente, [1888], repr. p. 5, réf. n° 30,
M. 12.

OAO 1130
Chaise n° 56
Modèle créé en 1885; exemplaire édité
après 1922.
Hêtre courbé noirci, vernis noir,
cannage «Langol».
H. 0,815; l. 0,368; P. 0,430
A l'intérieur de la ceinture, étiquette
portant la marque de fabrique : [...]
THON [ET] T.

HIST. : Hôtel du Palais d'Orsay; don de la
SNCF au musée d'Orsay, 1986.

EXP. : 1887, Londres, Queen Victoria's
Jubilee.

BIBL. : Thonet Frères, catalogue de
vente, [1888], repr. p. 8, réf. n° 56,
M. 7.20; Mang, 1982, p. 62.

OAO 953
Prie-Dieu
Modèle créé avant 1888.
Hêtre courbé et tourné teinté noir et
verni noir, contreplaqué plaqué de
hêtre et verni (le modèle était vendu
sans garniture).
H. 0,920; l. 0,545; P. 0,675.

HIST. : Don de M. Georges Candilis,
1984.

BIBL. : Thonet Frères, catalogue de
vente, [1888], repr. p. 9, réf. M. 36.

OAO 956-957-958
**Meubles de poupée : fauteuil, table et
fauteuil à bascule**
Modèles créés avant 1888.
Hêtre courbé teinté noir et verni noir,
cannage (d'origine pour les fauteuils,
moderne pour la table).
OAO 956 : H. 0,300; l. 0,175; P. 0,250.
OAO 957 : H. 0,230; D. 0,250.
OAO 958 : H. 0,260; l. 0,170; P. 0,315.

HIST. : Don de M. Georges Candilis,
1984.

BIBL. : Thonet Frères, catalogue de
vente, [1888] repr. p. 13, réf. M. 2.50 et
4.

OAO 924
Canapé lit n° 2
Modèle créé avant 1887.
Hêtre courbé teinté façon merisier et
verni, cannage (moderne).
Estampillé : *THONET* au revers du
dossier et numéro *30* sur la traverse
basse du dossier.

HIST. : Collection Georges Candilis;
acquis en 1984.

EXP. : 1887, Londres, Queen Victoria's
Jubilee.

BIBL. : Thonet Frères, catalogue de
vente, [1888], repr. p. 25, ref. M. 58.

OAO 920
Porte-manteau - porte-parapluie
Modèle créé avant 1888.
Hêtre courbé teinté noir et verni noir.
H. 1,980; l. 0,720; P. 0,710.

HIST. : Collection Georges Candilis;
acquis en 1984.

BIBL. : Thonet Frères, catalogue de
vente, [1888], repr. p. 26, réf. M. 30
(ici, variante : double porte-manteaux).

OAO 919
Porte-manteaux d'antichambre
Modèle créé avant 1888.
Hêtre courbé teinté merisier et verni,
glace.
H. 1,920; l. 1,320; P. 0,360.

HIST. : Collection Georges Candilis;
acquis en 1984.

BIBL. : Thonet Frères, catalogue de
vente, [1888], repr. p. 28, réf. M. 68.

OAO 496
Berceuse n° 92 (fauteuil à bascule)
Vers 1900.
Hêtre courbé, teinté rouge et verni;
cannage.
H. 1,150; l. 0,560; P. 1,070.

HIST. : Don de la Galerie Fischer,
Londres, 1980.

EXP. : 1979-1980, Londres, Fischer Fine
Art Ltd, *Vienna, Turn of the Century,
Art and Design*, n° 90, p. 77, repr. p. 31.

BIBL. : Thonet Frères, Zentral-Anzeiger,
25 septembre 1905, repr. p. 4, n° 92.

OAO 926
**Berceuse (fauteuil à bascule) avec
appuie-pieds, variante du n° 14**
Modèle créé entre 1888 et 1904.
Hêtre courbé teinté brun, vernis teinté
brun foncé, cannage.
H. 0,100; l. 0,570; P. 1,290.

HIST. : Collection Georges Candilis;
acquis en 1984.

BIBL. : Thonet Frères, catalogue de
vente, [1904], n° 14 (ici variante avec
appuie-pieds).

OAO 931
Armoire à suspendre n° 52
Modèle créé entre 1900 et 1904.
Hêtre courbé teinté rouge et verni,
contreplaqué, peuplier plaqué hêtre
teinté rouge et verni, peuplier et
placage tabac.
H. 0,845; l. 0,580; P. 0,197.
Au dos, étiquette portant la marque de
fabrique : *GT* (monogramme)/
THON.[E]T/ [WIEN]/GT (monogramme).

HIST. : Collection Georges Candilis;
acquis en 1984.

BIBL. : Thonet Frères, catalogue de
vente, [1904].

OAO 912
Piètement de table n° 14
Modèle créé entre 1880 et 1900.
Hêtre courbé teinté merisier et verni.
H. 0,730; l. 0,540; P. 0,520.

HIST. : Collection Georges Candilis;
acquis en 1984.

BIBL. : Thonet Frères, catalogue de
vente, [1904].

OAO 932
Étagère n° 32
Modèle créé entre 1900 et 1904.
Hêtre courbé et massif, teinté rouge et
verni.
H. 1,203; l. 0,853; P. 0,395.

HIST. : Collection Georges Candilis;
acquis en 1984.

BIBL. : Thonet frères, catalogue de
vente, [1904].

OAO 913-914-915-916
Série de quatre tables gigognes n° 10
Modèle créé entre 1888 et 1904.
Hêtre courbé teinté façon acajou et
verni.
OAO 913 : H. 0,700; L. 0,553; l. 0,385.
OAO 914 : H. 0,670; L. 0,448; l. 0,338.
OAO 915 : H. 0,649; L. 0,382; l. 0,316.
OAO 916 : H. 0,630; L. 0,319; l. 0,290

HIST. : Collection Georges Candilis;
acquis en 1984.

BIBL. : Thonet Frères, catalogue de
vente, [1904] n° 10, réf. M. 9110.

OAO 930
Cadre de glace n° 71
Modèle créé entre 1900 et 1904.
Hêtre courbé et découpé, vernis teinté
rouge, glace.
H. 0,500; L. 1,000.

HIST. : Collection Georges Candilis;
acquis en 1984.

BIBL. : *Gebrüder Thonet' schen Zentral-
Anzeiger*, n° 11, 16 novembre 1904,
repr. p. 5.

OAO 935
Dressoir n° 31
Modèle créé entre 1900 et 1904.
Hêtre courbé et massif, teinté rouge et verni.
H. 0,820; l. 0,870; P. 0,450.
Sous le plateau supérieur, étiquette : *[Thon]et «Importé/Tchec[oslov]aquie.*

HIST. : Collection Georges Candilis; acquis en 1984.

BIBL. : *Gebrüder Thonet'schen Zentral-Anzeiger,* n° 11, 16 novembre 1904, annexe, repr. p. 3.

OAO 933
Dressoir n° 32
Modèle créé entre 1900 et 1905.
Hêtre courbé et massif, teinté rouge et verni, laiton.
H. 0,753; l. 0,730; P. 0,440.
Sous le plateau supérieur, étiquette avec la marque de fabrique : *GT* (monogramme)/*THONET/WIEN/[GT].*

HIST. : Collection Georges Candilis; acquis en 1984.

BIBL. : *Gebrüder Thonet' schen Zentral-Anzeiger,* n° 17, 28 octobre 1905, annexe, repr. p. 5.

Thonet Frères (?)

OAO 906
Étagère
Modèle créé entre 1888 et 1904.
Hêtre courbé et peuplier teintés acajou et vernis.
H. 1,340; l. 0,748; P. 0,520.

HIST. : Collection Georges Candilis; acquis en 1984.

Thonet Frères
Voir également **Wagner**

Tiffany and Company
Manufacture d'orfèvrerie et de
joaillerie
New York, à partir de 1853.

Moore Edward Chandler
Directeur artistique (1826-1891).

OAO 1042
Pichet
Vers 1878.
Argent partiellement martelé, cuivre,
laiton.
H. 0,220; L. 0,172; D. 0,137.
Marque de fabricant et inscriptions au
revers : *TIFFANY & CO 5051 MAKERS
9836/ STERLING - SILVER/- AND -/OTHER-
METALS/M/144*
Poinçon au bord du col : importation,
argent, France (1864-1893)

HIST. : Galerie Suger, Paris; acquis en
1986.

BIBL. : E. Bergerat, «Causerie. Tiffany»,
*Les chefs d'œuvre à l'Exposition
universelle de 1878*, Paris, 1878, t. I,
p. 122, repr.; Ch. H. Carpenter, *Tiffany
Silver*, New York, 1978, p. 193, repr.
fig. 264.

Tiffany Louis-Comfort
New-York 1848 - New York 1933

OAO 312
«Bulbe d'oignon», vase
1892-1893
Favrile glass.
H. 0,304; D. base 0,083.

HIST. : Acquis en 1894 à la galerie Bing
pour le musée du Luxembourg;
reversement du musée national d'Art
moderne au musée d'Orsay, 1978.

BIBL. : Luxembourg, 1896, n° 1048
p. 118; *L'Art pour tous*, n° 994, 1901,
p. 4074, fig. 10011.

OAO 315
«Colchique d'automne», vase
1892-1893
Favrile glass.
H. 0,323; D. ouverture 0,086.

HIST. : Acquis en 1894 à la galerie Bing
pour le musée du Luxembourg;
reversement du musée national d'Art
moderne au musée d'Orsay, 1978.

BIBL. : Luxembourg, 1896, n° 1050
p. 118; *L'Art pour tous*, n° 994, 1901,
p. 4074, fig. 1009.

OAO 313
Vase
1900
Favrile glass
H. 0,175; D. ouverture 0,074.
S. en creux sous la pièce : *Louis C.
Tiffany. L.C.T.* avec numéro d'ordre
M 2699; étiquette ancienne : *TIFFANY.
FAVRILE. GLASS. REGISTERED.
TRADEMARK.*

HIST. : Acquis en 1901 à la galerie Bing
pour le musée du Luxembourg;
reversement du musée national d'Art
moderne au musée d'Orsay, 1978.

EXP. : 1900, Paris, Exposition
Universelle, groupe XII, classe 73.

BIBL. : *L'Art pour tous*, n° 997, 1902,
p. 4088, fig. 10073.

OAO 314
Vase
1900
Favrile glass.
H. 0,182; l. 0,117.
S. en creux sous la pièce : *L.C.T.* avec
numéro d'ordre *M 7004*.

HIST. : Acquis en 1901 à la galerie Bing
pour le musée du Luxembourg;
reversement du musée national d'Art
moderne au musée d'Orsay, 1978.

EXP. : 1900, Paris, Exposition
Universelle, groupe XII, classe 73.

BIBL. : *L'Art pour tous*, n° 997, 1902,
p. 4088, fig. 10072.

OAO 311
Vase
1915
Favrile glass.
H. 0,195; l. 0,113.
S. en creux sous la pièce : *Louis C.
Tiffany. Favrile* avec numéro d'ordre
354 J.

HIST. : Don de l'artiste au musée du
Luxembourg, 1919; reversement du
musée national d'Art moderne au
musée d'Orsay, 1978.

OAO 310
Vase
1915
Favrile glass.
H. 0,189; D. ouverture 0,065.
S. en creux sous la pièce : *Louis C. Tiffany. Favrile* avec numéro d'ordre *357 J*; étiquette ancienne circulaire : *TIFFANY-FAVRILE GLASS-REGISTERED TRADE MARK*

HIST. : Don de l'artiste au musée du Luxembourg, 1919; reversement du musée national d'Art moderne au musée d'Orsay, 1978.

Tiffany Louis-Comfort
Voir également à
Toulouse-Lautrec

Tonnellier Georges
Paris 1858 - Paris (?) 1937

OAO 232
«Passage du Styx», dit aussi «Dante et Virgile», camée
1893
Camée sur sardonyx à trois couches.
H. 0,110; L. 0,150; Ép. 0,010.
S.D.b.d. : *G. TONNELLIER 1893*.

HIST. : Acquis au Salon de la Société des Artistes français de 1893 pour le musée du Luxembourg; reversement du musée national d'Art moderne au musée d'Orsay, 1978.

EXP. : 1893, Paris, Salon de la Société des Artistes français, n° 3533, n° 1; 1900, Paris, Exposition Universelle, groupe II, classe 9, n° 5 de la vitrine n° 610.

BIBL. : Bouchot, 1893, p. 116; Babelon, 1902, p. 244, repr. pl. XX, fig. 2.

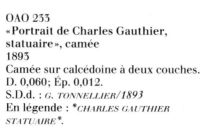

OAO 233
«Portrait de Charles Gauthier, statuaire», camée
1893
Camée sur calcédoine à deux couches.
D. 0,060; Ép. 0,012.
S.D.d. : *G. TONNELLIER/1893*
En légende : **CHARLES GAUTHIER STATUAIRE**.

HIST. : Don de l'artiste au musée du Luxembourg, 1893; reversement du musée national d'Art moderne au musée d'Orsay, 1978.

EXP. : 1893, Paris, Salon de la Société des Artistes français, n° 3533, n° 2; 1900, Paris, Exposition Universelle, groupe II, classe 9, n° 4 de la vitrine n° 610.

BIBL. : Bouchot, 1893, p. 116.

OAO 231
«Le pressoir», camée
1895
Camée sur sardonyx à trois couches.
H. 0,190; L. 0,122; Ép. 0,013.
S.D.b.d. : *G. TONNELLIER/1895*

HIST. : Acquis par l'État au Salon de la
Société des Artistes français de 1895;
attribué au musée du Luxembourg,
1895; reversement du musée national
d'Art moderne au musée d'Orsay, 1978.

EXP. : 1895, Paris, Salon de la Société
des Artistes français, cadre n° 3632;
1900, Paris, Exposition Universelle,
groupe II, classe 9, n° 5 de la vitrine
n° 610.

BIBL. : Babelon, 1900, p. 299.

OAO 230
«L'Enlèvement de Déjanire», groupe
sculpté
1900
Jaspe sanguin; bronze doré.
La flèche qui perce le dos du centaure
a disparu.
H. 0,185; L. 0,115; Ép. 0,082.
S.D. sur le socle : *TONNELLIER - 1900.*

HIST. : Commande de l'État en 1899;
attribué au musée du Luxembourg en
1901; entré au musée du Luxembourg
en 1902; reversement du musée
national d'Art moderne au musée
d'Orsay, 1978.

EXP. : 1900, Paris Exposition
Universelle, groupe II, classe 9, n° 13
de la vitrine n° 610.

BIBL. : Babelon, 1900, pp. 299-300, repr.
pp. 300-301.

Toulouse-Lautrec Henri de
Peintre
Albi 1864 - Château de Malromé
(Gironde) 1901

Tiffany Louis-Comfort
Maître-verrier
New-York 1848-New York 1933.

OAO 338
«Au Nouveau Cirque, Papa
Chrysanthème», vitrail
1894-1895
Verres «américains», cabochons.
H. 1,200; l. 0,850.

HIST. : Commandé en 1894 par Siegfried
Bing (Hambourg 1838-Vaucresson
1905), marchand; coll. Marcel Bing,
fils du précédent; vente Bing, Paris,
26 mai 1909; coll. Bernheim-Jeune,
Paris; don Henry Dauberville au nom
de ses enfants, Béatrice et Guy-Patrice,
1979.

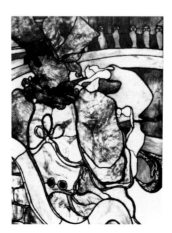

EXP. : 1895, Paris, Salon de la Société
nationale des Beaux-Arts, n° 392; 1895,
Paris, *Salon de l'Art nouveau*, n° 491.

BIBL. : J.-E. Blanche, «Les objets d'art
aux Salons», *La Revue Blanche*, 15 mai
1895, p. 446-447; N. G. Dortu,
Toulouse-Lautrec et son œuvre, New-
York, 1971, t. III, p. 534, repr. p. 535.

Tourrette Étienne
Paris? - Paris (?) 1924

OAO 207
Vase
1903
Émail cloisonné d'or sur cuivre, fond
de feuille d'or et paillons d'or; petit
socle en bois (disparu).
H. 0,125; D. 0,097.
S. à la base : *E. Tourrette.*

HIST. : Acquis au Salon de la Société des
Artistes Décorateurs de 1906; attribué
au musée du Luxembourg en 1908;
reversement du musée national d'Art
moderne au musée d'Orsay, 1978.

EXP. : 1903, Paris, Salon de la Société
nationale des Beaux-Arts, vitrine
n° 255; 1906, Paris, *Exposition des
Acquisitions et des Commandes de l'État
livrées en 1906*, n° 378.

BIBL. : Verneuil, 1903, p. 192; Verneuil,
1904, p. 53, repr. coul. pl. hors-texte
entre pp. 44-45.

Trethan Thérèse
Vienne 1879 -?

Josef Böck
Manufacture de céramique, Vienne.

OAO 542
Terrine
Modèle créé vers 1902-1903.
Faïence fine à tressaillures.
H. 0,150; L. 0,285; D. 0,216.
Marque imprimée au revers : *SCHULE
PRF. KOLO MOSER*
Inscrit en creux au revers : *0/69*

HIST. : Coll. famille Moser, Vienne;
galerie Nebehay, Vienne; acquis en
1981.

BIBL. : *The studio Year-Book of
Decorative Art*, 1907, p. 222; W.
Neuwirth, *Österreichische Keramik des
Jugendstils*, Munich, 1974, p. 431;
Koloman Moser, Vienne,
Österreichisches Museum für
angewandte Kunst, 1979, n° 84, repr.
p. 103; *Moderne Vergangenheit. Wien.
1800-1900*, Vienne, Künstlerhaus, 1981,
n° 273.

Fonderies du Val d'Osne
Voir **Guimard**

Vallin Eugène
Herbévillers (Vosges) 1856 - Nancy
1922

OAO 710-711
Mobilier de chambre à coucher
1900.
Padouk.
Lit : H. 2,020; L. 2,250; l. tête 2,720.
Armoire à glace : H. 2,800; l. 2,130; P.
0,650.

HIST. : Commandé par M. Gaudin,
négociant en cuir, pour la chambre à
coucher de sa maison, 97 rue Charles
III à Nancy, construite en 1899 par
Georges Biet (1869-?); acquis en vente
publique à Nancy, 25 avril 1982
(attribué à Louis Majorelle).

BIBL. : Th. Charpentier, «L'École de
Nancy», *Jardin des Arts*, novembre
1960, p. 30, repr.; Lacambre-Thiébaut,
1983, n 562, p. 130, repr. p. 131.

Vallin
Voir également à **André**

Vallombreuse Henri de
La Réunion 1856 - Paris 1919.

OAO 186
Vase
1906
Grès émaillé.
H. 0,210; D. ouverture 0,065.
S. en creux sous la pièce :
Vallombreuse.

HIST. : Acquis au Salon de la Société
nationale des Beaux-Arts de 1906 pour
le musée du Luxembourg; entré au
musée du Luxembourg en 1907;
reversement du musée national d'Art
moderne au musée d'Orsay, 1978.

EXP. : 1906, Paris, Salon de la Société
nationale des Beaux-Arts, vitrine
n° 2444.

OAO 185
Coupe
1907
Grès émaillé.
H. 0,072; D. ouverture 0,098.
S. en creux sous la pièce :
Vallombreuse.

HIST. : Acquis au Salon de la Société
nationale des Beaux-Arts de 1907 pour
le musée du Luxembourg;
reversement du musée national d'Art
moderne au musée d'Orsay, 1978.

EXP. : 1907, Paris, Salon de la Société
nationale des Beaux-Arts, vitrine
n° 2639.

OAO 184
Cendrier
Vers 1910-1913.
Grès émaillé.
H. 0,052; D. ouverture 0,097.
S. en creux sous la pièce :
Vallombreuse.

HIST. : Entré au musée du Luxembourg
en 1913; reversement du musée
national d'Art moderne au musée
d'Orsay, 1978.

Van de Velde Henry
Anvers 1863 - Zurich 1957

OAO 709[1-2]
Chaises
Modèle créé en 1896.
Padouk, garniture moderne.
H. 0,913; l. 0,463; P. 0,513.

HIST. : Don de M. et Mme Robert
Walker, 1982.

BIBL. : Van de Velde, 1899, V, n° 5 p. 21;
Pecher, 1981, n° 1108 p. 270;
Lacambre-Thiébaut, 1983, n° 565
p. 132, repr. p. 133.

OAO 1079, 1080[1-2], 1081[1-2]
Mobilier de salon
1896
Padouk, garniture moderne.
La garniture originale était en soie et
laine, motif «Dove and Rose» créé en
1879 par William Morris et tissé par
ses ateliers de Merton Abbey.
Canapé : H. 0,920; l. 1,600; P. 0,480.
Fauteuils : H. 0,878; l. 0,640; P. 0,530.
Chaises : H. 0,878; l. 0,420; P. 0,510.

HIST. : Commandé en 1896 par le
banquier Louis Bauer (1854-1936)
pour sa maison 65, rue de l'Association
à Bruxelles; coll. Annie Bauer

(1893-1985), fille du commanditaire;
acquis en vente publique à Monaco,
Sotheby's, 19 octobre 1986, n°s 239 à
241.

BIBL. : *L'Art décoratif*, n° 1, octobre
1898, p. 7, repr. p. 26.

OAO 525
Chaise
Modèle créé en 1898.
Chêne, garniture originale en cuir.
H. 0,960; l. 0,470; P. 0,508.
Chiffre romain au fer au revers de la
barrette frontale : *v*

HIST. : Acquis dans le commerce d'art
bruxellois, 1981.

BIBL. : Van de Velde, 1899, V, n° 8a
p. 22; Pecher, 1981, n° 1102 b.c.d.
p. 269; Lacambre-Thiébaut, 1983,
n° 563 p. 132, repr. p. 133.

OAO 1077
Plateau
Vers 1899-1900.
Métal argenté.
L. 0,710; l. 0,420.
Monogramme en creux au revers : *VV*

HIST. : Acquis en vente publique à
Monaco, Sotheby's, 19 octobre 1986,
n° 244.

EXP. : 1980-1981, Bruxelles, Palais des
Beaux-Arts, *Art Nouveau Belgique*,
n° 232 p. 289, repr.

OAO 572
Vase
Entre 1908 et 1911.
Grès émaillé
H. 0,192; D. 0,105
Numéro en creux sous la pièce : *500*

HIST. : Offert vers 1911 par Van de
Velde à Marcel Guilleminault
(1882-1966), architecte et directeur de
l'agence Van de Velde à Paris; don sous
réserve d'usufruit de Mlle Simone
Guilleminault, fille du précédent, 1981.

BIBL. : Lacambre-Thiébaut, 1983, n° 564
p. 132, repr. p. 133.

Van de Velde Henry
Anvers 1863-Zurich 1957

Muller Théodor
Orfèvre, Weimar

OAO 1078
Couteau à caviar
Modèle créé en 1903.
Argent, écaille.
L. 0,190.
Monogramme en creux sur le
manche : *VV*; poinçon de garantie
argent, empire allemand, titre 800.

HIST. : Acquis en vente publique à
Monaco, Sotheby's, 19 octobre 1986,
n° 245.

EXP. : 1905-1906, Paris, Galerie Druet,
*Exposition d'argenteries de van de
Velde*, n° 15.

Vaudet Auguste-Alfred
Paris 1838-Vincennes 1914

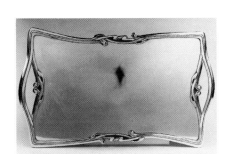

OAO 234
«Buste d'Ajax»
1880
Jaspes vert et rouge, lapis et
chrysoprase, jade gris; velours violet,
métal argenté.
H. 0,148; L. 0,061; P. 0,060.
S.D. au dos : *VAUDET/1880.*
Plaquette argentée gravée : *BUSTE
D'AJAX/JASPE ROUGE, JASPE VERT, LAPIS,
CHRYSOPRASE/COLONNE JADE.*
Sous le socle, étiquette ancienne :
*Vaudet graveur/sur pierres
fines/18../Beaux arts/AM 72.*

HIST. : Acquis au Salon de la Société des
Artistes français de 1881 pour le musée
du Luxembourg; musée du Louvre,
1883-1906; reversement du musée
national d'Art moderne au musée
d'Orsay, 1978.

EXP. : 1881, Paris, Salon de la Société
des Artistes français, n° 4406; 1889,
Paris, Exposition Universelle, groupe I,
classe 3, n° 2183.

OAO 235
«La Marseillaise», camée
1914
Camée sur agate à deux couches,
d'après le haut-relief de François
RUDE, «Le Départ des Volontaires»,
Arc de Triomphe de l'Étoile à Paris
(1836).
H. 0,197; L. 0,150; Ép. 0,030.
S.b.d. : *AV* (monogramme).
Plaquette argentée gravée provenant
d'un ancien montage : *A. VAUDET/LA
MARSEILLAISE D'APRES RUDE/1914.*

HIST. : Commande de l'État en 1884;
attribué au musée du Luxembourg en
1922; entré au musée du Luxembourg

en 1923; reversement du musée national d'Art moderne au musée d'Orsay, 1978.

Vérité
Voir **Manufacture nationale de tapisseries de Beauvais**

Vernier Émile-Séraphin
Paris 1852-Paris 1927

OAO 252
«Le jeune D...» (?), médaillon
1895
Ivoire sculpté, rehauts de peinture brune, monture de métal doré.
D. 0,060; Ép. 0,008 (avec monture).
Monogrammé et D. d. : *EV/95.*

HIST. : Don de l'artiste au musée du Luxembourg, 1897; reversement du musée national d'Art moderne au musée d'Orsay, 1978.

EXP. : 1895, Paris, Salon de la Société nationale des Beaux-Arts, n° 8 de la vitrine n° 403 (?).

BIBL. : A. Maillet, «Les artistes de l'industrie - Émile Vernier, ciseleur», *L'Art décoratif moderne,* octobre 1894, p. 4 à 11.

Vernon Frédéric
(de **Vernon** Frédéric-Charles-Victor, dit)
Paris 1858 - Morsang-sur-Orge 1912

OAO 75
«Le Rêve», plaquette
Modèle créé avant 1901.
Bronze.
L. 0,172; l. 0,053; Ep. 0,006.
S.b.g. : *F. VERNON* sur la face.

HIST. : Don de la Médaille française contemporaine - collection Liard au musée du Luxembourg, 1936; entré au musée du Luxembourg en 1937; reversement du musée national d'Art moderne au musée d'Orsay, 1978.

BIBL. : Clément-Janin, 1901, p. 121, repr. p. 113 (modèle).

OAO 76
«La Nuit» (?), plaquette
Modèle avant 1901.
Bronze, patine brune.
L. 0,191; l. 0,061; Ep. 0,007.
S.b.dr. : *F. VERNON* sur la face.

HIST. : Don de la Médaille française contemporaine - collection Liard au musée du Luxembourg, 1936; entré au musée du Luxembourg en 1937; reversement du musée national d'Art moderne au musée d'Orsay, 1978.

BIBL. : Clément-Janin, 1901, p. 121. (modèle).

Vever
Voir **Grasset**

Vogeler
Voir **Loos**

Vogt
Voir **Manufacture Nationale de Sèvres**

Voisin-Delacroix
Voir **Dalpayrat**

Voysey Charles-Francis-Annesley
Architecte
Hessle (Yorkshire) 1857 - Manchester 1941

Alexander Morton & Co.
Fabricant, Darvel (Écosse).
Liberty & Co., Ltd
Éditeur, Londres.

OAO 576 [1-2]
Tentures
Modèle créé en 1896.
Tissage de laine, double étoffe, armure toile (deux chaînes en laine retors, beige et vert; trames en laine, brique, bleu vert et vert vif); galon de passementerie de soie.
Motif (H. 1,150; l. 0,395) reproduit 4 fois dans la largeur.
H. 2,510; l. 1,560 (les deux pièces identiques).

HIST. : Acquis dans le commerce d'art londonien, 1981.

EXP. : Modèle exposé en 1896, Londres, Arts and Crafts Exhibition Society.

BIBL. : Modèle repr. dans *The Studio,* «The Arts and Crafts Exhibition, 1896», T. 9, 1897, p. 191; Lacambre-Thiébaut, 1983, n° 566 p. 132, repr. p. 133.

Wagner Charles-Adolphe-Frédéric
Voir **Hunsinger**

Wagner Otto
Vienne 1841 - Vienne 1918

OAO 1059
Table servante
Modèle créé vers 1895-1896 (?) et utilisé par Otto Wagner dans sa première villa, 26 Huttelbergstrasse et dans son appartement, 3 Köstlergasse à Vienne.
Placage de noyer verni sur contreplaqué, laiton (?) nickelé.
H. 0,720; L. 0,500; l. 0,350.

HIST. : Coll. Asenbaum, Vienne; acquis en 1986.

EXP. : 1898, Vienne, Rotunde, *Jubiläumsausstellung*, groupe III, n° 570 (sous le nom de la firme Schenzel F. X. & Sohn, K.u.K. Hoftapezier).

BIBL. : Otto Wagner, *Einige Skizzen, Projekte und ausgeführte Bauwerke*, vol. II, Vienne, 1896, repr. pl. 34; *Dekorative Kunst*, vol. II, 1898, repr. p. 266; *Ver Sacrum*, 1900, n° 19, repr. p. 294; Otto Wagner, *Die Baukunst Unserer Zeit*, Vienne, 1914, 4ᵉ édit., repr. p. 19.

OAO 1050
Fauteuil
Modèle créé en 1900 pour le stand de la Société des Ingénieurs et Architectes d'Autriche à l'Exposition Universelle de Paris.
Hêtre teinté et verni, laiton, garniture moderne.
H. 0,790; L. 0,660; P. 0,600.

HIST. : Coll. privée, Vienne; galerie Fischer Fine Art, Londres; acquis en 1986.

EXP. : 1900, Paris, Exposition Universelle, groupe XII, classe 66.

BIBL. : P. Asenbaum, P. Haiko, H. Lachmayer, R. Zettl, J. Posener, *Otto Wagner. Möbel und Innenräume*, Vienne, 1984, p. 81, 191-192, repr. p. 80, 105, 190, 192.

Wagner Otto
Vienne 1841 - Vienne 1918

Jacob & Josef Kohn
Manufacture de bois courbé, Vienne.

OAO 1051
Fauteuil
Modèle créé en 1902 pour le bureau des dépêches du journal *Die Zeit*, 39 Kärntner Strasse à Vienne.
Hêtre courbé, teinté et verni; laiton; cannage et garniture modernes.
H. 0,760; L. 0,570; P. 0,560.
Marque au fer au revers de la traverse frontale : *J & J KOHN/Teschen Austria*
Étiquette de fabrique au revers de la traverse arrière : *JACOB & JOSEF KOHN, WIEN/REGISTRIRTE ..... MARKE/JJK/SEMPER SURSUM*

HIST. : Coll. privée, Vienne; galerie Fischer Fine Art, Londres; acquis en 1986.

BIBL. : *Das Ingenieur*, IV, 1903, p. 77 repr.; P. Asenbaum, P. Haiko, H. Lachmayer, R. Zeitle, J. Posener, *Otto Wagner. Möbel und Innenräume*, Vienne, 1984, p. 87 et 200, repr. p. 85, 106 et 202.

Wagner Otto
Vienne 1841 - Vienne 1914

Jacob et Josef Kohn ou Thonet Frères
Manufactures de bois courbé, Vienne.

OAO 1052-1053
Meubles de bureau : tabouret, étagère
Vers 1904.

HIST. : Proviennent de la Postsparkasse, Cochplatz, à Vienne, construite par Otto Wagner (1904-1906 et 1910-1912); galerie Fischer Fine Art, Londres; acquis en 1986.

EXP. : 1979, Vienne, Künstlerhaus, *Gebogenes Holz. Konstruktive Entwürfe. Wien. 1840-1910*, nos 56 et 57, repr.

OAO 1052
Tabouret
Modèle créé vers 1904 pour la salle des guichets de la Postsparkasse.
Hêtre courbé, contreplaqué perforé, vernis teinté brun, aluminium.
H. 0,470; L. 0,420.

BIBL. : *Fünfundzwanzig Jahre Postsparkasse*, Vienne, 1908, repr. p. 19; P. Asenbaum, P. Haiko, H. Lachmayer, R. Zettl, Otto *Wagner. Möbel und Innenräume*, Vienne 1984, p. 208-209, repr. p. 208 et 210.

OAO 1053
Étagère
Modèle créé vers 1904 pour les bureaux directoriaux de la Postsparkasse.
Hêtre courbé, chêne, vernis teinté brun-noir, aluminium.
H. 1,380; L. 1,200; P. 0,360.

BIBL. : Otto Wagner, *Die Baukunst unserer Zeit*, Vienne, 1914, p. 131, repr.; J.A. Lux, *Otto Wagner*, Munich, 1914, p. 72, repr.; P. Asenbaum, P. Haiko, H. Lachmayer, R. Zettl, *Otto Wagner. Möbel und Innenräume*, Vienne, 1984, p. 211, repr. p. 215.

Watt
Voir **Godwin**

Webb Philip
Architecte
Oxford 1831 - Worthing 1915

Morris, Marshall, Faulkner & Co
Décorateurs et fabricants, Londres.

OAO 450
Table de travail
Vers 1860-1868.
Chêne, laiton.
H. 0,730; L. 1,670; l. 0,610.
Marque sur la serrure du tiroir : *HOBBS & CO/LONDON/LEVER/MACHINE/MADE*

HIST. : Commandée par William Gillum (1827-1910); Coll. Ainslie Ellis, Hove (Sussex); Galerie Haslam & Whiteway, Londres; The Fine Art Society Londres; acquis en 1979.

BIBL. : N. Pevsner, «Art furniture of the 1870's», *Architectural Review*, vol. CXI, 1952, p. 121, repr.

Webb Philip
Architecte
Oxford 1831 - Worthing 1915

Morris and Company
Décorateur et fabricant, Londres et Mertor Abbey.

OAO 449
Buffet
Vers 1880?
Acajou verni en noir, partiellement peint et doré; cuir repoussé peint et vernis.
H. 2,040; L. 2,020; P. 0,630.
Marque sur les serrures des portes et des tiroirs : *HOBBS & CO/LONDON/LEVER/MACHINE/MADE*.

HIST. : Coll. Mrs Hilda C. Gadd; vente Londres, Sotheby's Belgravia, 6 décembre 1978, no 173, repr.; The

Fine Art Society, Londres; acquis en 1979.

EXP. : 1973, Londres, Camden Arts Centre, *The Aesthetic Movement. 1869-1890,* n° 31 ; 1979, Londres, The Fine Art Society, *Morris and Company,* n° 7, repr. p. 15.

BIBL. : *The Peacock Room,* Londres, Messrs Obach's Galleries, 168 New Bond Street, Juin 1904, (buffet analogue reproduit, d'après une photographie de la Peacock Room, sans doute prise par Bedford Lemere en 1892).

Wiener Werkstätte
Voir **Hoffmann Moser**

Wièse
Bijoux artistiques, Paris.
Maison dirigée par Jules (1818-1890), puis Louis Wièse (1853-1923).

OAO 658
Bracelet
Modèle créé par Jules Wièse vers 1850-1862 ?
Argent
H. 0,040; D. 0,074.
Marque de fabricant et poinçons sur la charnière du fermoir : *WIESE;* petite garantie, argent, Paris; fabricant, argent, Louis Wiese.
Dans son écrin d'origine, marqué à l'intérieur du couvercle : *Wiese/90 Rue de Richelieu.*

HIST. : Coll. Vever ?, Paris; coll. Bénédite, Paris; don de Mlle Level, 1982.

EXP. : 1983, Paris, Palais de Tokyo, *Nouvelles acquisitions du Musée d'Orsay.*

BIBL. : H. Vever, *La bijouterie française au XIXe siècle,* Paris, 1908, t. II, p. 213, repr.; Lacambre-Thiébaut, 1983, n° 567 p. 132, repr. p. 133.

Wilcox
Voir **Rookwood Pottery Company**

Winslow Brothers
Voir **Sullivan**

Wright Frank Lloyd
Richland Center (Wisconsin) 1867 -
Phoenix (Arizona) 1959

OAO 1021
Fragment de frise
Vers 1903.
Plâtre peint et moulé.
H. 0,600 ; l. 0,680 ; P. 0,073.

HIST. : Provient d'une façade de la
maison de Susan Lawrence Dana
(1862-1946) à Springfield, Illinois,
construite par Frank Lloyd Wright
(1902-1904) ; galerie Fischer Fine Art,
Londres ; acquis en 1985.

EXP. : 1985, Londres, Fischer Fine Art,
*Frank Lloyd Wright architectural
drawings and decorative art,* nº 5 p. 38,
repr. p. 39.

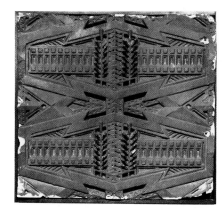

OAO 1024
Chaise
Vers 1904.
Chêne teinté, cuir.
H. 1,010 ; l. 0,380 ; P. 0,473.

HIST. : Provient de la Hillside Home
School, Spring Green, Wisconsin,
construite par Frank Lloyd Wright
pour ses tantes Nell et Jane Lloyd
Jones (1887 et 1903) ; galerie Fischer
Fine Art, Londres ; acquis en 1985.

EXP. : 1965, Chicago, University of
Illinois, *Frank Lloyd Wright : Vision
and Legacy.*

BIBL. : D. Hanks, *The decorative design
of Frank Lloyd Wright,* Londres, 1979,
repr. p. 38 ; D. Hanks, D. Ostergard,
Frank Lloyd Wright : Art in Design,
New York, 1983, p. 18, repr.

OAO 866
Chaise
Vers 1908.
Chêne teinté et vernis, cuir.
H. 1,250 ; l. 0,450 ; P. 0,510.

HIST. : Provient de la salle de séjour de
la maison construite par Frank Lloyd
Wright pour sa secrétaire Isabel
Roberts, 603 Edgewood Pl., River
Forest, Illinois (1908) ; Chicago School
of Architecture Foundation, Glessner
House, Chicago ; coll. Harry Lunn ;
acquis en 1982.

EXP. : 1981, Chicago, Kelmscott Gallery,
Frank Lloyd Wright, nº 16 p. 26, repr.

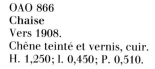

BIBL. : F. Ll. Wright, *An autobiography,*
Londres, New York et Toronto, 1932,
repr. face p. 33 (photographie de la
salle de séjour de la maison d'Isabel
Roberts, par H.R. Hitchcock) ;
Lacambre - Thiébaut, 1983, nº 562
p. 132, repr. p. 133.

Wright Frank Lloyd
Richland Center (Wisconsin) 1867 -
Phoenix (Arizona) 1959

Linden Glass Compagny
Fabricant de meubles, de vitraux et de
mosaïques, Chicago, à partir de 1890.
Maison dirigée par Frank L. Linden
(1859-1934).

OAO 877
Porte vitrée
Vers 1904-1905.
Verre incolore, verre coloré, zinc
cuivré (?) patiné, bois peint, fer.
H. 1,955 ; l. 0,585 ; Ep. 0,070.

HIST. : Provient de la résidence de
Darwin D. Martin, Jewett Parkway à
Buffalo, construite par Frank Lloyd
Wright (1904-1905) ; acquis en vente
publique à New York, Christie's,
26 mai 1983, nº 101, repr.

BIBL. : D. Hanks, *The decorative designs
of Frank Lloyd Wright,* Londres, 1979,
p. 95-96.

OAO 1022-1023
Paire de vitraux
Vers 1908.
Verre incolore, verre coloré, zinc soudé
à l'étain.
H. 1,120 ; l. 0,520.

HIST. : Proviennent de la salle de séjour
de la maison de M. et Mme Avery
Coonley, Riverside, Illinois, construite
par Frank Lloyd Wright (1907-1908) ;
maison vendue à la famille Kroehler,
vers 1917 ; galerie Fischer Fine Art,
Londres ; acquis en 1986.

EXP. : 1986, Londres, Fischer Fine Art,
*Frank Lloyd Wright architectural
drawings and decorative art,* nº 118a
p. 62, repr. p. 63.

BIBL. : *Ausgeführte Bauten und Entwürfe
von Frank Lloyd Wright,* Berlin, 1910,
repr. pl. LVII ; D. Hanks, *The
decorative designs of Frank Lloyd
Wright,* Londres, 1979, p. 209.

Wright
Voir également **Niedecken**

Zuloaga Placido
Eibar (Espagne) 1833 - Eibar (?) 1910

OAO 328
Coffret
Vers 1880-1890.
Acier damasquiné d'argent et d'or vert
et rose.
H. 0,123; l. 0,198; P. 0,090.
S. à l'intérieur sur le fermoir : *P*
ZULOAGA (damasquiné).

HIST. : Acquis à l'Exposition Universelle
de 1900 pour le musée du
Luxembourg; reversement du musée
national d'Art moderne au musée
d'Orsay, 1978.

EXP. : 1900, Paris, Exposition
Universelle, groupe XV, classe 97,
Espagne, n° 11.

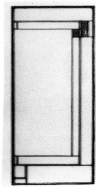

Anonyme
Autriche, Vienne (?)
Vers 1900-1910.

OAO 863
Buffet à deux corps.
Chêne, sapin, verre teinté, à relief,
laiton.
H. 1,850; L. 1,305; P. 0,668.

HIST. : Provient d'un pavillon de chasse
de la famille de Cobourg; don de la
baronne Élie de Rothschild par
l'intermédiaire de la Société des amis
d'Orsay, 1982.

BIBL. : Lacambre - Thiébaut, 1983,
n° 571 p. 132, repr. p. 133.

Anonyme
Empire austro-hongrois, Pologne (?).
début du XXe siècle.

OAO 936
Sellette
Hêtre découpé, courbé, tourné et
contreplaqué teintés et vernis façon
acajou.
H. 0,742; L. 0,427; l. 0,427.
Au revers, étiquette portant la marque
de fabrique : *[WOJC]... OW.*

HIST. : Coll. Georges Candilis; acquis en
1984.

Anonyme
Autriche, Vienne (?)
Vers 1900.

OAO 890
Lit
Laiton, fer.
H. 1,160; L. 2,165; 1,225.

HIST. : Provient de la chambre de Marie
Turnovsky, dans l'appartement, 19
Wohllebengasse, Vienne 4, où Gustav
et Marie Turnovsky s'installent vers
1902; Galerie Fischer Fine Art,
Londres; acquis en 1983.

Anonyme
France, Paris (?)
Vers 1855-1865.

OAO 556
Borne
Velours peint, galon métallique, frange
de soie (garniture refaite).
H. 0,800; D. 2,000.

HIST. : Provient du salon de musique du
château de Ferrières construit par
Joseph Paxton pour le baron James de
Rothschild (construction terminée en
1859); don de la baronne Guy de
Rothschild, par l'intermédiaire de la
Société des amis d'Orsay, 1981.

BIBL. : «Centenaire d'une grande
demeure», *Maison et Jardin*, décembre
1959, p. 74, repr.; H. Demoriane,
«Ferrières», *Connaissance des Arts*,
juillet 1963, p. 84, repr.; Lacambre -
Thiébaut, 1983, n° 569 p. 132, repr.
p. 133.

Anonyme
France, Paris.
Vers 1870 ?

DO 1980-7 à 10
Quatre portes de salle à manger
Bois peint en noir, rouge et or; bronze
doré.
H. 2,800; L. 0,730 et 0,800.

HIST. : Provient de la salle à manger de
l'hôtel de M. Frémy, gouverneur du
Crédit foncier, 34 rue de Châteaudun,
Paris; don de M. Boas au musée des
Arts décoratifs, 1923; déposé au musée
d'Orsay, 1980.

Anonyme
France, Paris (?)
Deuxième moitié du XIXe siècle.

OAO 589
«Lucrèce se donnant la mort», plaque
de vitrage
D'après Marc-Antoine Raimondi.
Verre imprimé à grisaille réchauffée.
H. 0,507; L. 0,370.
S. (?) m. g. : *ED* (lettre liées).
Inscription m. g. en lettres grecques
signifiant : Il vaut mieux mourir que
vivre dans le déshonneur.

HIST. : Provient du cabinet de
l'architecte Victor Ruprich-Robert
(1820-1887), dans un immeuble qu'il
avait construit 10 rue d'Assas; don de
la famille Ruprich-Robert, 1981.

BIBL. : Lacambre-Thiébaut, 1983, n° 570
p. 132, repr. p. 133; *Raphaël dans les
collections publiques françaises*, Paris,
Grand Palais, 1983-1984, p. 328.

Anonyme
France
Vers 1900-1905.

OAO 333 à 335.
Mobilier de chambre à coucher
Orme, palissandre, marbre, bronze
doré.
Lits-jumeaux avec chevet : H. 1,685;
L. 2,120; l. 3,360.
Commode : H. 0,922; l. 1,195; P. 0,605.
Glace : H. 1,775; l. 1,195; Ep. 0,067.

HIST. : Provient des «Eaux bleues»
résidence d'été d'Eugène Corbin
(1867-1952), à Liverdun; acquis en
vente publique, Enghien-les-Bains,
29 octobre 1978, n° 186, repr. (attribué
à Louis Majorelle).

Anonyme
France, Paris (?)
Vers 1900.

OAO 1074-1075
Éléments de boiserie
Chêne teinté, sculpté.
Encadrement de porte : H. 2,650;
l. 1,600;
Encadrements pour des cloisons
vitrées.

HIST. : Provient de la salle à manger de
l'hôtel du Palais d'Orsay; vente
publique, Paris, décembre 1973; coll.
Mme Tchang-Benoit; acquis en 1985.

Anonyme
France.
Vers 1900 ?

OAO 1014^{5a7}
Couverts

HIST. : Provient de l'hôtel du Palais
d'Orsay; don de Madame Tchang-
Benoit, 1985.

OAO 1014^{5}
Fourchette à entremet
Métal argenté.
H. 0,017; L. 0,171; l. 0,020.
Poinçon et marque à l'intérieur du
fourchon : fabricant, métal argenté,
G (?) A. Argenta 40e (?).
Inscrit sur le manche : *PO.*

OAO 1014$^{6-7}$
Paire de cuillers à café
Métal argenté.
H. 0,017; L. 0,139; l. 0,030.
Poinçon et marque à l'intérieur du
cuilleron : fabricant, métal argenté,
G (?) A Argenta 4(?)8^G.
Inscrit sur le manche : *PO.*

OAO 1015
Pichet
Laiton (?) nikelé (?).
H. 0,140; L. 0,198; D. 0,123.
Inscrit d'un côté : *Palais d'Orsay.*

HIST. : Provient de l'hôtel du Palais
d'Orsay; don de Madame Tchang-
Benoit, 1985.

Anonyme
Italie
Début du xxe siècle.

OAO 328
**Mosaïque de pierres semi-précieuses
et marbres, polychrome et entourée
de marbre noir**
H. 0,265; L. 0,214; Ep. 0,010.
Au revers, chiffres gravés : *1057/3105*

HIST. : Legs Léon Baratz aux Musées
nationaux, 1966; reversement du
musée national d'Art moderne au
musée d'Orsay, 1978.

Annexe

Fabricants et éditeurs

Appert Frères
«Émaux, cristaux et couleurs vitrifiables», Paris.
Fondation en 1832 par Louis-Adrien Appert (1788 (?) - Paris 1866) marchand-quincaillier, établi depuis 1824, 50 rue des Arcis à Paris, de la *Maison Appert*, fabricant d'émaux, cristaux et couleurs vitrifiables.
En 1857, son fils Léon-Alfred Appert (Paris 1837 - Paris 1925) ingénieur, devient directeur de la maison.
En 1858, constitution d'une société en nom collectif : *Appert et Fils*, par Louis Adrien père, Adrien-Antoine (Paris 1836 - Paris 1902), et Léon-Alfred, ses fils; fonds de commerce : 151, Faubourg St-Martin, Paris; fabrique : 6 Rue Royale, La Villette, Paris (actuellement rue de l'Ourcq).
1865 : la société est modifiée en *Appert Frères*, par retrait de Louis-Adrien; siège social : 9 rue Royale.
1878 : création de nouveaux ateliers et magasins, 5 Chemin des Chasses à Clichy-La-Garenne; magasins de vente à Paris : Couleurs vitrifiables, 151 Rue du Faubourg St-Martin; Émaux et cristaux, 66 Rue Notre-Dame de Nazareth. La maison, et particulièrement Léon-Alfred Appert, invente et dépose des brevets pour des procédés nouveaux de fabrication dont, en 1893, le procédé de fabrication des verres et glaces armés, dit Sandwich.
1898 : fondation d'une filiale américaine à Port-Allegany (Pennsylvania) : *Appert Glass Company*.
1902 : *Appert Frères* est dirigée par Maurice-Adrien (Paris 1869 - Vichy 1941) et Léopold-Antonin (Paris 1867 - Vichy 1931) Appert, fils de Léon-Alfred, déjà associés de la maison.
1919 : nouveaux locaux, 20 rue de Paradis.
1931 : dissolution de la Société.

Maison Aucoc
Orfèvrerie et joaillerie, Paris.
Maison fondée en 1821 par Casimir Aucoc, 154 rue Saint Honoré, transférée au 6 rue de la Paix en 1835. Dirigée de 1836 à 1856 par Jean-Baptiste Aucoc, puis par son fils Louis Aucoc. Active jusqu'en 1925-1930.

L. Bachelet
Fabricant-orfèvre, Paris.
Maison connue à partir de 1851.
Magasin : 58 quai des Orfèvres.
Atelier : 16 rue de Verneuil.
Catalogues : *Recueil d'objets d'orfèvrerie à l'usage du culte, fabriqués par Bachelet, orfèvre, d'après les 17 dessins de Viollet-Le-Duc reproduits*, Paris, (s.d.); *Recueil d'objets d'orfèvrerie à l'usage du culte*, Paris, s.d. [vers 1856].

Joh. Backhausen & Sohne
Fabrique de textiles d'ameublement, Vienne (33 Kärntner Strasse) et Hoheneich (Autriche).
Firme fondée à Vienne le 30 janvier 1849 par les frères Karl et Johann Backhausen.
Répertoriée sous le nom de «Karl Backhausen & Co» jusqu'en 1853, puis «Johann Backhausen, K.K. ausschl. privilegierte Mode, Chenillienwarenfabrik» jusqu'en 1860 (?), enfin «Johann Backhausen & Söhne».
En 1864, installation d'une agence centrale à Vienne, Heinrichshof.
En 1871, implantation de l'usine de Hoheneich, près de Gmünd (Basse-Autriche), encore en activité de nos jours.

E. Bakalowits & Söhne
Marchand et éditeur de verrerie et cristallerie, puis fabricant, Vienne 1 (Autriche).
Magasin fondé en 1845, 5 Hoher Markt, transféré en 1901, 12 Kärntner Strasse, Vienne 1.

Maison Barbedienne
«Bronzes d'art»
Fondeur et éditeur. Bronzes, ameublement et orfèvrerie 30, boulevard Poissonnière, Paris.

Ateliers : 63 rue de Lancry, Paris (1867).
Maison fondée en 1839 par Ferdinand Barbedienne (St-Martin-de-Fresnay 1810 - Paris 1892), fabricant de papiers peints, et Achille Collas (Paris 1795 - Paris 1859), industriel et inventeur en 1836 du procédé breveté de réduction mécanique des sculptures, sous la raison sociale *Société A. COLLAS et BARBEDIENNE*, puis *F. BARBEDIENNE* vers 1859.
Reprise en 1892 par son neveu et associé Gustave Leblanc-Barbedienne, sous le nom *Maison BLANC-BARBEDIENNE*, puis *Maison LEBLANC-BARBEDIENNE père et fils*.
L'entreprise ferme ses portes en 1955.
Catalogues : *F. Barbedienne. Catalogue des bronzes d'art*, Paris, 1855, 1862, 1875, 1880, 1884, 1893, 1900; *F. Barbedienne. Bronzes d'art. Oeuvres de A.-L. Barye*, Paris, 1877.
Correspondant à Londres : MM. Jackson et Graham, 30 à 38 Oxford Street.

Barnard, Bishop and Barnards
Fonderies, Norwich (Norfolk, Grande Bretagne).
De 1826 à 1955.
Fondées en 1826 par Charles Barnard (1804-1871) à Norwich, qui s'associe ensuite à son beau-frère M. B. Joy jusqu'en 1843, puis à John Bishop à partir de 1846.
L'entreprise prit le nom de *Barnard, Bishop and Barnards* en 1859 à l'arrivée de ses fils jumeaux, Charles (1836-1912) et Godfrey (1836-1904) Barnard.
1851 : installation dans des locaux occupés auparavant par la Norfolk Ironworks Co. Chef des ateliers : Frank Ames (1826-1912).
Modèles dessinés par Thomas Jeckyll (1827-1881) architecte, associé à la firme de 1859 à 1877.

Benham & Froud
Dinandiers, 40-42 Chandos Street, Londres.
Modèles dessinés par Christopher Dresser (Glasgow 1834 - Mulhouse 1904) à partir de 1877.

Manufacture Royale de Berlin
Manufacture de porcelaine fondée en 1761 et vendue en 1763 à Frédéric II de Prusse; à la mort de ce dernier en 1785, la manufacture reçoit un conseil administratif indépendant de la Maison du roi. Les directeurs successifs en sont : Friedrich Philip Rosenstiel jusqu'en 1852, Friedrich Georg Frick (1832-1848), Heinrich Gustav Kolbe (1850-1867), Gustav Muller (1867-1881).
1878 : Le «Protocole berlinois» décide d'adjoindre au poste de directeur administratif un directeur artistique et un directeur technique.
Directeur technique : Hermann Seger.
Directeurs artistiques : Louis Sussmann-Helbronn, sculpteur; Alexander Kips, dessinateur; Theo Schmutz-Baudiss, peintre.

Léopold Bernard
Arquebusier-cannonier, Paris.
Maison établie avant 1839.
Répertoriée de 1840 à 1855 au 49 rue de Villejuste à Passy, puis au 12 rue de Villejuste (1870-1879).
Citée en 1890 à une nouvelle adresse, 129 avenue de Versailles.

A. Bigot et Cie
Fabricant et éditeur de grès.
Magasin et dépôt : 13 rue des Petites-Écuries, puis 31 rue Buffon, Paris.
Fabrique et bureaux à Aulnay, près de Mer (Loir-et-Cher).
Atelier établi vers 1892, puis usine et société fondées en 1897 à Mer par Alexandre Bigot (Mer 1862-Paris 1927), chimiste et physicien, sous les noms de *A. Bigot et Cie, Bigot et Daligault et Cie* et enfin *Bigot, Bouclet, Fritschllang et Cie*. Nombreux brevets de fabrication déposés de 1893 à 1922 par A. Bigot.
1914-1918 : usine rachetée par Jules Hardion, inspecteur des Monu-

ments historiques, sous le nom de *Grès de la Beauce;* puis production de grès sanitaire jusqu'en 1939.
Catalogues : *Les Grès de Bigot* 1902; *Les grès de Bigot, cheminées et poëles à bon marché,* Beaugency, 1908.

Société des chéneaux et tuyaux en fonte, système J. Bigot-Renaux
Maison fondée à Paris en 1871.
Usines à Baudignécourt (Meuse).

Bing & Grøndhal
Manufacture de porcelaine, Copenhague.
Fondée en 1852 par Frederik Wilheilm Grøndhal, modeleur à la manufacture royale de Copenhague, et par Jacob Hermann et Meyer Hermann Bing, marchands.
A la mort de Grøndhal en 1856, lui succède le sculpteur Schjetveld. L'atelier de peinture est successivement dirigé par un transfuge de la Manufacture royale, Thomas Juuel (1817-1868), puis par le peintre d'architecture Heinrich Hanser (1868-1890).
Harold Jacob Bing (1848-1924) qui depuis 1885 dirige l'entreprise nomme successivement au poste de directeur artistique : Pietro Krohn (1840-1905), céramiste et critique d'art, puis de 1893 à 1900, Jens Ferdinand Willumsen (1863-1956), sculpteur, et enfin de 1900 à 1924, F. August Hallin, porcelainier.

Bisceglia
Fondeur, Paris.
Maison connue dès 1904 sous le nom de *Bisceglia Frères,* puis *Bisceglia* en 1954 sous la direction de Mario Bisceglia.

Wiener Werkstätte
Atelier de création et d'artisanat, 32 Neustiftgasse, Vienne 7 (Autriche).
Fondé le 19 mai 1903 par Josef Hoffmann (Pirnitz 1870 - Vienne 1956) et Koloman Moser (Vienne 1868 - Vienne 1918), membres de la Sécession, directeurs artistiques, et Fritz Waerndorfer, industriel, directeur commercial, sous la raison sociale *Wiener Werkstätte, Produktiv Genossenschaft von Kunsthandwerken in Wien* (Atelier Viennois, association de production des métiers d'art à Vienne). Reconstituée sous forme de S.A.R.L. en 1914.
S'associèrent ensuite : Carl Otto Czeschka (1904), Bernardt Löffler, Michael Powolny et Eduard Wimmer (1907), Otto Prutscher (1908), Dagobert Peche (1915).
Filiales ouvertes à Zurich (Suisse), Karlsbad et Marienbad (Tchécoslovaquie).
Fermeture des ateliers en 1932.

Bugatti Carlo
«Mobile con diritto d'autore»
Fabricant de meubles.
Maison fondée à la fin des années 1870 par Carlo Bugatti (Milan 1856 - Dorlisheim 1940). 6 Castelfidardo, Milan.
Transférée en 1898, 13 Via Marcona, Milan, sous la raison sociale *C. Bugatti & C.,* «Fabbrica Mobili Artistici Fantasia». Cédée en 1904 à A. De Vecchi qui continue la fabrication sous le nom *A. De Vecchi & C. (Già C. Bugatti & C.),* «Fabbrica Italiana Mobili Artistici».
Catalogue du mobilier édité en 1905.
A Paris, vers 1904-1906, fabrique de meubles, rue Jeanne d'Arc; orfèvrerie éditée par Adrien Hébrard, 8, rue Royale.

Cardeilhac
Coutellerie et orfèvrerie, 91, rue de Rivoli, Paris.
Établie en 1804 par Antoine-Vital Cardeilhac et spécialisée dans la coutellerie et la vaisselle plate, la maison fut dirigée de 1851 à 1904 par son fils Armand-Édouard Cardeilhac, puis, à partir de 1885, son petit-fils Ernest Cardeilhac (1851-1904). Celui-ci achète le fonds de la maison Lebon.
En 1904, les deux fils d'Ernest Cardeilhac lui succèdent, James et Peter (mort en 1944) Cardeilhac. L'entreprise est amalgamée à la maison Christofle en 1951.

Maison Christofle
Orfèvrerie
Manufacture : 76, rue Montmartre, Paris; 54, puis 56, rue de Bondy (actuelle rue René Boulanger), de 1842 à 1934; Saint-Denis en 1875, et Yainville en Normandie.
Magasins de vente : Pavillon de Hanovre, 33, boulevard des Italiens (1856) et 31, place de la Bourse, Paris, puis 12, rue Royale (1900), siège social actuel. Musée Christofle à Saint-Denis créé en 1960.
Ancienne maison Calmette, bijouterie-joaillerie fondée en 1812 à Paris, 76, rue Montmartre; Calmette s'associe à son beau-frère Charles Christofle (Lyon 1805 - Brunoy 1863) en 1825. Celui-ci dirige la maison vers 1828, puis s'associe à son beau-frère Joseph-Albert Bouilhet (1789-1837) vers 1831 sous la raison sociale *Société Charles Christofle et Cie.* La maison de bijouterie, 62, rue d'Hauteville, est cédée à son neveu et associé Léon Rouvenat en 1849.
1842 : De nouveaux ateliers consacrés à l'industrie de l'orfèvrerie électrochimique sont ouverts rue de Bondy : la *Nouvelle Société Christofle.* En 1842 et 1843, acquisition de l'usage exclusif pendant dix ans des brevets pris par Elkington (1840 et 1842) et Ruolz (1841 et 1842) pour la dorure et l'argenture galvaniques; la marque RUOLZ figure de 1842 à

1850 sur les pièces de métal argenté. En 1849, Charles Christofle crée un poinçon qui garantit le poids d'argent déposé sur chaque pièce.
1844 : Fournisseur officiel du Roi Louis-Philippe.
1854 : Il s'associe à son gendre Ernest Champetier de Ribes.
1855 : Titre de Fournisseur de l'Empereur.
1859 : Ouverture d'une seconde fabrique à Karlsruhe.
1863 : La maison est reprise par le fils de Charles Christofle, Paul Christofle (Paris 1838-Paris 1907), et son neveu Henri Bouilhet (1830-Villerville 1910) ingénieur chimiste, sous la raison sociale CHRISTOFLE *et Cie.*
1865 : Rachat de la maison Alphen.
1875 : Création de l'usine de Saint-Denis.
1910 : André Bouilhet, fils d'Henri Bouilhet, lui succède avec Fernand de Ribes-Christofle, neveu de Paul Christofle.
En 1932, Tony Bouilhet, fils d'André Bouilhet devient président de l'orfèvrerie Christofle, puis ses fils Albert et Henri Bouilhet lui succèdent en 1958.
1951 : Rachat de la maison Cardeilhac.
Premier catalogue en 1844 : *Modèles d'orfèvrerie moderne de la Fabrique d'Argenture et Dorure électro-chimistes de Charles Christofle et Cie de Paris.*
Nombreux magasins de distribution en France, les Pavillons Christofle, et à l'étranger.

Manufacture Royale de Copenhague
Manufacture de porcelaine.
Fondée en 1773 et dirigée jusqu'en 1801 par le chimiste Franz Heinrich Müller, puis par Peter Johann Gottfried Garlieb (1787-1870). Devient une manufacture d'État en 1779 dont le poste de conseiller artistique est assuré successivement par Gustav Friedrich Hetsch (1788-1864) et son fils Christian Hetsch (1830-1903).
Vendue en 1864 à un entrepreneur privé, puis en 1882 passe entre les mains des propriétaires de la faïencerie Aluminia, dirigée par l'ingénieur Philip Schou (1858-1922). En 1885, Schou engage comme directeur artistique un jeune architecte, Arnold Krogh (1856-1931), secondé par un chimiste d'origine française Adolphe Clément (1860-1933).

Creil et Montereau
Manufactures de faïence fine.
En 1745, Le Mazois (mort en 1774) marchand-faïencier à Montereau, Jacques Chapelle et Jean Hill, fondent une fabrique de «fayence façon Angleterre» qui reçoit en 1775, le titre de Manufacture de la Reine.
En 1819, la manufacture de Montereau devient la propriété de Charles Alexandre Saint-Cricq-Cazaux (mort en 1840), propriétaire depuis 1816 de la faïencerie fine de Creil, fondée en 1797 par Robert Bray O'Reilly, cristallier, et Stone.
1825 : La manufacture de Montereau est louée à la *Société Louis Lebeuf et Thibaut,* puis *Lebeuf* en 1833.
1834 : La *Société Saint-Cricq-Cazaux* opère la fusion des deux manufactures sous le nom de «Fayenceries Creil-Montereau» et la raison sociale *Lebeuf et Milliet,* devenue en 1841, *Lebeuf, Milliet et Cie.* Montereau est gérée par Louis Lebeuf, puis son fils Adrien Lebeuf, et Creil par Gratien Milliet.
1875 : Mort de Gratien Milliet : la Société devient *Lebeuf et Cie,* puis en 1876, à la mort d'Adrien Lebeuf, *Ancienne Société Lebeuf et Cie Barluet et Cie,* Barluet, ancien directeur de Creil étant devenu gérant.
1884 : La société en commandite devient Société anonyme qui installe siège social, bureaux et magasins à Paris en 1891.
1895 : La manufacture de Creil ferme ses portes, son personnel est transféré à Montereau; la marque «Creil-Montereau» continue à être utilisée jusqu'en 1955.
1920 : Fusion de la manufacture de Montereau avec celle de Choisy-le-Roi, fondée en 1804 par les frères Paillart, et devenue depuis 1878 la société *H. Boulenger et Co..*
1934 : Fermeture des ateliers de Choisy, démolis en 1952.
1955 : Fermeture de la manufacture de Montereau, démolie en 1975.
Catalogue : *Revêtements céramiques, carreaux en faïence des Manufactures de Creil et Montereau.* Seul dépôt : Lordereau Aîné, Rue Paradis, 56. Paris [vers 1880].

Joseph Cremer
«Artiste en mosaïque et marqueterie», Paris.
Maison fondée en 1839 rue de l'Entrepôt par Joseph Cremer (né en 1811 au Luxembourg), transférée 7 rue Lacase (1844), puis 33 rue de l'Entrepôt (1848), 60 rue Saint-Louis-au-Marais (1855), 80 rue de Turenne (1871).
Fournisseur du roi Louis-Philippe et du roi de Hollande.
Maison cédée en 1878 à Thomas.

Crozatier
Bronzier d'art et fondeur, rue du Parc-Royal, Paris.
Ateliers fondés et dirigés par Charles Crozatier (Le Puy 1795-Paris 1855); actifs de 1815 à 1855.

Daum Frères, Verreries de Nancy
Arrivé à Nancy en 1876, Jean Daum (1825-1885) auparavant notaire à Bitche (Moselle), se porte acquéreur en 1878 de la Verrerie Sainte-Catherine au bord de la faillite et productrice de verre à vitres, verres de montres, gobeleterie; il est secondé par son fils aîné Auguste Daum (1853-1909). En 1891 est créé un département d'art dont la direction est

confiée au dernier fils de Jean Daum, Antonin Daum (1864-1930), ingénieur des Arts et Manufactures.
1901 : Création de l'«École de Nancy - Alliance provinciale des Industries d'Art»; Antonin Daum en est un des vice-présidents.
A la génération suivante, les responsabilités échoient aux fils d'Auguste Daum, Jean (1885-1916), Paul (1888-1944), Henri (1889-1960), et à son neveu, Michel (1900-1986).
1925 : Création d'une société à responsabilité limitée.
1962 : Transformation en société anonyme avec pour président Michel Daum.
1965 : Jacques Daum (né en 1909), petit-fils d'Auguste, président de la société.
1976 : Pierre de Chérisey (né en 1936), petit-fils d'Antonin, président de la société.

Desfossé
Manufacture de papier peint, Paris.
Fondée en 1851 par Jules Desfossé (mort en 1889) par le rachat du fonds de la maison Mader Vve et Fils aîné. Devenue *Desfossé et Karth* par son association avec Hippolyte Karth, lui-même successeur des manufactures Dauptain, Brière, Clerc et Margeridon.
1865 : rachat du fonds de la maison Kob et Pick, héritière des fonds des maisons Dufour et Leroy.
1947 : l'usine de Gouvieux et le fonds de la société Desfossé et Karth deviennent la propriété de la Société Isidore Leroy.

Delicourt
Manufacture de papier peint, Paris.
Associé avec la veuve et des deux fils de Xavier Mader, fabricant de papier peint, Étienne Delicourt (né en 1806) s'établit, en 1838, 125 ter, rue de Charenton, avec une commandite de Zuber et s'associe avec Campnas et Garat, représentants de Zuber à Paris, jusqu'en 1859. La maison est reprise par les frères Hoock en 1860.

Diehl
Ebéniste-tabletier
3 rue de Thorigny, 170 rue Saint-Martin, puis rue Michel-le-Comte, au 16, 19 et 21 entre 1853 et 1885.
Ateliers : 39, rue Saint-Sébastien, Paris.
Maison fondée en 1840 par Charles-Guillaume Diehl (Steinbach (Hesse) 1811- mort vers 1885).

Doye
Armurier, Paris
Fabricant répertorié de 1840 à 1872, au 11 rue neuve des Capucines, à Paris.

Léon Dromard
Ebéniste, Paris.
Connu d'abord comme restaurateur de meubles anciens et quincaillier d'ameublement.
Cité à partir de 1874, au 18 rue Saint-Lazare.
Par suite de cessation de fabrication, une vente des meubles d'art, sièges et bronzes de L. Dromard a lieu à l'Hôtel Drouot les 11 et 12 avril 1889.

Maison de l'Escalier de Cristal
Marchand-éditeur de porcelaines, cristaux et meubles, Paris.
Maison fondée au 162-163 Galerie de Valois vers 1800 par Madame veuve Desarnaud, née Marie-Jeanne-Rosalie Charpentier. Reprise vers 1830 par Boin, tailleur, installé 152-153 Galerie de Valois, puis acquise en 1840 par Pierre-Isidore Lahoche (Beuvraigne 1805-Paris 1882). En 1852, ce dernier s'associe à son gendre Emile-Augustin Pannier (Paris 1828-Paris 1892) par la constitution de la *Société Lahoche et Pannier*, qui devient *Pannier, Lahoche et Cie* en 1867 lorsque Isidore Lahoche se retire des affaires. Le magasin est transféré 6 rue Scribe et 1 rue Auber en 1873. Il est dirigé à partir de 1885 par Georges (Paris 1853-Paris 1944) et Henri (mort à Paris en 1935) Pannier, fils d'Emile Pannier, sous la raison sociale *Société Pannier Frères*. L'Escalier de Cristal ferme ses portes en 1923.

Maison Falize
Orfèvres - joailliers, Paris.
En 1838, Alexis Falize (Lüttich 1811-Moret 1898) rachète le fonds du bijoutier-fabricant Aristide Joureau-Robin, Galerie de Valois au Palais Royal, puis s'établit 6 rue Montesquieu en 1840, et 55 avenue de l'Opéra en 1871. Son fils Lucien Falize (Paris 1838-Paris 1897) associé à son père depuis 1871 sous le nom de *Falize père et fils*, lui succède en 1876. Il s'associe de 1879 à 1891 à Germain Bapst (1853-1921) joaillier, sous la raison sociale *G. Bapst et L. Falize* et en 1879 transporte au 6 rue d'Antin, magasins, bureaux et atelier. En 1891, la maison porte le nom de *L. Falize*, puis *Falize Frères* en 1897 quand lui succèdent ses fils André, Pierre et Jean Falize sous la direction d'André (Montereau 1872-Paris 1936). La maison ferme en 1935.

Fannière Frères
Orfèvres, Paris.
Maison fondée en 1839 par François-Auguste (Longwy 1818-Paris 1900) et François-Joseph-Louis (Longwy 1820-Paris 1897) Fannière neveux et élèves de l'orfèvre Fauconnier. A la fois dessinateurs, sculpteurs, ciseleurs et fabricants, ils travaillent pour les principaux orfèvres de Paris et n'exposent qu'à partir de 1862 sous leurs propres noms.

Reprise en 1900 par le fils de François-Joseph-Louis Fannière, puis par Fernand Poisson.

D.G. Fischel & Söhne
Manufacture de meubles en bois courbé, Vienne (Autriche) et Niemes (Tchécoslovaquie).
Fondée en 1870 par les frères Alexander et Gustav Fischel, sous l'appelation : «D.G. Fischel & Söhne, Erste Böhmische Fabrik von Möbeln aus Massiv Gebogenem Holze, Niemes, Böhmen».
Bureaux de direction installés à Vienne, Kohlmarkt 6, en 1878.
Firme reprise dès avant 1904 par Ernest Hirsch, auquel succède son fils Richard Hirsch en 1927.
En 1907, la direction est transférée au 11 Tuchlauben, à Vienne.
Compagnie expropriée en 1938.

Maison Fontaine
Fabricant et éditeur de quincaillerie et serrurerie pour bâtiment, 181 rue St-Honoré, Paris.
Usine à Boulogne-sur-Seine (1898).
Maison ancienne exploitée depuis 1842 sous le nom de Fontaine.
1846 : fondation de la *Maison Fontaine* par M. Fontaine père, devenue dans le dernier quart de siècle *Maison H. E. et L. Fontaine*, puis *Maison H. L. Fontaine frères et Vaillant* vers 1900.
1888 : fondation d'une succursale à Hanoï en 1892, la *Société de Comptoir français du Tonkin*.

Fourdinois
Ébéniste-fabricant de meubles, 38, puis 46, rue Amelot, Paris.
Maison fondée en 1835 par Alexandre-Georges Fourdinois (Paris 1799-Paris 1871) en association avec Jules-Auguste Fossey (Paris 1806-Paris 1858) sculpteur et fabricant de meubles, sous le nom de *FOURDINOIS et FOSSEY* jusqu'en 1848, puis *FOURDINOIS*.
En 1853, atelier transféré au 46, rue Amelot.
Fournisseur attitré de l'impératrice Eugénie.
Son fils Henri-Auguste Fourdinois (Paris 1830-Monte-Carlo 1907) lui succède en 1867, ajoutant la tapisserie à la menuiserie et à l'ébénisterie.
Il inventa un procédé breveté de marqueterie en plein.
Il ferme sa maison en 1887.

Maison Froment-Meurice
Orfèvrerie, bijouterie, joaillerie, Paris.
Maison fondée en 1714 par l'orfèvre François Froment et devenue *Froment-Meurice* par le remariage de sa veuve avec l'orfèvre Pierre Meurice. Reprise en 1832 par le fils de François Froment, François-Désiré Froment-Meurice (Paris 1802-Paris 1855) et établie 2, rue Lobau, puis 52, rue du Faubourg St-Honoré en 1849.
A la mort de François-Désiré, sa femme prend la direction de la firme, puis son fils P. H. Émile Froment-Meurice (Paris 1837-Paris 1913) lui succède en 1859; la maison demeure en activité jusqu'en 1907.

Maison Gaillard
Joailliers, 101, rue du Temple, puis 107, rue de la Boétie (1900), Paris.
Fondée par Amédée Gaillard, reprise en 1860 par son fils Ernest Gaillard (né en 1836), puis en 1892 par son petit-fils Lucien Gaillard (né en 1861).

Gallé
Cristallerie et fabriques d'ébénisterie et de céramiques d'art
Magasin : 1 rue de la Faïencerie Nancy.
Ateliers et cristallerie : 27 avenue de la Garenne, Nancy.
Maison fondée à Nancy par Martin Reinemer (Wiesbaden 1791-Nancy 1844) marchand de cristaux et miroitier, 1 rue de la Faïencerie. Sa veuve continue la vente sous le nom de *Veuve Reinemer*, puis *Veuve Reinemer et Gallé* en 1846 lorsqu'elle s'associe à son gendre Charles Gallé (Clermont-sur-Oise 1818-Nancy 1902), peintre sur porcelaine et voyageur de commerce; celui-ci dirige seul le magasin en 1853, auquel il adjoint un atelier de décor de céramiques et de verrerie; il fait exécuter de 1863 à 1876 ses modèles par la faïencerie Thomas de St-Clément, également par les faïenceries Rigal et Sanejouand à Claire-Fontaine, et Thomas et Bardenat à Choisy-le-Roi. Pour la verrerie, travaille avec Baccarat, St Louis, puis Burgun à Meisenthal jusqu'en 1895.
1856 : l'enseigne du magasin devient *Gallé-Reinemer;* 1874 : il est dirigé par Henri Dannreuther et sa femme, belle-sœur de Charles Gallé.
1866 : Fournisseur de Napoléon III
1875 : Installation d'un atelier de décor dans la faïencerie d'Adelphe Muller à Raon-l'Étape, jusqu'en 1898.
1877 : Émile Gallé (Nancy 1846-Nancy 1904) fils de Charles Gallé, prend la direction de l'entreprise.
1879 : Marcelin Daigueperce (1843-1896) est concessionnaire de Gallé à Paris, 34 rue des Petites-Écuries, transféré 10-12 rue Richer en 1886; son fils Albert Daigueperce lui succède en 1896.
1885-1886 : Nouvel atelier de décor pour la céramique, construction d'un four et création d'un atelier d'ébénisterie, avenue de la Garenne, agrandi en 1896.
1894 : Ouverture de la Cristallerie Gallé, 27 Avenue de la Garenne.
1897 : Ouverture du dépôt de Francfort-sur-Main, 38 Kaiserstrasse.
1898 : Dépôt de brevets d'invention pour la marqueterie de verre et un procédé de patine.
1901 : Fondation de l'*École de Nancy. Alliance provinciale des Industries d'Art*, dont E. Gallé est président.

Ouverture du dépôt de Londres, 13 South Molton Street, Bond Street.
1904 : Mort de Gallé; sa femme assure la direction des affaires
1907 : Création de la raison sociale des *Établissements Gallé*, qui deviennent SA en 1927, et ferment en 1931. Le magasin de la rue de la Faïencerie est fermé en 1935.

Société parisienne d'Exploitation des Produits céramiques G. Garchey.
72 Bld. Haussmann, Paris.
Usines à Creil (Oise), La Demi-Lune (Rhône), Le Bousquet d'Orb (Hérault), Pont-St-Esprit (Gard).
Administrateur et directeur : Louis-Antoine Garchey (né à Chagny 1858), inventeur de la pierre de verre Garchey, brevetée en 1896.

Maison Alphonse Giroux
Marchand et fabricant de tabletterie et ébénisterie, Paris.
Magasin créé vers 1799 par François-Simon-Alphonse Giroux (mort à Paris en 1848) 7 rue du Coq-St-Honoré : commerce d'objets de fantaisie et de papeterie, puis ébénisterie à partir de 1834, sous le nom d'*Alphonse Giroux*. Repris en 1838 par ses fils Alphonse-Gustave (Paris 1810-Paris 1886) et André (Paris 1801-Paris 1879) sous la raison sociale : *Alphonse Giroux et Cie*.
Transféré en 1857, 43 boulevard des Capucines. Cédé en 1867 à Duvinage et Harinkouck, et dirigé à partir de 1870 par Ferdinand Duvinage seul, puis par sa veuve de 1874 à 1882, et enfin par A. Philippe et E. Arnut de 1883 à 1884. L'ancienne Maison Giroux disparaît en 1885.

Grueby
Céramiques industrielles et poterie d'art, Boston (Massachusetts, États-Unis).
Entreprise fondée par William Henry Grueby (1867-New-York 1925).
1890 : Il établit une usine à Revere (Massachusetts).
1891 : Sous le nom de *Atwood and Grueby* il s'associe à Fiske, Coleman and Co., directeurs de la Boston Fire Bricks Works, 164 Devonshire à Boston, auxquels Eugène R. Atwood est lui-même associé.
1894 : Il fonde seul à la même adresse, la *Grueby-Faïence Company*.
1897 : L'entreprise devient S A. William Hagerman Graves, ingénieur, devient directeur commercial, Georges Prentiss Kendrick, créateur des modèles, auquel succède Addison B. Le Boutillier en 1902.
1899 : Grueby Pottery devient la marque déposée pour la céramique d'art, et Grueby Faïence pour la faïence architecturale. L'usine est située First Street and K Street.
1907 : Création de la *Grueby Pottery Company*, SA indépendante sous la présidence de W.H. Grueby, tandis que Augustus A. Carpenter, de Chicago, devient président de *La Grueby Faïence Inc.* en 1908.
1909 : Faillite de la Grueby Faïence Inc. qui cesse sa production. W.H. Grueby crée la *Grueby Faïence and Tile Company*, dans la même usine, East First et K Street; W.H. Graves devient directeur de la Grueby Pottery Company.
1911 : Faillite de la Grueby Pottery Company.
1920 : James Michael Curley, directeur de la Grueby faïence and Tile Company depuis 1909, et associé depuis 1919, la vend à C. Pardee Works, de Perth Amboy (New-Jersey).
1921 : L'usine est transférée à New-Jersey.

Guéret Frères
Fabrique de meubles sculptés, Paris.
Maison créée en 1853 par Denis-Désiré (né en 1828 à Roissy) et Onésime (né en 1830 à Roissy) Guéret, 7 rue Buffault sous le nom de *Guéret Frères*. Ouverture d'un magasin 5 boulevard de la Madeleine en 1863, puis transfert de l'entreprise 216 rue Lafayette.
Devenue *Guéret Jeune et Cie* en 1877 sous la direction d'Ernest Guéret, la maison poursuit ses activités jusqu'à la fin du siècle.

William Guérin et Cie
Fabricant de porcelaine, Limoges
Maison fondée en 1872 à Limoges lorsque Guillaume, dit William, Guérin-Lésé (Mas-de-L'Age 1838-1912) prend la succession de Lebon & Cie, 54, Faubourg Montjovis.
1877 : Il rachète la fabrique de Léopold Dubois, rue du Petit-Tour
1903 : Ses deux fils William et André lui sont associés : *William Guérin et Cie*.
1911 : Absorption de la maison Pouyat, et formation de la Société *Guérin et Cie (Anciens Éts J. Pouyat, W. Guérin & Cie)*.
1920 : La Société Guérin et Cie est dissoute et les parts vendues à Bawo & Dotter Ltd. de Montréal.
1921 : Bawo & Dotter prennent le nom de *Guérin Pouyat Elite Ltd.* présidée par William Prentice puis Norman Prentice son fils.
1932 : Fermeture de la fabrique, le stock de moules et de porcelaines dispersé, et les bâtiments démolis en 1933.
Catalogues 1885, 1888.

Gueyton
Orfèvres, Paris.
Maison fondée à Paris en 1840 par Alexandre Gueyton (Tournon 1818-Paris 1862), bijoutier et orfèvre.
La fabrique d'orfèvrerie galvanique est cédée en 1856 à deux de ses contre-maîtres, Bertrand et Subinger. Son neveu Marc Gueyton reprend la maison en 1862, puis un des fils d'Alexandre, Camille Gueyton (né en 1850) lui succède en 1883. La maison est active au moins jusqu'en 1908.

Haute-Claire
Production d'objets d'art décoratif, «Le Logis de Haute-Claire», 16, rue Delort, Marlotte (Seine-et-Marne).
Association d'artistes et atelier d'art décoratif fondés en 1896, à Marlotte, et dirigés par Armand Point (Alger 1861-Naples 1932) peintre, réunissant décorateurs, orfèvres et émailleurs. L'association expose ses œuvres de 1898 à 1903.
1901 : Haute-Claire ferme ses portes une première fois; la production continue quelques années, puis l'association est dissoute.

Haviland & Co.
Manufacture de porcelaine, Limoges.
En 1847, l'américain David Haviland (1814-1879) importateur de vaisselle française, sous le nom de *Haviland Brothers & Co.* fonde à Limoges un atelier de décoration de céramiques. En 1865, il devient fabricant de porcelaine.
1864 : Il s'associe ses deux fils Charles (1839-1921) et Théodore dans une nouvelle société sous le nom de *Haviland & Co.*.
1873 : Charles Haviland ouvre à Auteuil, 116, rue Michel-Ange un atelier de création dont Félix Bracquemond assure la direction, les pièces étant cuites à Limoges.
1877 : Des fours sont construits à Auteuil.
1881 : L'atelier est transféré à Vaugirard, 153, rue Blomet. Chaplet est nommé directeur artistique; il rachète en 1885 l'exploitation de l'atelier et le cède en 1887 à Delaherche.
1892 : Charles forme une nouvelle société sous la même raison sociale, avec son aîné Georges (Limoges 1870), et Théodore fonde à la Grange-Garat sa propre fabrique.
1925 : Création de deux sociétés distinctes : l'une à Limoges, *Haviland and Co.*, pour la fabrication de la porcelaine, l'autre, *Haviland China Cⁱ*, à New-York, pour sa commercialisation, sous le contrôle de Georges Haviland.
1930 : Liquidation de l'affaire : le fonds de commerce est cédé à la Maison Gérard, Dufraisseix & Morel à Limoges, les terrains et bâtiments sont vendus, et le stock bradé.
1941 : William Haviland, fils de Théodore à qui il avait succédé en 1919, et ses sœurs, rachètent tous les modèles, marques et droits de la maison fondée par David Haviland.
1957 : Les fils de William, Harold et Théodore, lui succèdent, puis cèdent en 1972 leurs actions à Paul Coiffe.
1977 : Cerabati, sous la présidence de Mme de Voguë, prend le contrôle de la société, toujours en activité.

A.-A. Hébrard
Fondateur d'art et éditeur.
Galerie A.-A. Hébrard : 8 rue Royale, Paris.
Ateliers : 73 avenue de Versailles, Paris.
Galerie d'art et atelier de fonderie fondées entre 1895 et 1900 par Adrien-A. Hébrard (Paris 1866-1937).
Une société par commandite *A.-A. Hébrard et Cie* est constituée en 1907. Chef d'atelier : M. Palazzolo.
La fonderie fut détruite en 1937.

Hukin & Heath
Manufacture d'orfèvrerie, Birmingham et Londres.
Fabrique dirigée par Jonathan Wilson Hukin et John Thomas Heath, à Birmingham.
Magasin de vente à Londres, Charterhouse Street, ouvert en 1879.
Seconde fabrique implantée à Londres, à partir de 1880-1881.
Marque de fabricant : H. & H. et un aigle (?) pour le métal argenté; JWH, JTH pour l'argent. De janvier 1887 à novembre 1909, la firme, tout en gardant la même raison sociale, utilise une nouvelle marque pour les objets en argent : JWH, JHM (Jonathan Wilson Hukin, John Harthstone Middelton).
Mise en liquidation le 6 septembre 1952.

Maison Hunsinger
Fabricant de meubles de luxe et de fantaisie, Paris.
Fondée avant 1859 par Charles Hunsiger (Dossenheim 1823 - Paris 1893) 244 rue du Faubourg St-Antoine, puis transférée 5 rue Keller (1863), 56 rue de la Roquette (1867) et 13 rue Sedaine (1874). Association en 1873 avec Charles-Adolphe-Frédéric Wagner pour une dizaine d'années, sous le nom *Hunsinger et Wagner. Charles Hunsinger* ouvre en outre une boutique 13 rue des Pyramides vers 1882 et exerce à nouveau seul jusque vers 1893.

Kenton and Company
Maison d'ameublement, Londres.
Firme créée en 1890 par Ernest Gimson (1864-1919), William Richard Lethaby (1857-1931), Mervyn Macartney, Reginald Blomfield et Sidney Barnsley (1862-1926).
Mise en liquidation dès 1892.

J. & J. Kohn (Jacob et Josef Kohn)
«Erste Osterreichische Aktiengesellschaft zur Erzeugung von Möbeln aus gebogenem Holz» (Première Société autrichienne par actions pour la production de meubles de bois courbé).
Manufacture de meubles en bois courbé.
3 Burgring, Vienne I (Autriche).

Firme fondée en 1867 à Vienne par Jacob et Josef (Wsetin 1814-Vienne 1884) Kohn, père et fils.
Usines à Wsetin (1868), puis Litsch (1869), Cracovie en Pologne (1871) et Hollenkau (1890).
1884 : Création d'une fabrique indépendante à Nowo-Radomsk en Russie, dirigée par Julius, Johann et Félix Kohn, le quatrième fils de Josef, ayant la direction de la firme de Vienne.
1898 : l'architecte Gustav Siegel (Vienne 1880-1970) devient directeur artistique. Modèles dessinés par des artistes viennois contemporains, en particulier Josef Hoffmann (Pirnitz 1870-Vienne 1956) de 1901 à 1914.
Réseau de distribution établi dans toute l'Europe et l'Amérique du Nord.
1917 : fusion avec le consortium *Mundus* qui absorbe Thonet en 1923.
Catalogues de vente : 1904, 1906, 1916.

Lalique
Joaillier et verrier, Paris.
Maison fondée en 1883 à Paris par Jules-René Lalique (Ay 1860-Paris 1945) en association avec M. Varenne sous le nom *Lalique et Varenne*, 84, rue de Vaugirard.
1885 : Rachat des ateliers de Jules Destape, joaillier, et création de la maison *R. Lalique*.
1887 : Atelier place Gaillon.
1890 : Transfert de la maison 20 rue Thérèse, puis 40 Cours-la-Reine (1902), 24 Place Vendôme (1905) et 11 rue Royale (1936), son adresse actuelle.
1902 : Atelier de verrerie créé dans l'usine de Clairefontaine près de Rambouillet (Yvelines).
1909 : Ouverture de la «Verrerie de Combs-la-Ville» (Seine et Marne).
1921 : Ouverture de la «Verrerie d'Alsace René Lalique et Cie» à Wingen-sur-Moder (Bas-Rhin) dirigée par son fils Marc, pour la production industrielle.
1942 : Fermeture de l'usine de Combs-la-Ville.
1945 : Mort de René Lalique.
1946 : Son fils Marc (1900-1977) reprend la maison sous le nom de *Cristal Lalique*.
Concessionnaire à Londres : Brèves Lalique Galleries, 2 Basil Street, Knightsbridge, en 1928.
Catalogue des verreries René Lalique, René Lalique et Cie, Paris 1932.
Catalogues et brochures éditées par Brèves à Londres à partir de 1928.

Maison Lemarchand
Ébénistes de 1789 à 1893, à Paris.
Fondée vers 1789 par Charles-Joseph Lemarchand (Dieppe 1759-Paris 1826), ébéniste, au 65 rue du Faubourg St-Martin, transférée au 4, puis 6, rue du Pas-de-la-Mule en 1807. Fournisseur breveté du Garde-meuble à partir de 1817.
Louis-Édouard Lemarchand (Paris 1795-Paris 1872) collabore avec son père à partir de 1815 et prend la direction de la maison vers 1824. Il transfère les ateliers au 17, rue des Tournelles en 1828. Fournisseur breveté de la Couronne. En 1846 il s'associe avec André Lemoyne (ou Lemoine) à qui il laisse l'entreprise en 1852. Henri Lemoyne (né à Paris en 1828) succède à son père en 1863; tous deux sont fournisseurs brevetés de Napoléon III. La maison est reprise par Charles Jeanselme en 1893.

Léveillé
Marchand-éditeur de porcelaines et cristaux, Paris.
Maison de vente de porcelaine et de cristaux fondée en 1869 par Ernest-Baptiste Leveillé (Paris 1841-Vaucresson 1913), 74 Boulevard Haussmann, Paris.
1885 : Acquisition de la Maison E. Rousseau, marchand-éditeur de porcelaines et cristaux, et exploitation du fonds de 1886 à 1890 sous le nom de *Maisons Rousseau et Leveillé réunies*, redevenue *E. Leveillé* à la mort de Rousseau en 1890.
Magasin transféré en 1899, 140 Faubourg St Honoré.
1902 : association avec la Maison Toy, affaire de porcelaines et cristaux, sous la raison sociale : *Maisons Toy et Leveillé réunies*, au 10 rue de la Paix, à Paris.

Liberty and Co Ltd.
Marchand-éditeur et fabricant de meubles, tapis, tissus artistiques, faïences, robes et joaillerie, Londres.
Magasin d'importation d'objets orientaux ouvert en 1875 à Londres, 218A Regent Street, par Arthur Lasenby Liberty (Chesham 1843-The Lee 1917) à l'enseigne de «East India House», puis de «Chesham House» en 1883 après son transfert, puis son extension 140 à 150 Regent Street.
A partir de 1880, édition de tissus d'art, «Art Fabrics», dont certains sont imprimés par Littler, à Merton Abbey, usine que Liberty achète en 1904.
1883 : ouverture d'un atelier de décoration et d'ameublement dirigé par Léonard F. Wyburd et en 1884, d'un département d'habillement dirigé par E.W. Godwin, architecte.
1889 : Première collection d'argenterie et de joaillerie, dessinée par Archibald Knox, et commercialisée sous le nom de «Cymric», puis étains sous le nom de «Tudric»; le principal fabricant est W.H. Haseler, de Birmingham, avec lequel il fonde, en 1901, la *Liberty & Co. (Cymric) Limited*, ayant à sa tête John Llewellyn.
1890 : Succursale à Paris, 38 avenue de l'Opéra.
1922 : Nouveau magasin, Argyll Place (actuelle Great Marlborough Street).
1927 : Reconstruction du magasin Regent Street.

A la mort de A.L. Liberty en 1917, lui succèdent Harold Blackmore, puis le neveu et fils adoptif de Liberty, Ivor Stewart Liberty en 1950, et le fils de celui-ci, Arthur Stewart-Liberty en 1952.
Catalogues à partir de 1895.

Société Lincrusta-Walton Française
Tentures murales.
Magasin de vente : 10 rue La Boëtie, Paris.
Usine à Pierrefitte (Seine).
Compagnie constituée en 1880 par M. Musnier, ingénieur, qui achète les brevets déposés par M. Walton en 1877 et 1880 pour la fabrication du linoleum.

Linden Glass Company
Fabricant de meubles, vitraux et mosaïques, Chicago, (Illinois, Etats-Unis).
Frank L. Linden (Rockford 1859-Chicago 1934) fonde à Chicago, en 1882, avec Ernest J. Spierling, une entreprise de décoration intérieure, *Spierling & Linden*, 333 Wabash Avenue, transférée 1216, Michigan Avenue en 1890, année où il crée, à la même adresse la *Linden Glass Company*, firme complémentaire pour la création, la fabrication et l'importation de meubles, vitraux, mosaïques, tissus d'ameublement, etc. Dirigée par Ernest J. Wagner à partir de 1892. Les deux entreprises sont actives jusqu'en 1934.

Loetz Witwe
Verrerie, Klöstermühle, Unterreichenstein en Bohême (Autriche).
Fondée en 1836 par Johann B. Eisner von Eisenstein. Achetée en 1840 par Johann Loetz (1778-1848) maître-verrier, elle est dirigée en 1848 par sa veuve Suzanne Loetz sous le titre : *Glasfabrik Johann Loetz Witwe* (Verrerie Veuve Johann Loetz).
Reprise de 1879 à 1908 par son petit-fils Max Freiherr van Spaun (mort en 1909), puis son arrière petit-fils Max Freiherr von Spaun junior.
Chef de production : Eduard Prochazka de 1885 à 1914. Directeur artistique : Adolf Beckert (1889-1929) de 1909 à 1911.
A partir de 1888, dépôts de nombreux brevets pour des procédés nouveaux de fabrication ou de finition : imitations de pierres dures, verres irisés... Magasins de distribution en toute l'Europe dont E. Bakalowits à Vienne et Solon Diespeker, 8 rue des Petites-Ecuries à Londres.
1911 : Banqueroute puis reconstitution en 1913 sous forme de SARL, puis de SA en 1918. Incendie dévastateur en 1930 et fermeture durant la deuxième guerre mondiale.

Maison Majorelle
Meubles d'art, Nancy.
Maison fondée par Auguste Majorelle (Lunéville 1825-Nancy 1879) qui ouvre un commerce d'objets d'art à Toul en 1856, puis s'installe à Nancy en 1860 dans le Faubourg-St-Pierre, puis rue Girardet, où il fabrique des céramiques et des meubles laqués. En 1879, son fils Louis Majorelle (Toul 1858-Nancy 1926) lui succède à la direction des ateliers, tandis que Madame veuve Majorelle installe un magasin de vente rue St-Georges. En 1892, Louis Majorelle s'associe avec son frère Jules dans la société *Majorelle Frères*. Des magasins de vente existent à Paris, 56 rue de Paradis, Cannes, 46 rue d'Antibes, et plusieurs villes d'eaux.
1898 : transfert des ateliers rue Palissot. Achat de la maison Montigny de Nancy.
1901 : Fondation de la filiale de Lyon, 28 rue de la République.
Louis Majorelle est membre fondateur et premier vice-président de l'*Ecole de Nancy, Alliance provinciale des Industries d'art*, à Nancy en 1901.
1904 : Achat de «L'Art Nouveau» Bing, 22 rue de Provence, Paris, et transformation en galeries d'exposition et de vente.
1905 : Usine à Bouxières, dirigée par Pierre Majorelle pour la production de meubles courants.
1911-1913 : Construction d'ateliers et magasins, 126 rue de Provence, Paris, par H. Sauvage.
1926 : Mort de Louis Majorelle; la production est continuée sous la direction de Alfred Lévy, dessinateur.
Concessionnaire à Berlin : Ernst Kopp, 25 Charlottenstrasse, à Londres : Charles Fontaine, 4 Arthurstreet et Oxford Street.
1956 : Fermeture des Ateliers Majorelle.
Deux catalogues de vente (non datés).

Henry Manton
Orfèvre, Vittoria Street (en 1832), puis 110 Great Charles Street (en 1834), Birmingham (Grande-Bretagne).
Maison fondée en 1832 par Henry Manton; reprise en 1860 par son fils sous le nom de *Henry Manton Junior*, puis *Henry John Manton*, son nom véritable, à partir de 1876.
1924 : disparition de l'entreprise, acquise par Henry Joseph Brookes.

Alexander Martin
Ébéniste - tapissier en gros, 14 Dobbie's Loan et 17 North Wallace Street, Glasgow (Grande Bretagne).
Connue en 1904, la maison disparait en 1908.

Matthews Bros. Furniture Company
Fabricant de meubles, Milwaukee (Wisconsin, Etats-Unis).
Maison fondée en 1857 à Milwaukee par les frères Eschines P. (Paynes-

ville 1832-1913) et Alonzo R. (Russel 1835-1901) Matthews, auxquels se joint en 1867 leur frère Quincy A. Matthews (né en 1848). L'usine située River Street et le magasin de vente East Water Street, sont réunis dans de nouveaux locaux Fourth Street en 1870, puis 413 à 417 Broadway en 1874, et 407 à 411 East Water Street en 1879. L'accroissement de la production conduit à organiser la firme en deux compagnies distinctes en 1892 : la *Matthews Bros. Manufacturing Company*, chargée de la fabrication des meubles à laquelle s'associe M. Vogel, entrepreneur et charpentier, et la *Matthews Bros. Furniture Company*, chargée du commerce de gros et de détail.
L'usine est vendue par la famille Matthews en 1913 à la mort de Eschines P. Matthews, mais la firme poursuit ses activités jusqu'en 1937.

Monbro
Ébénistes-antiquaires, Paris.
Maison fondée en 1801, 215, rue de Beauregard, passage de la Boucherie, par Georges-Marie-Paul-Vital-Bonifacio Monbro (Malte 1774-Paris 1841) ébéniste et restaurateur de meubles anciens. Il se fixe en 1832, 44, puis 36 et 32, rue Basse-du-Rempart (actuel Boulevard des Capucines) comme «ébéniste-antiquaire». Son fils Georges-Alphonse-Bonifacio Monbro (Paris 1807-Paris 1884) lui succède en 1838 sous la raison sociale *Monbro aîné* : «ébéniste antiquaire, magasin et réparation de meubles anciens, curiosités, objets d'art». Vers 1850, il ouvre une succursale à Londres, 370 Oxford Street puis 2 Frith Street, Soho Square, fermée en 1870. Après divers changements d'adresse et liquidation d'une partie de son fonds dans des ventes, il devient «expert en ameublement et objets d'art», avec un magasin de vente 82, boulevard Haussmann, de 1871 à 1884.

Morris and Company
Maison d'ameublement et de décoration, Londres et Merton Abbey.
Firme fondée en avril 1861, à Londres, 8 Red Lion Square, sous le nom de «Morris, Marshall, Faulkner & Co., Fine Art Workmen in Painting, Carving, Furniture and the Metals», avec pour associés William Morris (1834-1896), P.P. Marshall, Charles Faulkner, Philip Webb (1831-1915), Ford Madox Brown (1821-1893), Edward Burne-Jones (1833-1898) et Dante Gabriel Rossetti (1828-1882).
En 1865, la firme est transférée, dans des locaux plus grands, au 26 Queen Square.
À partir de 1875, William Morris assume seul la direction de la maison sous l'appellation *Morris & Co*.
En 1877, un magasin de vente est ouvert à Londres, au 264 Oxford Street.
En 1881, le transfert des ateliers à Merton Abbey permet de développer l'impression sur papier et sur étoffe, et le tissage de tapisseries et de tapis.
Vers 1887, la firme acquiert un des ateliers d'ébénisterie de Holland & Sons dans Pimlico.
Au cours des années 1920, le magasin londonien est réinstallé dans Hanover Square.
En 1940, *Morris & Co* est mis en liquidation.

Émile Muller et Compagnie
«Grès Émile Muller. Produits céramiques pour construction, industrie et production d'art».
Usine à Ivry-Port (Seine).
Magasin : 3, rue Halévy, Paris.
En 1854, Émile Muller (Altkirch ? -Paris 1889) ingénieur, fonde la *Grande Tuilerie d'Ivry*, d'après les procédés et sur les modèles de MM. Gilardoni, inventeurs de la tuile mécanique.
A partir de 1884, fabrication de terres cuites et émaillées pour la décoration architecturale, la reproduction d'œuvres anciennes et de modèles donnés par des artistes contemporains.
1886 : Une nouvelle usine est créée.
1889 : Louis Muller (né vers 1859), fils d'Émile, reprend la maison sous le nom de *Émile Muller et Compagnie*.

Mundus A.G.
Manufacture de meubles en bois courbé, Vienne (Autriche).
Société regroupant 16 entreprises, fondée le 20 août 1907, à l'instigation de Léopold Pilzer (1871-?), ancien employé de J. & J. Kohn, l'un des associés de Rudolf Weill & Co.
Le 16 août 1914, Mundus fusionne avec la firme J. & J. Kohn.
En 1922, Kohn-Mundus fusionne avec la firme Thonet frères.
La Société Mundus est dissoute le 22 juin 1928.

Poussielgue-Rusand
«Manufacture d'Orfèvrerie et de Bronzes pour les Églises», Paris.
Jean-Baptiste Poussielgue-Rusand (1797-1849) fonde une fabrique de bronzes à Paris, 8, rue du Pot-de-Fer-St-Sulpice (actuelle rue Bonaparte) puis s'associe en 1845 avec Choiselat-Gallien, fabricant de bronzes d'églises, établi rue Cassette, qu'il rachète en 1848. Son fils, Placide Poussielgue-Rusand (Paris 1829-Paris 1889) lui succède en 1849.
1857 : Il a le titre de Fournisseur de N. S. Père le Pape.
1862 : l'ensemble de la maison est transféré 15, rue Cassette; d'autres ateliers seront ouverts 7 et 9, rue Pape-Carpantier.
A sa mort en 1889, la maison qui devient *Poussielgue-Rusand Fils* est dirigée par son fils Maurice Poussielgue-Rusand (1861-1933) puis son petit-fils Jean-Marie Poussielgue-Rusand (1895-1967) qui ferme les ateliers en 1963.

Catalogues : *Choiselat-Gallien et Poussielgue-Rusand. Catalogue des bronzes pour les églises et des vases sacrés (s.d.); Manufacture d'orfèvrerie et de bronzes pour les églises de P. Poussielgue-Rusand*, catalogues édités en 1865, 1880, 1889; *Manufacture d'orfèvrerie, de bronzes et de chasublerie. Maison P. Poussielgue-Rusand Fils. Catalogue général d'orfèvrerie et de bronzes*, 1900.

Rookwood Pottery Company
Manufacture de céramiques d'art, Cincinatti (Ohio, États-Unis).
Fondée en 1880 à Cincinatti par Maria Longworth-Nichols-Storer (Cincinatti 1849-1932), 207 Eastern Avenue.
Chefs d'atelier : Joseph Bailey Jr. en 1880, et Joseph Bailey Sn. en 1881.
Directeur : William Watts Taylor (1847-1913) en 1883, qui devient Président de 1891 à 1913.
De 1881 à 1883 : ouverture d'une école de poterie : Rookwood School for Pottery Decoration.
1892 : Construction d'une nouvelle usine à Mt Adams, Cincinatti.
1913 : Joseph Henry Gest devient président, puis John D. Wareham en 1934.
1941 : Banqueroute : l'entreprise est vendue à Walter E. Schott, puis en 1956 à James Smith, et en 1959 à Herschede Hall Clock qui la transporte en 1960 à Starkville, Missouri.
1967 : Fermeture de la manufacture.
1971 : Le fonds est acheté par Briarwood Lamps Inc. de Starkville qui réédite certains modèles sous forme de lampes et le nom de *Rookwood Gallery*.

Roudillon
Tapissier-ébéniste, 9, rue Caumartin, Paris.
Établi en 1844, Roudillon reprend en 1853 la maison Ringuet-Leprince. La maison est cédée vers 1880 à Renault et Cie, puis à Alavoine en 1890.

Maison E. Rousseau
Marchand-éditeur de porcelaines et cristaux, 43, rue Coquillère, Paris.
Ancienne Maison Duban, fondée à la même adresse, en 1753 par Louis-Picard Duban (mort en 1783), faïencier, et reprise en 1784 par son fils, Louis-François-Picard Duban, faïencier breveté, seul fournisseur de la Maison du Roi et des Princes.
Joseph Rousseau (Lys 1787-Paris 1855) loue le fonds de commerce à partir de 1826. François-Eugène Rousseau (Paris 1827-Paris 1890) succède à son père en 1856 et vend son fonds à Léveillé en 1885.

Frédéric-Jules Rudolphi
Orfèvre-bijoutier, Paris.
Collaborateur, puis successeur de Charles Wagner.
Fait insculper son poinçon le 14 décembre 1842.
Jusqu'en 1853, il garde un atelier 11, rue du Mail et un magasin 3, rue Tronchet.
En 1854, il s'établit 23, boulevard des Capucines.
Le 14 mars 1857, il organise une vente de plus d'une centaine de ses œuvres (orfèvrerie artistique et objets de curiosité) à l'Hôtel Drouot.
En 1867, il est associé avec son fils Frédéric-Aristide et dirige une succursale au Danemark.
Il s'installe, peu après, 1, place de Wagram et 87, boulevard de Neuilly (maintenant avenue de Villiers).

Fonderies de Saint-Dizier
Quai Berthelot, St-Dizier (Haute-Marne).
Fondées avant 1876 et établies à cette même adresse sous les raisons sociales successives : *Leclerc et Cie, Fonderies de St-Dizier*, et *Fonderies de St-Dizier, Leclerc et Cie*.
1916 : Les Fonderies de St-Dizier, Leclerc et Cie sont rachetées par les Fonderies de Bayard à Laléville - à - Bayard et constituent la *Société des Fonderies de Bayard et St-Dizier*.
1972 : à nouveau indépendantes, elles reprennent le nom de *Fonderies de St-Dizier* qu'elles portent actuellement.
Catalogues : Fonderies de Saint-Dizier : Catalogue commercial : *Fonderies Artistiques pour Constructions, Fumisterie, Articles de Jardins et Sépultures - Style Guimard*, 1907. Société des Fonderies de Bayard et Saint-Dizier : *Fontes d'Ornement pour Bâtiments et Jardins - Articles de Fumisterie, Chauffage et Quincaillerie, Fontes Émaillées, Articles Funéraires et Religieux, Tuyaux de Canalisation*, 1935.

Sandoz
Horlogerie et joaillerie, Paris.
Maison d'horlogerie fondée en 1865 au Palais-Royal par Gustav Sandoz (Paris 1836-Paris 1891). Son fils Gustav-Roger Sandoz (Paris 1867-Paris 1942) adjoint un commerce de bijouterie-joaillerie vers 1875.
Il succède à son père en 1891 et s'installe en 1895 rue Royale. Son fils Gérard Sandoz (né en 1902) bijoutier-joaillier depuis 1920, puis peintre et cinéaste, ferme la maison en 1931.

Maison Serrurier-Bovy
Architecture intérieure - Ébénisterie - Décoration, Liège.
Maison fondée en 1884 par Gustave Serrurier-Bovy (Liège 1858-Liège 1910) à Liège, 38 rue de l'Université. A l'origine spécialisée dans l'importation de produits japonais et de la firme Liberty, la maison évolue vers le magasin d'ameublement.
1896 : Ouverture d'un magasin de vente à Bruxelles, 21 rue de la Blanchisserie.

1899 : Création de nouveaux ateliers à Liège, 39-41 rue Hemricourt. Fondation en collaboration avec l'architecte français René Dulong d'une succursale de vente à Paris, «L'Art dans l'Habitation» située, 34 rue de Tocqueville, puis à partir de 1904, 37 boulevard Haussmann.
1903 : Constitution de la Société *Serrurier & Cie*.
1904 : Ouverture d'une succursale à La Haye, 30 Parkstraat.
1907 : Rachat de l'usine Peters à l'angle des rues de Joie et Ambiorix à Liège pour y installer de nouveaux bureaux et ateliers, ceux de la rue Hemricourt ayant été expropriés. Fin de la Société *Serrurier & Cie*. Ouverture d'une succursale à Nice, 19 boulevard Victor Hugo.
1918 : Liquidation de l'entreprise.

Manufacture de Sèvres
Manufacture créée en 1753.
Au XIXe siècle, Alexandre Brongniart, chimiste et amateur d'art, occupe le poste d'administrateur de 1800 à 1847. Lui succèdent des directeurs, chimistes eux aussi, mais assistés de directeurs artistiques : Ebelmen de 1848 à 1852, Victor Regnault de 1852 à 1871, Louis Robert de 1871 à 1879 - tous trois secondés, de 1846 à 1880, par le chimiste Alphonse-Louis Salvetat -, Charles Lauth de 1879 à 1887, Théodore Deck de 1887 à 1891, Émile Baumgart, tous trois secondés par le chimiste Georges Vogt.
Pour cette période, la direction artistique est successivement confiée au peintre Jules Diéterle (1840-1855), à l'architecte Joseph Nicolle (1856-1871), au sculpteur Albert Carrier-Belleuse (1871-1887).
En 1891, une profonde réforme réunit les divers services en deux grandes directions : la direction des travaux d'art et la direction des travaux techniques, placées sous l'autorité de l'administrateur. Baumgart est nommé à ce dernier poste et y restera jusqu'en 1909; la direction des travaux d'art est confiée de 1886 à 1910 à l'architecte Alexandre Sandier.

Siot-Decauville
Fondeur éditeur, Paris.
Firme dirigée en 1894 par Edmond Siot Decauville (1841-1908).
En 1900, la fonderie et les ateliers sont au 8-10 rue de Villehardouin, et le salon de vente, au 24 boulevard des Capucines.
Avant 1926, la maison est transférée au 63 avenue Victor-Emmanuel III.

Francis Smith
Ébéniste-tapissier, 74 et 78 Gordon Street (1895), puis 137a St-Vincent Street à Glasgow (Grande Bretagne).
La maison cesse son activité en 1971.

Susse Frères
Fondeurs et éditeurs.
Magasins de vente : 31 Place de la Bourse, Paris.
Maison fondée en 1758 par Jean Susse propriétaire d'une papeterie de luxe et commerce d'objets de fantaisie.
1830 : La maison, 7 et 8 passage des Panoramas, 31 Place de la Bourse, est reprise par ses petits-fils J. Victor (1806-1860) et J. V. Amédée (1808-1880) Susse.
1840 : Les deux frères créent un atelier de bronzes d'art : *Susse Frères*.
1920 : Usine transférée 7 avenue Jeanne d'Arc, Arcueil (Val-de-Marne) adresse actuelle de la maison.
Catalogue : Prix-courant. *Bronzes d'art*. Susse Frères : Fabricants Éditeurs. 31 rue Vivienne, Place de La Bourse, 13-15, boulevard de la Madeleine, Paris s.d., [vers 1900].

Thiébaut
Fonderie artistique.
Ateliers : 144 Faubourg-Saint-Denis, puis 32 avenue Guersant, Paris.
Magasins de vente : 32 avenue de l'Opéra, Paris.
En 1787, Charles-Cyprien Thiébaut (1769-1830) succède à son patron dans une petite fonderie, rue Simon-Le-Franc à Paris.
1789 : Il transfère ses ateliers 42 rue du Ponceau. Il s'associe plus tard à son fils Charles-Antoine-Floréal Thiébaut (né en 1794) sous le nom *Thiébaut et Fils*, établi seul ensuite sous le nom de *Thiébaut Ainé*.
1827 : Nouveaux ateliers 152 rue du Faubourg-Saint-Denis, (devenu 144 vers 1849).
Charles-Antoine s'associe à ses deux fils Victor et Edmond (mort en 1848) : *Thiébaut et Fils*.
1850 : Victor Thiébaut (1828-1888) lui succède et crée une «Fonderie d'Art».
Vers 1870, il s'adjoint son fils aîné Victor (1849-1908), puis ses deux autres fils Jules (1854-1898) et Henri (1855-1899) sculpteur; ceux-ci dirigent la maison sous le nom de *Thiébaut Frères*.
1877 : Transfert des ateliers 32 rue de Villiers (devenue rue Guersant).
1884 : Magasin ouvert 32 avenue de l'Opéra : bronzes d'art, modèles d'éclairage et ameublement.
1898 : Victor Thiébaut est seul directeur; il scinde la SA de la Fonderie Artistique et crée une filiale *Thiébaut Frères, Fumière et Gavignot, successeurs* (objets d'art, ameublement, éclairage) même siège social, mêmes ateliers.
1901 : Victor Thiébaut vend sa fabrique à Gasne, qui la rétrocède à Malesset puis à Fulda.
1908 : Victor Thiébaut meurt; son fils Victor lui succède comme liquidateur de la Société de la Fonderie Artistique.
1911 : Ateliers de la rue Guersant détruits par un incendie.
1919 : Fumière rachète à Fulda le droit de fondre sous le nom de Thiébaut Frères.

1926 : Liquidation générale et volontaire : modèles vendus et stocks liquidés.
Catalogues : Thiébaut et Fils, 144 Fg st-Denis, Paris, *Bronzes d'Art* (s.d.) [avant 1877] - Thiébaut Frères, Fondeurs, 32 rue de Villiers, Paris, *Liste des principaux travaux exécutés par la maison Thiébaut*. Bronzes d'art et d'ameublement, Avenue de l'Opéra, 32, Paris, 1888 - Thiébaut Frères, Fumière et Gavignot. *Bronzes d'Art, ameublement et électricité*, 32 avenue de l'Opéra, Paris.

Thonet Frères
Manufacture de meubles de bois courbé, Stephansplatz, 2 Brandstätte, Vienne.
Atelier fondé en 1819 à Boppard-am-Rhein par Michael Thonet (Boppard 1796-Vienne 1871) qui met au point les procédés pour courber le bois vers 1830-1835; privilège impérial accordé en 1842; nouvel atelier fondé en 1849 à Gumpendorf, 173, Mollardgasse.
Magasin de vente ouvert à Vienne en 1852 au Palais Montenuovo dans la Strauchgasse. Société établie en 1853 à Vienne par Michael Thonet au nom de ses cinq fils, Franz (1820-1898), Michael (1824-1902), August (1829-1910), Josef (1830-1887) et Jakob (1841-1929) sous la raison sociale : *Gebrüder Thonet*, «K. K. a. p. Fabrik von Möbeln aus gebogenem Holze und Parquetten». (Fabrique de meubles de bois courbé et de parquet).
1856 : brevet d'exclusivité pour la fabrication du bois courbé accordé jusqu'en 1869. Le siège social de la société est transféré 26, Jägerzeile à Vienne (1859), 586 Leopoldfladt (1862), 1, Donau Strasse (1873), Stephansplatz (1886), détruit en 1945.
Ouvertures d'usines en Moravie (actuelle Tchécoslovaquie), à Koritschan (1856), Bistritz-am-Hostein (1861), Grosz-Ugrocz en Hongrie (1865), Wsetin (1867), Hallenkau (1868), Nowo-Radomsk en Russie (1871), Frankenberg (1871). Des points de vente s'ouvrent dans le monde entier; à Paris, 92 Boulevard Sébastopol, puis 15 Boulevard Poissonnière. Otto Prutscher (1880-1949) devient directeur artistique à partir de 1914.
1921 : Devenue société par actions.
1923 : Fusion avec *Mundus* qui avait déjà absorbé Kohn. 1925 : Le nouveau consortium adopte la raison sociale : *Thonet-Mundus*, 24, Elisabethstrasse, Vienne. La société rachète Standard-Möbel Lengyel et Co. de Berlin en 1929. 1938 : *Gebrüder Thonet* redevient indépendante en la possession de la famille Thonet sous la direction de Georg Thonet et de son fils Claus M. Thonet pour la filiale allemande, siège social à Frankfurt-am-Main et usine à Frankenberg-Eder, et sous la direction de Richard et Evi Thonet pour la filiale autrichienne, siège social à Vienne et usine à Friedberg.
L'adresse actuelle est 11 a, Untere Weissgerberstrasse, Vienne.
Catalogues : Affiches-catalogues en 1859, 1866, 1873. Catalogues de vente en 1884, 1888, 1895, 1904 et suppléments en 1905, 1906 et 1907, 1911-1915. Catalogues Thonet-Mundus.

Louis-Comfort Tiffany
Décorateur et fabricant, New-York.
Louis-Comfort Tiffany (New-York 1848-New-York 1933) peintre, fils de Charles Louis Tiffany, fonde à New-York en 1879, avec Candace Wheeler, Samuel Colman et Loockwood de Forest (1850-1932) l'entreprise de décoration intérieure *Associated Artists*. Dissoute en 1883, le nom étant repris par Candace Wheeler pour ses créations textiles et de papier peint, et reconstituée sous la raison sociale *Louis C. Tiffany and Company*, la société continue d'assurer de décoration intérieure, dessine ses propres modèles d'objets d'art décoratif et en assure la production et la diffusion, en particulier les vitraux d'art, les bronzes, les lampes et la mosaïque.
1885 : création de la *Tiffany Glass Company* pour la production de verres colorés.
1892 : création de la *Tiffany Glass & Decorating Company*, et invention d'un nouveau type de verre soufflé opalescent, commercialisé en 1893 sous le nom de Fabrile, puis Favrile Glass à partir de 1894.
1893 : rachat de la Stourbridge Glass Company, usine à Corona (Long Island), vice-président et directeur : Arthur J. Nash, chimiste : Parker Mc Ilhiney, chef de la verrerie : Tom Manderson, Éditeur en France : L'Art Nouveau - S. Bing.
1902 : La verrerie de Stourbridge prend le nom de *Tiffany Furnaces* et la Tiffany Glass & Decorating Company celui de *Tiffany Studios*, qui produit aussi de l'émaillerie, des céramiques (Favrile pottery) et des bijoux vendus par Tiffany & Company jusqu'en 1933.
1920 : Tiffany Furnaces deviennent *Louis C. Tiffany Furnaces Incorporated* (un des principaux associés étant la Louis Comfort Tiffany Foundation, fondée en 1918 et ouverte jusqu'en 1946) et sont dirigées par A. Douglas Nash, Tiffany Studios étant dirigés par Joseph Briggs jusqu'en 1938, année de leur liquidation.
L'usine de Corona est fermée par Tiffany en 1928 et, rachetée, devient *A. Douglas Nash Corporation*, toute production sous le nom de Tiffany ayant cessé.

Tiffany and Company
Orfèvrerie-joaillerie, New-York.
Magasin d'articles de mode et de curiosités ouvert sous le nom de *Tiffany and Young* en 1837 à New-York, 259 Broadway, par Charles Louis Tiffany (né dans le Connecticut 1812-New-York (?) 1902) et John B. Young.
Importation d'œuvres d'Europe et d'Extrême-Orient.

1841 : J. L. Ellis devient associé : *Tiffany, Young et Ellis.*
1850 : succursale à Paris, rue de Richelieu, sous le nom de *Tiffany, Reed and Co.*, et en 1858, à Londres, 221 Regent Street.
1848 : fabrication de joaillerie et d'orfèvrerie.
Modèles dessinés par la firme, dessinateur Gustave Herter, et par des artistes contemporains tels que John Chandler Moore, créateur exclusif à partir de 1851, et son fils Edward Chandler Moore (1827-1891), associé à la maison lorsque celle-ci prend le nom de *Tiffany and Company* en 1868, et directeur du département d'orfèvrerie. Les ateliers sont situés Prince Street, le magasin 271 Broadway (1847) puis 550 Broadway.
1870 : magasin et ateliers transférés dans un immeuble construit à l'angle de la 14th Street et Union Square, puis Fifth Avenue et 37th Street en 1905, et Fifth Avenue et 57th Street en 1940, l'adresse actuelle.
Usine fondée en 1897 dans le New-Jersey où elle est toujours en activité.
1902 : Louis Comfort Tiffany devient directeur artistique; les ateliers sont dirigés par des descendants de Edward Moore.
Walter Hoving dirige Tiffany and Co. depuis 1955; Henry B. Platt, arrière petit-fils de Charles L. Tiffany est président.

Société Anonyme des Hauts-Fourneaux et Fonderies du Val d'Osne
Siège social et magasins de vente : 58 boulevard Voltaire et 97 boulevard Richard-Lenoir, Paris.
Usine au Val d'Osne (Haute-Marne), construite en 1836, fermée en 1986.
Anciennes maisons réunies : J.P.V. André, fondateur (1833-1855), successeurs : Barbezat et Cie (1855-1867) - Fourment, Houille et Cie (1867-1870) - J.J. Ducel & Fils (1810-1878).
Administrateurs délégué : J.B. Mignon (1870-1892), Charles Hanoteau (1892-1895), Henri Hanoteau (à partir de 1895).
Catalogue en 5 albums (40 000 modèles), 1895.
Constitué en 1878, la Société Anonyme des Hauts-Fourneaux et Fonderies du Val d'Osne, est rachetée en 1888 par Antoine Durenne, fondateur des fonderies de Sommevoire (Haute-Marne) en 1855, et exploitant de plusieurs usines dont celle de Wassy. En 1968, le groupe Durenne et du Val d'Osne fusionne avec la Compagnie des Compteurs et la Société Générale d'Hydraulique et de Mécanique. Celle-ci dépose son bilan en 1986 et est reprise par la *Société Nouvelle Générale d'Hydraulique et de Mécanique*, siège social : 140 rue Maulgian, 52130 WASSY. bureaux à Paris, 10 rue Tiphaine, 15e. La SNGHM édite les modèles des fonderies du Val d'Osne qui sont fabriqués à l'usine de Sommevoire.

Vallin
Menuiserie d'art, Nancy.
Ancienne *Maison Claudel*, «Mobilier Religieux», fondée en 1853, 21 rue des Tiercelins, Nancy, par Charles-Auguste Claudel (1827-1893). Son neveu Eugène Vallin (Herbévillers (Vosges) 1856-Nancy 1922) lui succède en 1881 sous le nom de *Vallin*.
1896 : Nouvel atelier, 8 boulevard Lobau.
1901 : Fondation de l'*École de Nancy. Alliance provinciale des Industries d'art* dont Vallin est un des vice-présidents.
1922 : Son fils Auguste Vallin (Nancy 1881-1967) sculpteur, lui succède.
1961 : Fermeture des ateliers Vallin.

Maison Vever
Joaillerie-bijouterie, 19, puis 14, rue de la Paix, Paris, à partir de 1907 : atelier jusqu'en 1927 et magasin jusqu'en 1982.
Maison fondée en 1821 par Pierre-Paul Vever (1797-1853) à Metz, dirigée en 1848 par son fils Ernest Vever (Metz 1825-Paris 1885) qui la transfère à Paris en 1871 lors du rachat de la maison Marret et Baugrand. Reprise par ses fils Paul (Metz 1851-1915) et Henri (Metz 1854-Noyers 1942) Vever, puis en 1915 par André et Pierre Vever, fils de Paul, qui la dirigent jusqu'en 1960 et l'agrandissent par le rachat de la maison Linzeler en 1924-25; les ateliers sont fermés en 1927. Jean Vever, collaborateur depuis 1934, reprend la maison en 1960 et cesse ses activités en 1982.

William Watt
Connu comme tapissier et ébéniste à partir de 1859.
Maison établie 21 Grafton Street, Gower Street, à Londres.
Éditeur de modèles dessinés par Godwin, entre 1867 et 1886.
Un catalogue de meubles anglo-japonais d'après Godwin est publié en 1877.

Wiener Porzellan-Manufaktur Jos. Böck
Manufacture de céramique, Vienne (Autriche).
Magasin de vaisselle de table fondé par Johann Kutterwatz en 1828 à Vienne, auf der Wieden 14, et repris par Ferdinand Pater de 1855 à 1875.
A partir de 1879, la maison passe entre les mains de la famille Böck : elle est dirigée successivement par Josef Böck Senior de 1879 à 1887, par Josef Böck Junior de 1887 à 1935, puis par Karl et Ferry Böck de 1935 à 1960.
En 1893, création d'un atelier de peinture sur porcelaine, qui est agrandi et transféré dans de nouveaux bâtiments cinq ans plus tard.
Dès 1898, la firme enregistrée sous le nom de Wiener Porzellan Manufaktur J. Böck, édite des modèles dessinés par des artistes de l'école d'art appliqué de Vienne.
La firme est cédée à Haas & Czjzek en 1960.

Wièse
Bijouterie-orfèvrerie, Paris.
Maison fondée en 1844 par Jules Wièse (Autun 1818 - Paris (?) 1890), 7, rue Jean-Pain-Mollet, puis 1 rue Saint-Nicaise, 6 rue de Rivoli (1853), 48 rue de l'Arbre-Sec (1854-1863), 90 rue de Richelieu en 1864. Son fils Louis Wièse (Paris 1853 - Paris 1923) lui succède en 1880.

Winslow Bros. Company
Fondeurs, 99-109 West Monroe Street, Chicago (Illinois, Etats-Unis).
Usine à Carroll Avenue et Fulton et Ada Street.
Entreprise fondée en 1885 par William Winslow (Brooklyn 1857-) en association avec E. T. Harris sous la raison sociale *Harris and Winslow*, «manufacturers of ornamental iron and bronze». Lorsque Harris se retire, William Winslow s'associe en 1887 à son frère Francis sous le nom de *Winslow Bros. Company.*
La maison ferme en 1921.
Publication : *Ornemental Iron*, Chicago, The Winslow Bros. Co., août 1893-mai 1895.

Maison Zuloaga
Armuriers et orfèvres, Eibar (Espagne).
Connue dès 1851 par l'Exposition Internationale de Londres, la maison est dirigée à la fin du XIXᵉ siècle par Placido Zuloaga y Zoloaga (Eibar 1833-1910).

Index

I. Donateurs

Arikha (M. Avigdor) — Cayette OAO 876
The Art Institute of Chicago — Sullivan OAO 460
Asenbaum (Mme Inge) — Hoffmann OAO 1047
Auscher (René) — Auscher OAO 654, 659
Autexier (Hugues) — Rousseau OAO 1055

Baratz (Léon) — Anonyme OAO 328
Benir (Mme) — Gallé OAP 192
Beyrie (Mme Maria de) — Sauvage OAO 1064
Blondel (M. Alain) — Guimard OAO 469 à 485, 557 à 565, 579 à 586
Boule (M. André) — Maillaud OAO 598 à 600
Bourgogne (M. et Mme Jean) — Gallé OAO 1082, 1083, 1103 à 1108, 1112, 1113
Braunschweig (François) — Rousseau OAO 1055

Candilis (M. Georges) — Kohn OAO 950 ; Thonet OAO 953 à 958
Cazin (Jean-Charles) — Cazin OAO 86 à 91
Cazin (Michel) — Cazin OAO 92
Chaplet (Ernest) — Chaplet OAO 93 à 95, 98 à 100
Charpentier (Alexandre) — Charpentier OAO 54, 55, 61, 62
Courson (M. Jacques) — Guimard OAO 318

Daber (M. Alfred) — Renoir OAO 567
Daigueperce (Mlle Suzanne) — Gallé OAO 1056 à 1058, 1085 à 1087, 1098 ; Hamm OAO 1066
Danenberg (M. et Mme Bernard) — Gallé OAO 714
Dauberville (M. Henry) et ses enfants — Toulouse-Lautrec OAO 338
Dauriac (M. Jacques-Paul) — Caranza OAO 1028
David-Weill (David) — Gauguin OA 9514
David-Weill (M. Michel) — Mackintosh OAO 1004 à 1009
Delbet (Pierre) — Delbet OAO 114, 117, 118, 187, 293
De Menil (Mme Dominique) — Guimard OAO 606 à 652
Dufresne de Saint-Léon (Comte) — Dufresne de Saint-Léon OAO 462 à 468, 856 à 861
Dupont (M. Jean) — Guimard OAO 951, 952

Fine art society, Londres — Benham OAO 1039 ; Dresser OAO 1030
Fischer Fine Art, Londres — Thonet OAO 496
Foucart (M. Bruno) — Guimard OAO 514
François (Mme veuve) — François OAO 253, 255 à 269

Galbrunner (Paul) — Galbrunner OAO 219
Guillelmon (Mme Jean) — Coulier OAO 707
Guilleminault (Mlle Simone) — Bigot OAO 569, 570, 1027 ; Sèvres OAO 571 ; Van de Velde OAO 572

II. Commanditaires et premiers propriétaires

Aubecq (Octave)	Horta OAO 486 à 493
Auscher (Paul)	Auscher OAO 654, 659
Bauer (Louis)	Van de Velde OAO 1079 à 1081
Bearn (Comtesse René de)	Dampt DO 1980-14 à 19
Bénard (Adrien)	Charpentier OAP 240
Bing (Siegfried)	Daum OAO 292; Grueby OAO 163; Koepping OAO 304, 305; Rookwood OAO 173, 174; Tiffany OAO 312 à 315; Toulouse-Lautrec OAO 338
Boddington (Henry)	Mackmurdo OAO 577, 1013
Bouilhet (Henri)	Christofle DO 1985-3 à 30
Bourbon (Louise-Marie-Thérèse de, Duchesse de Parme)	Froment-Meurice OAO 530 à 536
Bourse de Chicago	Sullivan OAO 892, 960, 1018, 1099
Bugatti (Ettore)	Bugatti OAO 343 à 444
Camondo (Comte Abraham de)	Oudinot OAP 263
Carlisle	Morris OAO 451
Carson Pirie Scott and company	Sullivan OAO 1020
Cazin (Jean-Charles)	Cazin OAO 86 à 91
Cazin (Michel)	Cazin OAO 92
Chaplet (Ernest)	Chaplet OAO 93, 95, 98 à 100
Charpentier (Alexandre)	Charpentier OAO 54, 55, 61, 62
Christofle (Paul)	Christofle DO 1985-3 à 30
Cobourg (Famille de)	Anonyme OAO 863
Cochrane (Mr et Mrs John)	Mackintosh OAO 1004 à 1010
Coonley (Mr et Mrs Avery)	Niedecken OAO 1025; Wright OAO 1022, 1023
Corbin (Eugène)	Majorelle OAO 331, 332; Anonyme OAO 333 à 335
Cranston (Catharine)	Mackintosh OAO 459, 460
Daber (Alfred)	Renoir OAO 567
Daigueperce (Marcelin et Albert)	Gallé OAO 1056 à 1058, 1085 à 1087, 1098
Daigueperce (Mme Albert)	Hamm OAO 1066
Daum (Café)	Thonet OAO 940
Dedyn (M.)	Gruber OAO 969
Delbet (Pierre)	Delbet OAO 114, 117, 118, 187, 293
Desagnat (Jules)	Guimard OAO 540
Desfosse (Manufacture)	Desfossé DO 1981-20
Detaille (Edouard)	Gueyton OAO 1016
Dunraven (Comte)	Pugin OAO 979
Eugenie (Impératrice)	Sèvres OAO 657
Fonderies de Saint-Dizier	Guimard OAO 606 à 657, 897
Fournier (Mme veuve E.)	Guimard OAO 562
Fremy (M.)	Anonyme DO 1980 [1-10]
Fruhinsholz (Adolphe)	Gallé OAO 495
Galle (Emile)	Gallé OAO 603 à 605, 1082, 1083, 1103 à 1108, 1112, 1113